D1667377

Algemene Inleiding

Inhoud

Inleiding

In de Algemene inleiding van *Spelling in de lift adaptief* wordt allereerst een korte introductie gegeven over het belang van spelling, de manier waarop spellingproblemen ontstaan en het model van spellen. Vervolgens wordt de opbouw van de methode toegelicht. Daarna zal worden ingegaan op de didactiek. Hierbij wordt tevens ingegaan op de theorie, waarop deze methode in oorsprong is gebaseerd.

Het belang van spelling
Spelling is het systeem van regels en afspraken waarmee de mondelinge taal wordt omgezet in schrifttekens. Het schriftelijk taalgebruik is niet weg te denken uit onze samenleving. Spellingonderwijs is een onderdeel van het totale taalonderwijs. De beheersing van spelling is een basisvoorwaarde voor het schriftelijk taalgebruik en daarom van groot belang.

Spellingproblemen
Spelling in de lift adaptief zoekt de oorzaken van spellingproblemen niet enkel bij de leerling of bij de didactiek afzonderlijk, maar kijkt naar afstemmingsproblemen tussen de leerling en onderwijsomgeving, met name de afstemmingsproblemen tussen leertaak, leerling en leerkracht. De leerkracht en de leerling kijken anders naar de moeilijkheidsgraad van de taak, de beschikbare voorkennis of de beoordeling van het eindresultaat. De leerkracht schat daardoor de taak bijvoorbeeld anders in qua uitdaging dan de leerling, waardoor de leerling een te gemakkelijke of juist te moeilijke taak krijgt. Het onderwijs sluit onvoldoende aan bij kenmerken en mogelijkheden van de leerling. De leerling heeft op deze manier een lagere taakgerichtheid en de taak wordt niet op de juiste manier aangepakt.

De methode *Spelling in de lift adaptief* kan ingezet worden voor leerlingen met spellingproblemen, maar ook voor leerlingen die de correcte spelling al beheersen en deze vaardigheid willen onderhouden. Alle deelvaardigheden van een spellingtaak worden in de methode systematisch geoefend. In deze Algemene Inleiding en in de handleidingen per niveau worden, om de leertaak optimaal op de leerling af te stemmen, belangrijke aanwijzingen gegeven. Stem de leerstof en instructie, aan de hand van de leerprincipes die in de handleiding besproken worden steeds opnieuw op de leerlingen af, om zo het gewenste resultaat te bereiken. Motiveer de leerlingen en stuur leerprocessen bij waar nodig. Combineer de aanwijzingen uit de handleidingen en instructie om de methode op de juiste manier te gebruiken.

Spelling: een kwestie van strategie
Wanneer je een woord opschrijft, kun je daarbij op verschillende manieren te werk gaan. De meeste woorden gaan vanzelf; de spelling is geen punt van aandacht meer. Bij woorden zoals 'eigenwijs' of 'provincie' zul jij een beroep moeten doen op de visuele voorstelling die je van deze woorden in je geheugen hebt opgeslagen. Soms helpt het ook om te denken: 'Het is net zo'n woord als ...', want naar analogie van 'koninkje' weet je dan ook dat je kettinkje met -kje schrijft.

In verschillende praktijksituaties maak je gebruik van verschillende spellingstrategieën. In het onderwijs moeten deze verschillende spellingstrategieën worden aangeleerd. Het is geen kwestie van volgens de ene of de andere strategie spellen, maar van flexibel gebruikmaken van verschillende en aanvullende strategieën. Op grond van opgedane kennis en ervaring beslis je, voordat je een woord daadwerkelijk opschrijft, welke strategie je gaat gebruiken. Eventueel stel je dit nog bij wanneer je al aan het schrijven bent.

Voor leerlingen, en zeker voor leerlingen met spellingproblemen, is deze keuze vaak heel moeilijk. Het flexibel gebruik leren maken van verschillende spellingstrategieën is een punt waarop zij duidelijk begeleiding nodig hebben. Het model van spellen dat in deze methode wordt gebruikt, staat hieronder schematisch weergegeven:

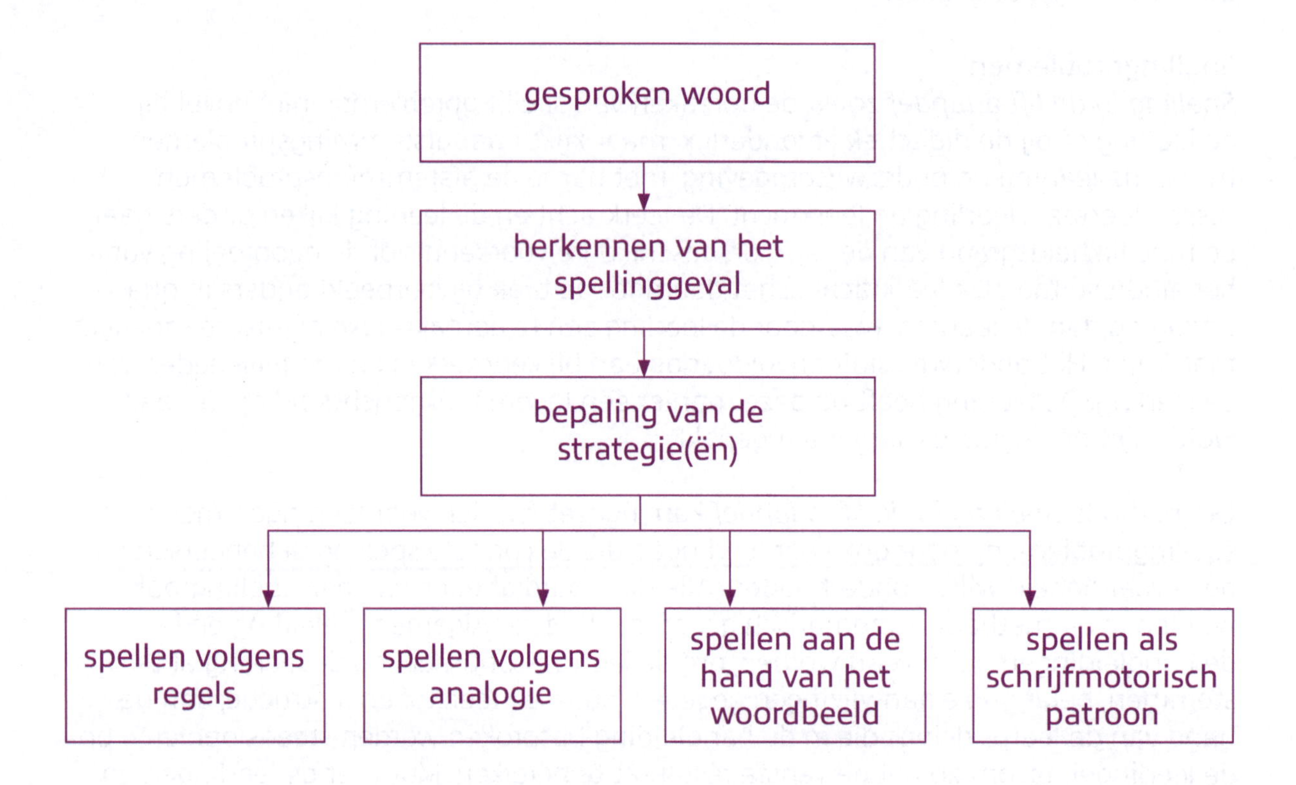

1 Doelstellingen

1.1 Algemene doelstellingen

De algemene doelstelling van *Spelling in de lift adaptief* bestaat uit twee punten:
In de eerste plaats is het de bedoeling dat de leerlingen beschikken over de (geautomatiseerde) schrijfmanier van veelvoorkomende Nederlandse woorden en dat ze deze kunnen toepassen in hun schriftelijk taalgebruik. In de tweede plaats leren zij een aantal vaardigheden, waardoor ze de juiste schrijfwijze van onbekende woorden vinden of zo goed mogelijk benaderen. Uiteraard houdt *Spelling in de lift adaptief* zich aan de in 2015 officieel verplicht gestelde spelling.

Spelling, een kwestie van motivatie en plezier
De doelstellingen van *Spelling in de lift adaptief* liggen niet alleen op het gebied van kennen en kunnen, het gaat ook om willen en het leuk vinden. Behalve weten hoe een woord geschreven wordt en het toepassen van die kennis, moet er ook een duidelijke motivatie zijn om die kennis in het dagelijks leven te willen gebruiken.
Naast het aanleren van een positieve houding tegenover correct schrijven is plezier op school en plezier bij het leren spellen ook een belangrijke doelstelling van het spellingonderwijs. Die positieve houding komt niet alleen tot stand door de leerlingen het werkboek te laten maken of in de digitale leeromgeving van de methode te laten werken, hoe aantrekkelijk die er ook mogen uitzien. Van essentieel belang is jouw motivatie en houding als leerkracht en de manier waarop je de leerlingen weet te motiveren.

Veelvoorkomende woorden en opbouw in moeilijkheidsgraad
Leerlingen leren het best door woorden te leren spellen die ze in hun schriftelijk taalgebruik nu of in de toekomst ook daadwerkelijk gaan gebruiken. In het bijzonder voor leerlingen die moeite hebben met spelling is het zinvol dat je tijdens het spellingonderwijs werkt met veelvoorkomende woorden. De leerlingen bereiken het meeste succes wanneer je per spellingcategorie een beperkt aantal woorden selecteert en je daarop de besproken strategieën uit de inleiding toepast.

Spelling in de lift adaptief gaat uit van veelvoorkomende woorden. De methode biedt verschillende categorieën systematisch aan, waarbij er een geleidelijke stijging in moeilijkheidsgraad wordt aangehouden.

Per spellingcategorie zijn veel voorkomende woorden gekozen, voornamelijk aan de hand van woordfrequentielijsten. De woordenlijsten per niveau zijn opgenomen in de specifieke niveauhandleidingen. Sommige spellingcategorieën zijn buiten beschouwing gelaten, omdat deze niet tot de stof van het basisonderwijs gerekend worden.
In de digitale omgeving wordt, naast het gebruik van veelvoorkomende woorden, ook nog op een andere manier rekening gehouden met een opbouw in moeilijkheidsgraad. Een leerling start in een categorie met zowel auditieve als visuele ondersteuning. Naarmate de leerling de categorie meer onder de knie krijgt, neemt deze ondersteuning af. Wanneer de leerling de categorie voldoende beheerst, wordt deze niet alleen geïsoleerd aangeboden, maar komt deze ook in de onderhoudslijn terecht. Dit houdt in dat woorden van verschillende categorieën door elkaar heen aangeboden worden.

De juiste schrijfmanier van bekende en onbekende woorden vinden
Doordat ons spellingsysteem beheerst wordt door vier verschillende principes (zie paragraaf 3.4) is het onmogelijk om één strategie te kiezen die voor alle spellingcategorieën het meest geschikt is. Welke strategie wordt gekozen, is afhankelijk van de categorie. Vaak wordt gekozen voor een bepaalde strategie, als hiervan de regels eenduidig zijn, weinig uitzonderingen kennen en niet te ingewikkeld zijn. Sommige regels zijn echter ingewikkelder dan het aanleren van een aantal grondwoorden. Daarom wordt in deze gevallen gekozen voor een andere strategie, namelijk analogie.
Bij woorden die op het gehoor(auditief) gelijk zijn, maar verschillend geschreven worden zoals bijvoorbeeld: *ei* – *ij*, kun je de woorden het best visueel aanbieden aan de leerlingen en ze inprenten. Hierdoor leren de leerlingen dat er ook woorden zijn die onthouden moeten worden en dat ze niet altijd met de afzonderlijke spellingstrategieën uit de voeten kunnen.

Uiteindelijk is de leerling in staat tot een *flexibel gebruik van de elkaar aanvullende strategieën.* Voorwaarde is dat het specifieke spellinggeval correct door de leerling wordt herkend. Alleen dan is de leerling in staat om de juiste spellingstrategie toe te passen.

Bij het herkennen van het spellinggeval speelt woordspecifieke informatie altijd een rol. Dit bestaat uit de woordbetekenis (bijvoorbeeld: *De cake* is lekker – ik *keek* uit het raam), de klank, het aantal klankgroepen, de plaats die een bepaalde klank in het woord inneemt, enzovoort. De leerling vangt als het ware de signalen op om het spellinggeval juist te herkennen.

De spellingstrategieën worden in deze methode eerst één voor één aangeleerd, gekoppeld aan woordspecifieke informatie. De leerlingen leren deze spellingstrategieën vervolgens flexibel toepassen op de woorden die in de methode worden aangeboden. Ze zijn daarna ook in staat om de schrijfmanier van onbekende woorden te achterhalen, door goed te letten op de signalen in het woord en het toepassen van de meest geschikte strategie(ën). Bijvoorbeeld het niet-geleerde woord 'veerkrachtig'. Hierin wordt 'veer' (plaagletterwoord) herkend, 'kracht' (cht-woord) en '-ig' (staartstuk).

1.2 Specifieke doelstellingen

Per niveau is de algemene doelstelling van *Spelling in de lift adaptief* uitgewerkt in een aantal specifieke doelstellingen. Hieronder wordt aangegeven welke spellingcategorieën per niveau aan de orde komen. Van de leerlingen wordt verwacht dat ze de schrijfmanier leren kennen van de veelvoorkomende Nederlandse woorden uit de betreffende categorieën. Zij passen die kennis vervolgens in hun schriftelijk taalgebruik toe.

In de handleidingen per niveau zijn deze specifieke doelstellingen verder uitgewerkt.

niveau 1
mkm-woorden:
- medeklinkers
- korte en lange klanken
- tweetekenklanken

niveau 2
medeklinkercombinaties:
- mkmm – eenvoudig
- mmkm
- mkmm – moeilijk
- mmkmm

niveau 3
- combinaties van drie of meer medeklinkers (inclusief sch(r)-)
- ng – nk
- f – v
- s – z

niveau 4
- aai – ooi – oei
- eer – oor – eur
- d – t
- ei – ij

niveau 5
- ch(t)
- au – ou (inclusief auw – ouw)
- uw – eeuw – ieuw
- klankgroepen – luistervink: woorden met twee betekenisvolle lettergrepen en met twee beklemtoonde lettergrepen

niveau 6
- kop- en staartstukken: woorden met be-, ge-, ver-, stomme e, -ig, -lijk, enzovoort
- klinkerdief 1: tweelettergrepige woorden met open lettergrepen
- letterzetter 1: tweelettergrepige woorden met gesloten lettergrepen

niveau 7

- klinkerdief – letterzetter 2: meerlettergrepige woorden met open of gesloten lettergrepen
- verkleinwoorden
- moeilijke meervouden (f – v; s – z; eren – 's)
- ie = i (bijvoorbeeld de schrijfmanier van gitaar)

niveau 8

- moeilijke letters (q, x, c, y, th)
- moeilijke uitgangen (-isch, -teit, -heid, -iaal, -ieel, -eaal, -ueel, -tie)
- leenwoorden
- moeilijke Nederlandse woorden

2 Opbouw

2.1 Beginsituatie

Leren spellen gaat hand in hand met leren lezen. Voorafgaand aan het gebruik van de methode *Spelling in de lift adaptief* moet de leerling daarom via analyse en synthese in staat zijn om woorden van het type 'medeklinker – klinker – medeklinker' te lezen.
De belangrijkste deelvaardigheden van het aanvankelijk spellen zijn de auditieve analyse en klank-tekenkoppeling. Voor het beheersen van deze deelvaardigheden zijn een zowel auditieve als visuele voorwaarden nodig.
Wat de auditieve voorwaarden betreft, zijn dat met name analyse en synthese. Met auditieve synthese wordt het vermogen om losse klanken samen te voegen tot een woord bedoeld. Bijvoorbeeld: m-u-s → mus.
Met auditieve analyse wordt het omgekeerde bedoeld, namelijk het losmaken van afzonderlijke klanken van een woord. Bijvoorbeeld: vis → v-i-s.
Ook auditieve discriminatie is een belangrijke voorwaarde. Een leerling moet in staat zijn onderscheid te maken tussen klanken die op elkaar lijken, bijvoorbeeld u – eu, v – w en m – n.
De laatste auditieve voorwaarde is het auditieve geheugen. De geanalyseerde klanken moeten in de juiste volgorde worden vastgehouden. Dit wordt ook wel temporele ordening genoemd.
Naast auditieve voorwaarden moet er ook aan visuele voorwaarden worden voldaan. Een leerling moet in staat zijn om op elkaar lijkende lettervormen, zoals b – d – p, o – a van elkaar te onderscheiden. Dit wordt ook wel visuele discriminatie genoemd. Ook in visueel opzicht moet een woord geanalyseerd kunnen worden. Daarnaast moeten de letters in de juiste volgorde onthouden worden. Dit laatste wordt spatiële ordening genoemd.

Hoewel deze voorwaarden in de methode nog regelmatig geoefend worden, moet bij een leerling dus al wel een basis gelegd zijn voor hij met *Spelling in de lift adaptief* aan de slag gaat.

2.2 Instaptoets

Om de beginsituatie van de leerling vast te stellen, wordt in de digitale omgeving gestart met een instaptoets.
Deze instaptoets is passend bij de didactische leeftijd van de leerling en de periode van een jaar terug: er worden enkel spellingcategorieën getoetst waar de leerling op dat moment in zijn leerproces aan toe is of is geweest. Deze spelingcategorieën zijn in lijn met de doelen van de Stichting Leerplan Ontwikkeling (SLO) die per jaargroep behandeld worden. Naast de spellingcategorieën wordt ook de klankherkenning getoetst.

De instaptoets duurt ongeveer 40 tot 60 minuten. Het advies is om deze tijd te verspreiden over verschillende momenten op een dag of in een week. Zo minimaliseer je eventuele onzekerheid of frustratie. De instaptoets gaat automatisch verder waar de leerling gebleven is.

De resultaten van de leerling op de instaptoets worden in het resultatenscherm van de leerkracht getoond. Hierop kun je precies zien welke spellingcategorieën de leerling al goed beheerst en op welke spellingcategorieën nog meer geoefend moet worden. Ook kun je het niveau van klankherkenning inzien. Het systeem zet, op basis van de resultaten, vervolgens automatisch oefenstof klaar.

2.3 Digitaal verwerken

Bij het digitaal verwerken wordt oefenen met klankherkenning en klankonderscheid afgewisseld met oefenen met spellingcategorieën. Tijdens het oefenen met de spellingcategorieën krijgt de leerling ondersteuning van het systeem. De leerling start met het hoogste ondersteuningsniveau en krijgt hierbij zowel visueel, in de vorm van woordbeelden en afbeeldingen, als auditief ondersteuning aangeboden. Naarmate de leerling meer opdrachten goed maakt, zal het ondersteuningsniveau automatisch afnemen. Op het laagste niveau zullen de woorden enkel auditief aangeboden worden.

Gedurende het digitaal oefenen kan de leerling altijd de hulp raadplegen. In deze hulp staat de betreffende spellingcategorie uitgelegd.

De voortgang van het digitaal verwerken is voor de leerkracht zichtbaar in het resultatenscherm. Wanneer een leerling uitvalt op een spellingcategorie dan wordt in het resultatenscherm verwezen naar deze categorie in de handleiding per niveau van *Spelling in de lift adaptief*. Aan de klankherkenning en het klankonderscheid hangt geen 'goed' of 'fout' niveau. Het doel hiervan is om de snelheid van de verwerking van klank-tekenkoppeling te vergroten. Vooruitgang is het streven.

2.4 Instructie en op papier verwerken

In de niveauhandleidingen staat aangegeven welke instructie je kunt geven bij de spellingcategorie waarop de leerling uitvalt. Je start met een algemene instructie. Bespreek eerst het doel met de leerling. Bijvoorbeeld: 'Je leert woorden met -ng te schrijven.' Daarna volgt de oriëntatie. In hoofdstuk 3 van de niveauhandleidingen staat steeds aangegeven welke strategieën aansluiten bij de spellingcategorie die behandeld wordt. Bij het leren schrijven van d of t aan het eind van een woord, leer je dit bijvoorbeeld aan met behulp van de verlengingsregel. De oriëntatie houdt dan in dat je demonstreert waar het precies om gaat door stap voor stap, hardop denkend, voor te doen hoe de leerling een bepaald spellingonderwerp aanpakt. De leerling leert precies wat, hoe, waarom en in welke volgorde hij bepaalde stappen neemt. Belangrijk hierbij is om volop te werken aan de luistervaardigheid van de leerling.

Soms is het tijdens de instructie nodig om aandacht te besteden aan andere taalaspecten, bijvoorbeeld de betekenis van woorden, om deze juist te kunnen vervoegen. Als een leerling niet weet dat 'hard' in een zin het tegenovergestelde van 'zacht' betekent en dus verlengd moet worden als 'harde' en niet als 'harten', dan zal hij ook de verlengingsregel niet correct toepassen.
De instructie vindt plaats in kleine stappen. Dit is belangrijk om na te gaan of de stof

voldoende begrepen is. Een leerling kan in de war raken als hij te veel informatie tegelijkertijd ontvangt en dan verwerkt hij het niet goed. Het steeds aanbieden van kleine stukjes leerstof zorgt er dus voor dat het geheugen niet overbelast raakt. Bovendien kan de leerling, door een klein stukje stof eerst te verwerken, het geleerde beter overbrengen van het kortetermijngeheugen naar het langetermijngeheugen. Actieve oefening maakt dit verwerkingsproces gemakkelijker. Je kan de leerling actief bij de instructie betrekken door hem iets te laten herhalen of vragen te laten beantwoorden.

Na de algemene instructie ga je samen met de leerling aan de slag met de begeleide inoefening. Doe samen met de leerling, indien aanwezig, de auditieve oefening die bij de spellingcategorie hoort en maak samen een aantal oefeningen of bijvoorbeeld de eerste opgaven van een aantal oefeningen. Het is goed om een leerling niet langer dan enkele minuten aan een opdracht te laten werken voordat hij feedback op zijn antwoord krijgt. Het nagaan van het begrip kan door niet alleen korte productvragen te stellen aan de leerling, maar hierbij zelf ook procesuitleg te geven. Bijvoorbeeld: 'Goed zo, je schrijft 'hart' hier met een t, omdat het twee harten is.'
Laat de leerling de stof individueel verwerken, zodra je merkt dat hij de nieuwe kennis onder de knie heeft.

In het werkboek komt regelmatig het kopje 'controledictee' naar voren. Dit dictee kan gebruikt worden om de voortgang van de leerling te meten. Het controledictee is gegeven in de handleiding per niveau. Bespreek het dictee na afloop samen met de leerling. Welke woorden wist hij direct goed te schrijven? Welke woorden vond hij nog lastig? Bespreek samen hoe jullie ervoor kunnen zorgen dat de leerling de moeilijke woorden beter kan schrijven.
Nadat de leerling vaker met een categorie geoefend heeft, kan een einddictee worden afgenomen. Dit is tevens gegeven in de handleiding per niveau. Leg het einddictee naast het controledictee om te zien welke progressie de leerling heeft laten zien.
De leerling kan op de doelenkaart in het werkboek gedurende zijn leerproces aangeven welke categorieën hij al beheerst en met welke categorieën hij nog meer wil oefenen.

Zodra de leerling in het werkboekje heeft geoefend, is het tijd om deze opgedane kennis weer terug digitaal toe te passen. De leerling maakt wederom de digitale opgaven passend bij de categorie. Op het resultatenscherm kun je als leerkracht zien welke vooruitgang de leerling op de spellingcategorie heeft geboekt.

2.5 Evaluatie

Evaluatie is binnen de methode op twee manieren mogelijk. Allereerst is het resultatenscherm digitaal zichtbaar. Hierop wordt het percentage juiste antwoorden van de leerling weergegeven. Je kunt bijhouden op welke categorieën een leerling uitvalt, maar ook welke fouten hij binnen deze categorieën maakt.
Daarnaast kun je aan de hand van de werkboekjes en dictees ook op papier inzicht krijgen in welke fouten de leerling nog maakt. Op papier worden echter geen percentages of scores aan het aantal fouten verbonden.

[illegible]

[illegible]

[illegible]

[illegible]

[illegible]

[illegible]

[illegible]

3 Didactiek

3.1 Spellingstrategieën

De methode van het Nederlandse spellingsysteem bevat vier mogelijke strategieën:

1. Spelling als alfabetisch schrift (*het fonologisch principe*)
Het belangrijkste kenmerk van ons spellingsysteem is dat het alfabetisch is; bij elke klank hoort een bepaalde letter (of lettercombinatie). In het Nederlands is praktisch geen woord aan te wijzen waarin het alfabetisch (of fonologisch) principe geen rol speelt (Assink e.a. 1985, blz. 21). Ons spellingsysteem is echter verre van zuiver fonetisch, omdat ook de volgende drie andere principes een rol spelen.

2. Het gelijkvormigheidsprincipe (*morfologisch principe*)
Dit principe houdt in dat woorden op eenzelfde manier worden geschreven, ook al komt de spelling niet overeen met de uitspraak. Je schrijft 'held' met een d en niet met een t omdat het in het meervoud 'helden' is. Gelijkvormigheid verhoogt de leesbaarheid, woorden kunnen immers sneller en gemakkelijker herkend worden. Deze regels van de gelijkvormigheid hebben prioriteit boven het fonologisch principe.
Vooral deze regel van de gelijkvormigheid is waar leerlingen die leren spellen problemen mee hebben. Ze hebben bij het aanvankelijk spellen geleerd het fonologisch principe toe te passen – 'je schrijft het woord zoals je het hoort' – en dat moeten ze nu in bepaalde gevallen weer loslaten.

3. Het betekenisprincipe (*semantisch principe*)
Het betekenisprincipe speelt met name een rol bij meerlettergrepige woorden die zijn opgebouwd uit verschillende betekenisvolle delen; de samengestelde woorden. Deze woorden worden altijd eerst op grond van de betekenis verdeeld. Het woord 'domoor' kan worden verdeeld in *dom* en *oor*, daarom schrijf je maar één m. Bij 'domme' daarentegen vindt een verdeling in klankgroepen plaats, namelijk do/mme. Doordat nu de regel van de letterzetter geldt, schrijf je twee m's.
Ook de betekenis van een woord kan een doorslaggevende rol spelen voor de correcte spelling, bijvoorbeeld: *ik laad* de batterij op, maar *ik laat* de hond uit. Het is duidelijk dat leerlingen de betekenis van de woorden of woorddelen moeten kennen voordat ze dit principe kunnen toepassen. Woordbetekenis en het leren herkennen van betekenisvolle delen in woorden moeten daarom in de methode voldoende aandacht krijgen.

4. Het historisch principe (*etymologisch principe*)
Het etymologisch principe houdt in dat de vroegere taalvorm bepalend is voor de schrijfmanier van een woord of spraakklank: de schrijfmanier is dus historisch bepaald. Ook al zijn er geen verschillen in uitspraak meer (behalve in streken waar dialect gesproken wordt), toch schrijven we door dit etymologisch principe woorden met ei of ij, g of ch, au of ou: eiland, gracht, kous. Ook de woorden die uit een andere taal afkomstig zijn (leenwoorden) worden bepaald door het etymologisch principe: chef, interview, radio. Voor het aanleren van deze woorden zijn geen regels beschikbaar. Hier worden leerlingen niet geholpen door de klankanalyse en niet door de betekenisanalyse. Ze moeten deze woordbeelden inprenten en ze leren – kunstmatige – hulpregels.

De vier spellingstrategieën
Nu je globaal weet volgens welke principes ons Nederlandse spellingsysteem ingericht is, leer je hoe een leerling dit systeem toepast en hoe leerlingen dit systeem eigen kunnen maken. De werkmanier van een reguliere speller is als het ware een samenspel tussen een aantal strategieën en een systeem dat uitmaakt welke van die strategieën bij een gegeven woord of woorddeel wordt gevolgd. Het is overigens niet uitgesloten dat bij een woord verschillende werkmanieren worden gevolgd. Aan de hand van het onzinwoord **FUSMELADEER** wordt dit hieronder uitgelegd:

Wanneer je dit woord verbaal aan enkele volwassenen aanbiedt, wordt het woord hoogstwaarschijnlijk op verschillende manieren geschreven, doordat verschillende spellingstrategieën gehanteerd kunnen worden. Sommigen volgen misschien de hoofdregel van het Nederlands (die berust op het fonologische principe) dat wil zeggen: 'je schrijft het woord zoals je het hoort', waardoor bijvoorbeeld FUSMULAADIR is opgeschreven.

Anderen hebben wellicht gebruikgemaakt van analogie en FUSMULADEER (denkend aan 'beer') geschreven. Weer anderen hebben de regels met betrekking tot open en gesloten lettergrepen gehanteerd, waardoor VUSMELADEER kan ontstaan.

Uit de verschillende schrijfmanieren worden twee dingen duidelijk:
1 Verschillende spellers gebruiken verschillende strategieën.
2 Een speller kan verschillende strategieën gebruiken, zelfs binnen een woord. Hier speelt de moeilijkheidsgraad van de spellingcategorie en de aanwezige voorkennis mee.

De spellingstrategieën die naar voren kunnen komen, zijn onder andere:
- Het toepassen van regels; zoals de hoofdregel van de Nederlandse taal, namelijk het in de juiste volgorde omzetten van de klanken in tekens (de fonologische strategie) of het toepassen van uitzonderingsregels (door gebruik te maken van woord specifieke informatie bijvoorbeeld: hond /h/o/n/t, t-klank aan het eind van een woord, toepassen van de verlengingsregel).
- Schrijven naar analogie (de analogiestrategie).
- Vertrouwen op een visueel woordbeeld (de visuele strategie).
- Schrijven als gevolg van een geautomatiseerd schrijfpatroon dat van het woord is ontstaan.

Het is niet mogelijk een spellingstrategie te benoemen die bij alle spellingcategorieen toegepast kan worden. Voor sommige spellingcategorieën is het volgen van regels onvermijdelijk, voor andere categorieën zijn geen regels te geven. Die woorden worden dan ook (visueel) ingeprent. Voorbeelden hiervan zijn pyjama, uitweiden en cheque. Een leerling die begint met spellingonderwijs zal de strategieën eerst afzonderlijk moeten leren voordat deze flexibel toegepast kunnen worden op woorden met verschillende spellingproblemen.

De vier spellingstrategieën: het spellen volgens regels, het spellen volgens analogie, het spellen aan de hand van het woordbeeld en het spellen als schrijfmotorisch patroon worden hieronder verder toegelicht.

1 Spellen volgens regels

Als leerlingen spellen volgens regels, kunnen ze onderscheid maken tussen de hoofdregel van de Nederlandse taal, de uitzonderingsregels en hulpregels. *De hoofdregel* van de Nederlandse taal is het fonologisch principe: elke klank wordt weergegeven door een letter of lettercombinatie. Een groot aantal eenlettergrepige woorden kan geheel volgens de hoofdregel geschreven worden, omdat deze '*klankzuiver*' zijn. De stappen bij deze zogenoemde elementaire spellinghandeling zijn als volgt:

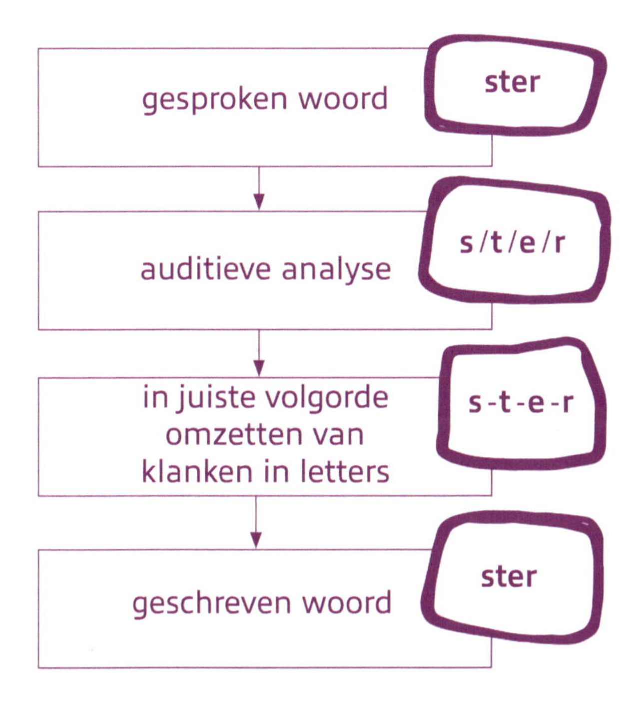

Als je het zo zou zien, lijkt het erop dat het fonologisch principe een probleemloos uitgangspunt is. Maar het komt voor dat spraakklanken worden beïnvloed door de omringende klanken; de ee in 'meet' klinkt bijvoorbeeld anders dan in 'meel' of 'meer'. Ook speelt dialect een rol; bij het analyseren wordt altijd uitgegaan van de uitspraak in standaardtaal. Wil de leerling zijn eigen spraakklanken en die van anderen kunnen analyseren, dan moet de auditieve analyse redelijk ontwikkeld zijn, ofwel, hij moet kunnen opschrijven wat hij hoort. Tijdens het leren lezen en spellen blijft de auditieve analyse en synthese zich ontwikkelen. Het aanvankelijke spellingonderwijs geeft hier in het ideale geval ook veel oefening in.

Niet bij alle eenlettergrepige woorden gaat de fonologische hoofdregel op. Sommige klanken kunnen door verschillende lettertekens weergegeven worden. Dit geldt voor t of d aan het eind van een woord, voor ei – ij; ou – au en g – ch. Bij -t of -d biedt een *uitzonderingsregel* (de zogenaamde verlengingsregel) uitkomst. In de andere gevallen wordt een andere strategie gebruikt of kan een hulpregel gegeven worden.
Bij meerlettergrepige woorden bekijkt de leerling eerst of het woord niet verdeeld kan worden in delen waarvan de betekenis helder is (zee-man, hand-doek, laf-aard). Dit is voor leerlingen met een beperkte Nederlandse woordenschat vaak erg lastig.
Wanneer er geen sprake is van betekenisvolle delen dan wordt het woord verdeeld in klankgroepen (auditieve lettergrepen). Via de *uitzonderingsregels* van de stomme e, de Klinkerdief en de Letterzetter wordt dan de spelling aangeleerd.

Het schema van het spellen volgens regels wordt dan op deze manier uitgebreid:

De effecten van het leren spellen zijn het grootst wanneer de regels voor de leerlingen eenduidig zijn en weinig uitzonderingen kennen. Als de regels echter te gecompliceerd zijn of te veel uitzonderingen kennen, is het verstandig om de juiste spelling van een woord met behulp van een andere spellingstrategie aan te bieden.

2 Spellen volgens analogie

Spellen volgens analogie gebeurt op basis van al aanwezige spellingkennis. Als een serie woorden zoals 'apen, schapen, slapen' aangeleerd wordt, is de kans groot dat de leerlingen naar analogie daarvan ook 'gapen' goed schrijven. Het gaat er bij deze strategie om dat leerlingen door voorbeelden een regelmaat leren ontdekken zonder dat de regel expliciet wordt genoemd. De spelling van een woord wordt gevonden in vergelijking met andere woorden. Die vergelijking kan tot stand komen door een overeenkomst in:

a. klankvorm, bijvoorbeeld klappen, lappen, stappen;
b. betekenis, bijvoorbeeld aanplanten, plantje en plant-aardig.

Aan de hand van grondwoorden die in de belevingswereld van de leerling thuishoren zoals 'apen', maken ze kennis met een bepaald type spellingcategorie. De abstracte

regels zijn hierdoor overbodig. De leerlingen leren soortgelijke woorden zoals 'apen' ook op dezelfde manier schrijven. Het toepassen van deze analogieredenering is soms erg moeilijk. Bij 'gapen' of 'gaper' herkennen de leerlingen deze strategie wellicht nog wel, bij 'slager' wordt het al een stuk moeilijker. Wanneer leerlingen woorden leren schrijven volgens deze analogiestrategie, vinden ze het toepassen hiervan vaak lastig, omdat de algemene woordenschat veel groter is dan de woorden die zij aangeboden hebben gekregen en waar ze deze strategie op toepasten.
Voor sommige woorden ligt het toepassen van deze spellingstrategie wel erg voor de hand; dat zijn vooral de samengestelde woorden waarvan de spelling bepaald wordt door de betekenisregel. Dit zijn woorden die een nauwe relatie hebben met een grondwoord, bijvoorbeeld: beer – ijsbeer – beertje.
Spellen volgens analogie is niet altijd een betrouwbare strategie. Overeenkomst in klankvorm betekent lang niet altijd overeenkomst in spelling. Bijvoorbeeld: 'liter' schrijf je niet hetzelfde als 'gieter'. Voor het aanleren van sommige spellingcategorieën (bijvoorbeeld f – v: graaf – graven) is het wel de meest geschikte weg. De regels die je hier zou kunnen geven, zouden meer van het geheugen vragen dan een aantal grondwoorden. Analogieoefeningen kunnen een belangrijk hulpmiddel zijn ter ondersteuning, ook als er wel expliciet regels zijn aangeboden.

3 Spellen aan de hand van het woordbeeld

In een aantal spellingsituaties kunnen regels niet helpen, of deze nu expliciet of impliciet worden aangeboden.
Vanuit de geschiedenis is het wellicht te verklaren waarom je *liter* en *gieter* schrijft of *vrouw* en *blauw*; maar voor de meeste mensen, en zeker voor leerlingen, biedt dit geen houvast. Bij veel woorden is het gewoon een kwestie van weten hoe je het schrijft. Het is een visuele strategie, omdat ervanuit wordt gegaan dat de speller het woord als het ware in het hoofd geprojecteerd heeft (in zijn geheugen heeft opgeslagen). Dit komt het sterkst naar voren bij woorden die geschreven worden met ei – ij; au – ou en g – ch, klanken die auditief gelijk zijn, maar visueel verschillen.

4 Spellen als schrijfmotorisch patroon

Bij veel woorden wordt het spellen op den duur een automatisme. Als je een woord vaak genoeg geschreven hebt, hoef je niet meer na te denken over regels, geen vergelijkingen meer te maken met andere woorden, je niet meer bewust een woordbeeld voor ogen te halen, maar het juiste woord vloeit eigenlijk automatisch uit de pen.
Het woord wordt dan geschreven met een *geautomatiseerde handeling*. Vooral vaak voorkomende woorden zoals 'de', 'het' en 'een' zullen leerlingen al snel volgens deze strategie schrijven. Maar in principe kan elk Nederlands woord volgens deze strategie geschreven worden: als je een woord maar vaak genoeg schrijft, ontstaat vanzelf een geautomatiseerd schrijfmotorisch patroon.
Bij het aanleren van een spellingcategorie speelt deze strategie ook een rol. Spellen is ingewikkeld, het is geen kwestie van bij een woord slechts één juiste spellingstrategie weten toe te passen. Woorden kunnen vaak met behulp van verschillende spellingstrategieën geschreven worden. De verschillende strategieën vullen elkaar aan en aan de hand van de situatie zal een speller moeten kiezen voor een bepaalde strategie. Het gaat er dus niet alleen om dat een leerling de afzonderlijke spellingstrategieën leert, maar ook dat hij er flexibel gebruik van kan maken, nadat hij herkend heeft om welk spellinggeval het gaat.

Dit wordt zichtbaar in onderstaand schema:

Vanwege de problemen die leerlingen kunnen hebben, is de complete spellingleertaak opgedeeld, zodat de spellingstrategieën uit het model één voor één kunnen worden aangeleerd. Zo wordt het spellingmodel langzaam opgebouwd. Bij het aanleren van een spellingcategorie staat dan ook een bepaalde strategie centraal. Tijdens het leerproces kunnen wel al behoorlijke verschillen ontstaan tussen de leerlingen. De ene leerling zal gemakkelijk overstappen naar de strategie van het geautomatiseerde schrijfmotorisch patroon. Een andere leerling die bijvoorbeeld visueel sterk is en auditief zwak, zal zich vooral richten op spellen aan de hand van het woordbeeld. Deze spellingmethode stimuleert daarom het flexibel strategiegebruik. Het biedt zowel auditieve, visuele, spraak- en schrijfmotorische als logische oefeningen. In de loop van het onderwijsleerproces leren de leerlingen steeds meer spellingproblemen onderscheiden en leren ze beslissen welke spellingstrategie ze het beste kunnen toepassen. Maar voordat ze spellingstrategieën flexibel kunnen gebruiken, zullen ze deze eerst afzonderlijk moeten leren.

In het schema op de volgende bladzijde is aangegeven hoe de leerstof is verdeeld en welke spellingstrategieën binnen de verschillende spellingcategorieën vooral accent krijgen.

Uit dit schema kunnen verschillende *conclusies* getrokken worden:
- Op de laagste niveaus is het werken met de hoofdregel: 'je schrijft het woord zoals je het hoort' voldoende om de woorden te kunnen schrijven.
- Op de hogere niveaus komt het steeds meer aan op een flexibel gebruik van verschillende strategieën.

- De strategie 'spellen als schrijfmotorisch patroon' komt overal voor. Door per spellingcategorie het aantal woorden te beperken, werk je namelijk steeds aan het automatiseren van hun schrijfpatronen, wat uiteindelijk het doel van het spellingonderwijs is.

		regels		analogie	woordbeeld	schrijf-motorisch patroon
		hoofdregel	uitzonderingsregel			
Niveau 1:	- mkm-woorden	x				x
Niveau 2:	- (m)mkm(m)-woorden	x				x
Niveau 3:	- drie of meer medeklinkers	x				x
	- ng – nk	x		x		x
	- f – v	x			x	x
	- s – z	x			x	x
Niveau 4:	- aai – ooi – oei	x				x
	- eer – oor – eur	x				x
	- d – t		x			x
	- ei – ij				x	x
Niveau 5:	- ch(t)		x		x	x
	- au – ou				x	x
	- uw – eeuw – ieuw	x				x
	- klankgroepen – luistervink	x	x	x	x	x
Niveau 6:	- kop-en staartstukken		x	x		x
	- klinkerdief 1		x	x		x
	- letterzetter 1 twee open en gesloten lettergrepen		x	x		x
Niveau 7:	- klinkerdief – letterzetter 2 meer dan twee open en gesloten lettergrepen		x	x		x
	- verkleinwoorden			x		x
	- moeilijke meervouden		x	x	x	x
	- ie = i				x	x
Niveau 8:	- moeilijke letters				x	x
	- moeilijke uitgangen			x	x	x
	- leenwoorden				x	x
	- moeilijke Nederlandse woorden		x	x	x	x

3.2 Leerinhouden en de bijbehorende spellingstrategieën

De leerinhouden worden hieronder per niveau uitgewerkt:

Bij **niveau 1 en 2** *(m)mkm(m)-woorden* gaat deze methode uit van de spellingstrategie 'spellen volgens de hoofdregel'. Die luidt: 'je schrijft het woord zoals je het hoort'. In feite gaat het hier om het aanleren van de **elementaire spellinghandeling**.
De elementaire spellinghandeling moet worden toegepast op:
- woorden die bestaan uit medeklinker-klinker-medeklinker (niveau 1);
- woorden waarin een of twee medeklinkercombinaties (voor- en/of achteraan) voorkomen (niveau 2).

Het **fonologisch aspect** van de taal is bij het toepassen van de elementaire spellinghandeling erg belangrijk. Vandaar dat hieraan dan ook veel aandacht wordt besteed, onder meer in de vorm van auditieve oefeningen.
Ook bij **niveau 3** worden de *mmmkm-, mmmkmm-, mkmmm- en mmkmmm-woorden* aangeleerd met de fonologische spellingstrategie.
Bij de woorden met *-ng* en *-nk* geldt eveneens de hoofdregel. Bij de toepassing van deze elementaire spellinghandeling moet de leerling echter een klankcombinatie (-ng en -nk) koppelen aan een vaste lettercombinatie.

Als extra ondersteuning biedt deze methode twee visuele grondwoorden aan, zodat de leerling ook kan kiezen voor de strategie 'spellen volgens analogie'. Je schrijft *ring*, dus je schrijft ook *bang*, omdat dit hetzelfde klinkt.

De woorden met *f* en *v* en *s* en *z* worden aangeleerd door het toepassen van de elementaire spellinghandeling. Het goed auditief kunnen onderscheiden van de f en v en de s en z is hierbij essentieel. Deze onderscheidingen worden ondersteund door afbeeldingen die bestaan uit een combinatie van een visueel herkenningsteken en een auditieve herkenningsklank. Voor de f is dat bijvoorbeeld de volgende afbeelding:

Omdat het onderscheiden van deze letters regelmatig problemen oplevert, zal daarnaast de strategie 'spellen aan de hand van een woordbeeld' aangeboden worden.

Bij **niveau 4** gelden bij de woorden met *aai – ooi – oei* dezelfde principes als bij de woorden met -ng en -nk. Deze meertekenklanken worden als geheel onthouden. Om dit gemakkelijker te maken, wordt een hulpregel aangeboden ('Aan het eind van een woord staat nooit een j. Je hoort aaj, je schrijft aai.').
Bij woorden met *eer – oor – eur* wordt de hoofdregel op deze manier aangevuld met een hulpregel (Noem de r een 'plaagletter' en leer de leerlingen dat de ee, oo en eu onder invloed van de r anders gaan klinken.).

De woorden met een *d* of een *t* aan het eind worden aangeleerd door het leren toepassen van een uitzonderingsregel; de zogenaamde verlengingsregel ('Je hoort een t. Maak het woord langer om te weten of je een t of een d schrijft.'). Bij deze categorie is het **morfologische** aspect van de taal erg belangrijk. De woorden moeten op de juiste manier langer worden gemaakt om deze regel goed te laten toepassen. Daarom wordt in de lessen en in auditieve oefeningen veel aandacht besteed aan het correct leren vervoegen van de woorden. Voor woorden die niet langer kunnen worden gemaakt, wordt een andere hulpregel aangeboden: ('Kun je een woord niet langer maken, schrijf dit woord dan met een t, behalve de woorden zand, geld, grind en grond.').
Voor woorden met *ei* en *ij* geldt de spellingstrategie 'spellen aan de hand van een woordbeeld'. Om het aanleren van deze woorden gemakkelijker te maken, worden ze in een verhaal met ei-woorden op rijm aangeboden. Daaruit volgt dan deze hulpregel: 'Komt een woord met ei – ij niet in het ei-verhaal voor, dan schrijf je ij'.

Op **niveau 5** worden woorden met *ch(t)* aangeleerd door een uitzonderingsregel ('Je hoort gt na een korte klank. Je schrijft cht. Dit is niet zo bij: hij ligt, hij legt, hij zegt.'). Voor woorden die op ch eindigen geldt de strategie 'spellen aan de hand van een woordbeeld'. Voor woorden met *au – ou* geldt ook de spellingstrategie 'spellen aan de hand van een woordbeeld'. Het aanleren van de woorden gebeurt net zoals bij ei – ij in een zinvol verband (een au-verhaal op rijm).
Bij de woorden met *uw – eeuw – ieuw* geldt de hoofdregel. De leerling koppelt een klankcombinatie (uw, ieuw, eeuw) aan een vaste lettercombinatie. Deze meertekenklanken worden als geheel aangeboden. Om dit gemakkelijker te maken, wordt een hulpregel aangeboden ('Je hoort w aan het eind van een woord. Schrijf dan altijd uw.').
Tot slot starten de leerlingen op dit niveau met *open en gesloten lettergrepen*. Woorden die bestaan uit twee betekenisvolle delen en woorden met twee lettergrepen worden op dit niveau behandeld. Belangrijk bij het eerste type woorden is dat de leerlingen deze woorden in twee betekenisvolle woorden leren verdelen. Hierbij is dus het **semantische** aspect van de taal erg belangrijk, de leerlingen moeten de betekenis van beide woorddelen kennen. Daarbij passen de leerlingen bij deze woorden de verschillende aangeleerde spellingstrategieën op een flexibele manier toe.
Bij deze categorie starten we met het aanleren van een **algoritme** of **beslissingschema** (schema van de luistervink – klinkerdief – letterzetter). In dit schema moet eerst worden bekeken of de tweelettergrepige woorden op basis van de betekenis verdeeld kunnen worden. Als dit niet kan, mogen de woorden in klankgroepen, dat wil zeggen auditieve lettergrepen, worden verdeeld.

Het algoritme wordt op **niveau 6** in zijn geheel aangeboden.
De leerlingen leren met de uitzonderingsregel van de stomme e (*kop- en staartstukken*: be-, ge-, ver-, -e, -ig, -lijk), de klinkerdief- en de letterzetter-woorden aan de hand

van het algoritme schrijven. Naast de spellingstrategie 'spellen volgens regels' wordt ook aandacht besteed aan de strategie 'spellen volgens analogie'. Het algoritme ziet er als volgt uit:

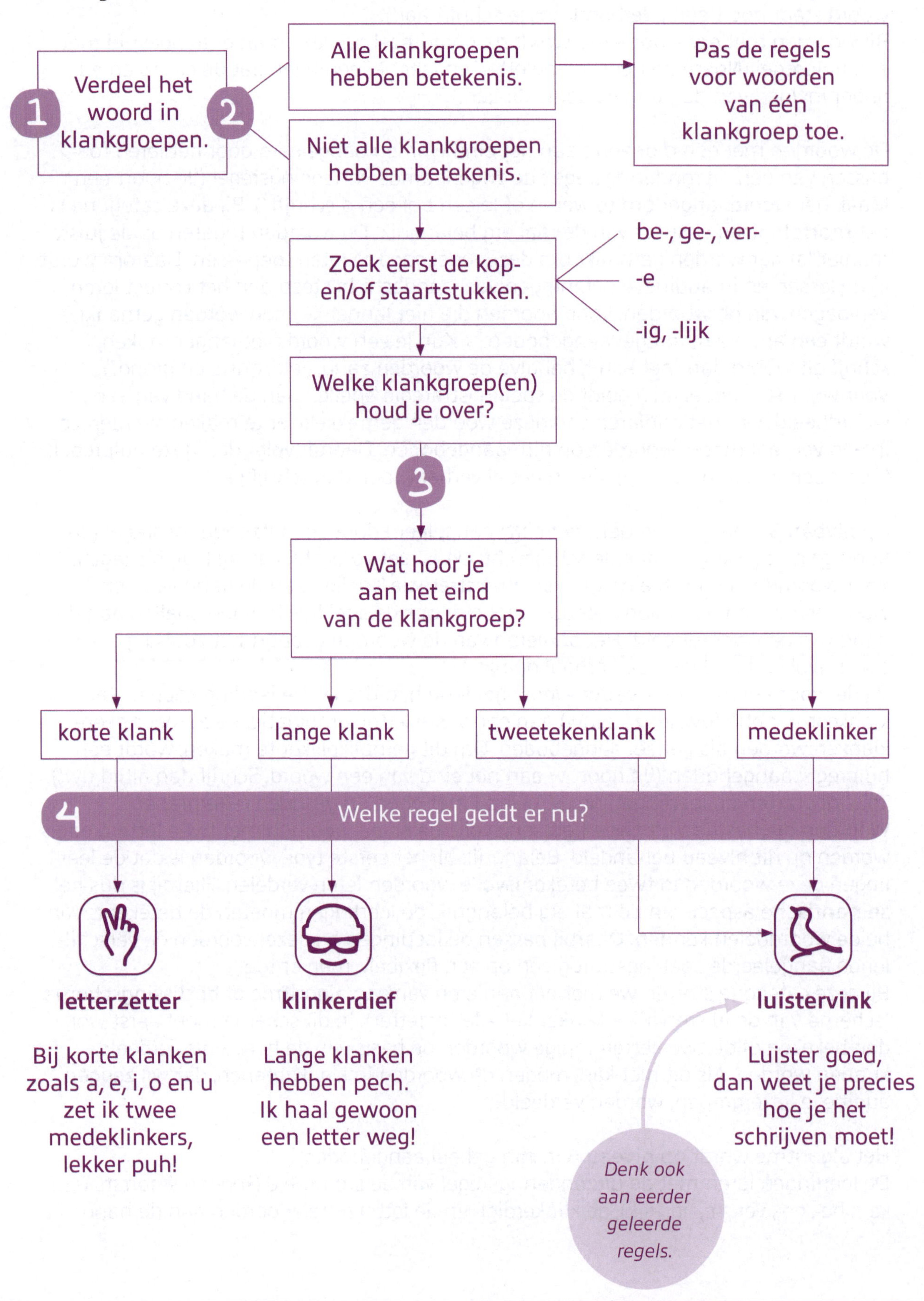

Ook op **niveau 7** worden bovenstaande spellingstrategieën toegepast, maar nu op *drie- of meerlettergrepige woorden met open en gesloten lettergreep*. Het schema van de 'luistervink – klinkerdief – letterzetter' wordt hierbij opnieuw gebruikt.

Bij het aanleren van *verkleinwoorden* worden verschillende spellingstrategieën gebruikt. Leerlingen leren grondwoorden die ze kunnen toepassen op andere woorden volgens de strategie 'spellen volgens analogie'. Deze worden in een zinvol verband geplaatst en van deze grondwoorden wordt de verkleinvorm afgeleid. Bij het verkleinen van woorden is het **morfologisch aspect** van de taal erg belangrijk. Je schrijft woorden die van elkaar zijn afgeleid zoveel mogelijk op dezelfde manier: woord – woordje, maar papier – papiertje.

Bij woorden die een *moeilijke meervoudsvorm* (f – v, s – z, 's en -eren) kennen, gelden verschillende strategieën. Bij de meervoudsvormen waarbij de f in een v en de s in een z verandert, wordt gewerkt met een analogiestrategie en wordt teruggegrepen op de principes besproken bij de f- en v- en s- en z-woorden op niveau 3. Bij de meervoudsvorm -eren is het morfologisch aspect belangrijk. Van deze woorden leren de leerlingen op de juiste manier de meervoudsvorm te vinden.

Bij de woorden waarin de *ie* in een *i* verandert, gaat deze methode uit van de spellingstrategie 'spellen aan de hand van een woordbeeld'; deze woorden worden dus als geheel aangeleerd.

Ook op **niveau 8** worden twee- of meerlettergrepige woorden behandeld en passen de leerlingen alles wat ze geleerd hebben op een flexibele manier toe. Daarnaast wordt op dit niveau een aantal *moeilijke letters* (*q, x, c, y, th*), moeilijke uitgangen en woorden afkomstig uit een andere taal aangeleerd. De spellingstrategie '**spellen aan de hand van een woordbeeld**' is hier van toepassing. Het aanleren en onthouden wordt hier en daar ondersteund door een hulpregel.

3.3 Leerlingkenmerken

In de algemene doelstelling zijn de volgende aspecten te onderscheiden:
Leerlingen leren door het spellingonderwijs:
1 te beschikken over een geautomatiseerde schrijfmanier van veelvoorkomende Nederlandse woorden;
2 woorden in hun schriftelijk taalgebruik correct te schrijven;
3 te beschikken over een aantal vaardigheden;
4 de juiste schrijfmanier van onbekende woorden te vinden.

ad 1 *Beschikken over een geautomatiseerde schrijfmanier van veelvoorkomende Nederlandse woorden*
In *Spelling in de lift adaptief* wordt op de volgende manier rekening gehouden met leerlingen die spelling moeilijk vinden:
- Alleen vaak voorkomende woorden worden aangeleerd. Met een vrij klein aantal (± 3.000 woorden) kunnen we vaak al 80% van onze dagelijkse taal opschrijven. Deze hoogfrequente woorden worden vaak herhaald tijdens het behandelen van de specifieke categorie en in de digitale omgeving.
- De leerstof wordt opgedeeld in *kleine gestructureerde stappen* die geleidelijk opklimmen in moeilijkheid.
- De leermomenten zijn kort, de instructie is een onderdeel van het leermoment en je controleert of de leerling de instructie begrepen heeft.
- Na afloop van elke taak wordt gecontroleerd of de taak goed is uitgevoerd en de leerling krijgt feedback .
- Je leert de leerlingen alleen een beperkt aantal *eenduidige spellingsregels* met weinig uitzonderingen aan. Bij woorden waarbij een inprentingstrategie nodig is, worden de woorden op rijm in het kader van een verhaal aangeboden.

ad 2 *Woorden in hun schriftelijke taalgebruik correct schrijven*
Leerlingen die spelling moeilijk vinden generaliseren de aangeleerde kennis slecht. Daarom is er tussen de lessen en het spontane schriftelijk taalgebruik extra ruimte voor oefeningen zoals:

> **Maak een verhaaltje met de volgende plaagletterwoorden:**
> beer – door – poort – scheur – meer – weer – geur

Wanneer leerlingen spelling lastig vinden, kunnen ze soms moeilijk de motivatie opbrengen voor de spellinglessen. Daarom heeft *Spelling in de lift adaptief* ervoor gezorgd dat deze motivatie wordt verhoogd doordat:
- elke leerling door kleine leerstapjes en regelmatige controlemomenten succeservaringen kan opdoen;
- er sprake is van afwisselende oefenstof met veel illustraties, zowel digitaal als op papier;
- er gekozen is voor onderwerpen die de leerlingen aanspreken;
- per niveau een doelenkaart is opgenomen, waarop de leerlingen noteren welke 'doelen' ze al onder de knie hebben;
- de leerlingen in een aansprekende digitale omgeving kunnen oefenen.

ad 3 ***Beschikken over een aantal vaardigheden***
Dit onderdeel van de doelstelling verwijst naar de volgende vaardigheden:
a auditieve, visuele en motorische vaardigheden;
b taalvaardigheden;
c cognitieve vaardigheden.

ad a) Leerlingen die moeite hebben met spelling, hebben ook vaak problemen met het opnemen en verwerken van zintuiglijke informatie. De specifieke deelvaardigheden die een beroep doen op auditieve, visuele of motorische functies leveren dan problemen op. Daarom wordt in *Spelling in de lift adaptief* aan de verschillende deelvaardigheden aandacht besteed en vind je naast auditieve, ook visuele en motorische oefeningen.
Voorbeelden:

1 Rijmen maar.

wang	sprong	zing	breng
....	....	....	....
....	....	....	....
....	....	....	....

2 Welk woord wordt het?

1 h a l s
2 b e l t
3 h aa l t
4 p o l s
5 h ui l t
6 r o l t
7 v oe l t
8 a l s
9 v a l t
10 g i l t

1. ....
2. ....
3. ....
4. ....
5. ....
6. ....
7. ....
8. ....
9. ....
10. ....

3 Ken je hem nog, de slang-letter?
Schrijf zo ook eens:

stoel sterk slurf

slangslangslangslangslangslangslangslang

Bij het digitaal verwerken wordt de leerling op het hoogste ondersteuningsniveau tevens geholpen met visuele ondersteuning in de vorm van afbeeldingen en woordbeelden.

ad b) Vaak is er sprake van een taalzwakte, waardoor leerlingen met één of meer van de volgende taalaspecten moeite kunnen hebben:

1 Het fonologisch aspect, waardoor bijvoorbeeld het verdelen van een woord in klanken (tas - t//a//s) niet lukt. Daarom wordt in *Spelling in de lift adaptief* veel aandacht besteed aan auditieve oefeningen.
Bij het digitaal verwerken zie je dit terug in de oefeningen die vallen onder klankonderscheid en klankherkenning.
In de werkboeken worden de auditieve oefening als volgt aangeduid:

2 Het morfologisch aspect, waardoor het vervoegen van woorden (land – landen) moeilijk gaat. Daarom wordt in *Spelling in de lift adaptief* eerst mondeling geoefend met het langer maken van woorden uit de woordenlijst (bont – bonte; kind – kinderen), voordat leerlingen het opschrijven.

3 Het semantisch aspect, dat wil zeggen dat er sprake is van een geringe woordenschat. Daarom leren de leerlingen in deze methode niet alleen de vorm van het woord, maar ook de betekenis.

Voorbeeld:

Zet het goede woord onder het plaatje.

beer
peer
veer
heer
keer
weer
meer
speer

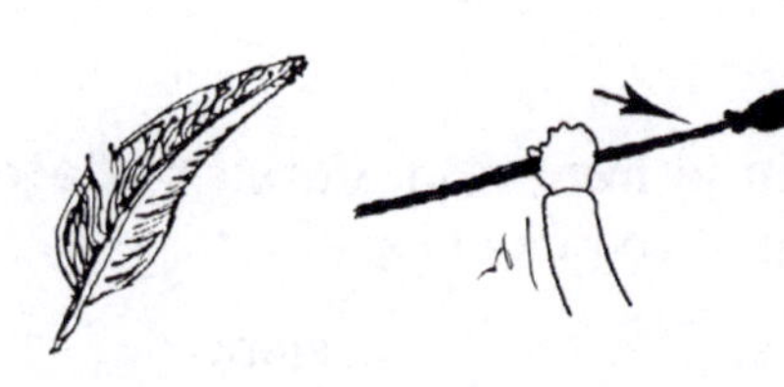

4 Het syntactisch aspect, dat wil zeggen dat de grammaticale structuur van zinnen niet goed wordt begrepen. In deze methode vind je opdrachten waarbij leerlingen oefenen met deze grammaticale structuur.

Voorbeeld:

De zinnen kloppen niet.
Kun jij ze goed maken?

1. Hij muurt een gat in de boor. ....
2. Hij zeept zich met scheer. ....
3. Zij belt de hoor. ....
4. Jij lest de stoor. ....
5. Zij lest haar leer. ....

ad c) Leerlingen die moeite hebben met spelling, vinden het vaak ook lastig om taakgericht bezig te zijn.
Daarom wordt in deze methode aandacht besteed aan:

- bewust de aandacht van de leerlingen richten op de relevante aspecten van de leertaak;
- het expliciet uitleggen van de toe te passen spellingstrategie;
- oriëntatie op de structuur van de Nederlandse taal.

Dit gebeurt in de instructies, waarnaar als volgt wordt verwezen:

Maar ook in de oefeningen komen deze aspecten terug.
Voorbeeld:

Soms kun je van twee woorden een nieuw woord maken.
Probeer het maar.

zon dag ....

kies pijn ....

ad 4 ***De juiste schrijfmanier van onbekende woorden vinden***
Het komt voor dat een leerling woorden gaat schrijven waarvan de schrijfmanier nog niet is geautomatiseerd. Dit lukt alleen als de eerder geleerde spellingstrategieën flexibel kunnen worden toegepast. Leerlingen met een spellingachterstand hebben hier vaak moeite mee. Je ziet ze dan bijvoorbeeld doorgaan met het hanteren van een verkeerde strategie, bijvoorbeeld de hoofdregel van de Nederlandse taal 'je schrijft het woord zoals je het hoort', waardoor ze fonetisch schrijven als dat niet mag (bijvoorbeeld). Daarom wordt in *Spelling in de lift adaptief* veel aandacht besteed aan het herkennen van de spellingcategorie, zodat de juiste spellingregels worden toegepast .

3.4 Leerprincipes

Spelling in de lift adaptief is al vele jaren een veelgebruikte methode. De basis van de methode is gebaseerd op leerprincipes afkomstig uit de leertheorie van Gal'perin (Van Parreren, 1982). Gal'perin onderscheidt in zijn leertheorie twee fasen:
1 het oriënteren op de beginhandeling;
2 het optimaliseren van de beginhandeling tot een eindhandeling.
Gal'perin onderscheidt binnen het optimaliseren vier componenten, namelijk:
- verinnerlijken (van materieel naar mentaal)
- verkorten (van uitvoerig naar verkort)
- automatiseren (van traag naar vlot)
- generaliseren (van beperkt naar ruim toepasbaar).

Dit levert het volgende schema op:

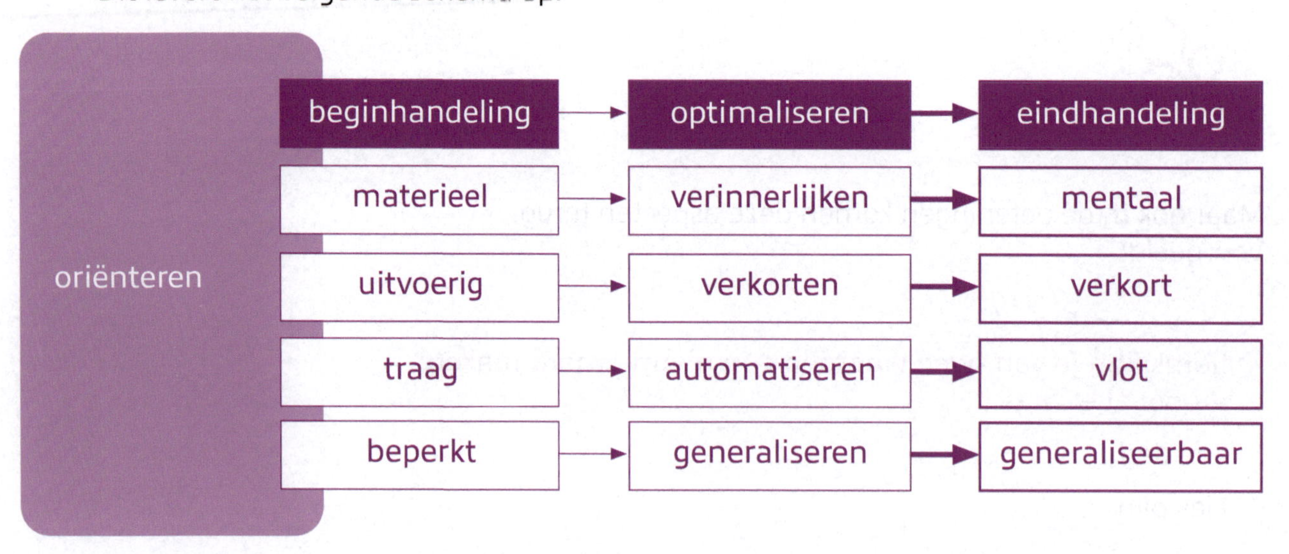

Oriënteren
Bij het oriënteren op de beginhandeling gaat het erom dat de leerlingen precies leren wat zij moeten doen, in welke volgorde en hoe zij het moeten doen. De methode geeft steeds aan waarop de leerling moet letten en welke relevante spellingstrategie wordt gebruikt.

Het aanleren van een nieuwe spellingcategorie gebeurt meestal met behulp van een strategie. Soms komen er bij het aanbieden al andere strategieën bij, in een later stadium gebeurt dit sowieso.
Het hangt van de spellingcategorie af hoe de leerlingen op de beginhandeling worden georiënteerd. Het liefst vindt de oriëntatie plaats door het leren van regels; de hoofdregel eventueel aangevuld met uitzonderings- en hulpregels. Het is belangrijk om de regels niet alleen op verbaal niveau aan te bieden. Laat de leerlingen deze regels in eerste instantie beleven op concreet-praktisch niveau. Het is in de praktijk niet altijd mogelijk om de oriëntatiebasis helemaal met behulp van regels aan te leren. Hoe leg je bijvoorbeeld met behulp van een regel uit dat 'kaars' 'kaarsen' wordt, maar 'laars' 'laarzen'?

Wanneer een regel leidt tot de volledige oriëntatiebasis, maar zodanig ingewikkeld is dat het te veel tijd of moeite kost, leer je deze woorden het best met een andere strategie aan, zoals analogie of visuele inprenting. Woorden waarvoor geen regels te geven zijn, kun je in een zinvol verband plaatsen, zoals bijvoorbeeld bij het ei-verhaal gebeurt. Als extra oriëntatie is dat verhaal op rijm gezet en voorzien van plaatjes.
Ook de plaats die een klank in een woord inneemt, kan van belang zijn voor de oriëntatie. Bijvoorbeeld bij de regel: 'aan het eind van een woord kan nooit een *z* of een *v* staan'.
Weer een andere manier om leerlingen op een spellingcategorie te oriënteren is het aanbieden van een sleutelwoord. Een sleutelwoord kan zijn: 'ring' voor de ng-klank.
Om moeilijke letters beter te leren onthouden, kun je die een naam geven voor betere oriëntatie. De letter z noem je dan bijvoorbeeld de zaagletter, wat zowel met de klank als met de lettervorm in verband wordt gebracht.

Let erop dat de leerlingen zich bij het aanleren niet alleen oriënteren op de vormen van de woorden. De betekenis van het woord vormt hierop altijd een aanvulling. Het is in de oriëntatiefase belangrijk dat de leerlingen weten met welk spellinggeval ze te maken hebben en welke stappen ze vervolgens zetten om het woord correct te schrijven.
Een *zelfinstructiekaart* kan hierbij behulpzaam zijn (zie Bijlage: 'Mijn stappenplan').
Op die kaart staan zeven stappen:

1. Ik kijk of ik het woord ken.
2. Ik denk na over wat voor soort woord het is en hoe ik het ga aanpakken.
3. Ik tel het aantal klanken of klankgroepen in het woord.
4. Ik schrijf het woord op.
5. Ik controleer of ik alle klanken of klankgroepen opgeschreven heb.
6. Als er een deel van het woord is dat ik niet goed heb geschreven, zet ik een streep onder dat deel van het woord en probeer het opnieuw.
7. Ik controleer het woord nog een laatste keer.

Optimaliseren
Na het oriënteren volgt het optimaliseren van de beginhandeling, wat dan uiteindelijk gaat leiden tot de eindhandeling; het geautomatiseerde spellen van een woord.

a) Het optimaliseren betekent dat de beginhandeling door een verbale handeling verwerkt wordt tot een mentale (eind)handeling. Dit *verinnerlijken* van het spellen verloopt volgens een aantal stappen die hieronder worden uitgelegd door de regel van de Klinkerdief als voorbeeld te gebruiken:

- Om een woord visueel te ondersteunen, kun je hier als eerste stap met handen een steelgebaar maken, terwijl je de regel uitspreekt: 'Lange klanken hebben pech, ik haal gewoon een letter weg.'
- De tweede stap is het hardop uitspreken van de regel van de Klinkerdief zonder gebaren.
- In de derde stap wordt de regel niet meer hardop gezegd, maar alleen met lipbewegingen gemaakt.
- Als vierde stap wordt de regel slechts in het hoofd uitgesproken.

Deze stappen leiden uiteindelijk tot de *verinnerlijkte* mentale eindhandeling waarbij de leerling de regel niet meer hardop uitspreekt, omdat bijvoorbeeld het woordbeeld 'slager' is geautomatiseerd.

b) Een tweede aspect van het optimaliseren is het *verkorten*. De uitvoerige beginhandeling wordt omgezet in een verkorte eindhandeling. De leerling oefent in het begin met de uitgebreide handelingen. Als een leerling bijvoorbeeld het woord 'brug' leert schrijven, analyseert hij het woord eerst in klanken: b-r-u-g, waaraan hij de lettertekens koppelt. Die tekens schrijft hij dan van links naar rechts op. Een tussenstap in deze fase kan zijn dat de leerling het woord 'brug' ineens opschrijft en na afloop kijkt of het klopt door het te vergelijken met het visuele woordbeeld uit zijn geheugen. Bij veel volwassenen zal het woord 'brug' zonder na te hoeven denken op papier komen. Belangrijk is het aantal tussenstappen geleidelijk te laten afnemen.

c) Een derde aspect bij het optimaliseren is het *automatiseren*. In het begin denkt de leerling nog lang na voordat het woord op papier komt. Door oefenen wordt de denktijd steeds korter, waardoor het spellen vlotter verloopt: de woorden worden ingeslepen. Doordat je een beperkt aantal woorden steeds opnieuw aanbiedt, wordt de vaardigheid geautomatiseerd. Op deze manier leer je de leerlingen een goed auditief, visueel en schrijfmotorisch woordbeeld aan.

d) Het laatste aspect van het optimaliseren is het *generaliseren* van beperkte naar ruim toepasbare kennis. Met andere woorden; het toepassen van een leerinhoud in nieuwe situaties. Het is bijvoorbeeld erg belangrijk dat woorden niet alleen in een dictee goed geschreven worden, maar ook in een spontane tekst of op een boodschappenlijstje.
In *Spelling in de lift adaptief* leert de leerling de kennis van elk niveau (en de daaraan voorafgaande niveaus) toepassen op samengestelde woorden. Omdat de leerling weet hoe hij 'beer' en 'brom' schrijft, kan hij deze kennis ook toepassen op 'brombeer'. Een andere vorm van generaliseren is het leren toepassen van bij spelling opgedane kennis op aardrijkskundige namen, bijvoorbeeld het schrijven van een trema bij Italië. In de methode wordt ook aan het generaliseren gewerkt door leerlingen zelf woorden te laten verzinnen, woorden in zinsverband te laten gebruiken, verhalen af te laten maken, enzovoorts.

Isoleren, discrimineren, integreren
De leerlingen leren via deze methode spellen door de lijn te volgen van isoleren via discrimineren naar integreren. Binnen elke spellingcategorie wordt het nieuwe onderwerp eerst geïsoleerd aangeboden. Daarna wordt deze kennis door oefeningen versterkt. Vervolgens herkennen leerlingen het geleerde in nieuwe situaties; ook wel

discrimineren genoemd. Als laatste stap leren zij die kennis zelf te gebruiken (integreren). Een goed voorbeeld van deze aanpak is het leren van woorden met een *c* op niveau 8. Eerst worden de *c* = *s*-woorden geïsoleerd aangeboden. Bij het discrimineren gaat het erom dat de leerlingen tussen andere woorden (bijvoorbeeld met s) de c = *s*-woorden kunnen herkennen. Daarna volgen de *c* = *k*-woorden en pas daarna worden c = s- en c = k-woorden door elkaar aangeboden.

Controleren

Als leerkracht controleer je zowel het spellingproces als het spellingproduct van de leerlingen voortdurend. Niet alleen dictees dienen ter controle. Van groot belang is jouw dagelijks handelen. Doordat je zorgvuldig het werk van de leerlingen controleert, kun je meewerken aan de ontwikkeling van hun spellinggeweten. Het zou fantastisch zijn als zij de houding krijgen om goed te wíllen spellen. Het digitale platform ondersteund hierbij. Het controleert de antwoorden van de leerlingen en past het ondersteuningsniveau aan op de prestaties van de leerlingen. Met behulp van het resultatenscherm zie je als leerkracht de voortgang van de leerling .

Motiveren

Spelling in de lift adaptief probeert leerlingen zoveel mogelijk te motiveren om te leren spellen. Er is onder andere aan de *vormgeving* van de methode veel zorg besteed. Ook is er veel *afwisseling* in de oefeningen met speelse accenten. Ook het digitale platform moedigt de leerling aan en focust op de succeservaring. Een leerling die bij een bepaalde activiteit succes ervaart, raakt vaak beter gemotiveerd en krijgt meer plezier in het spellen. Het gaat hierbij zowel om een succeservaring in het verleden (bijvoorbeeld op de vorige bladzijde) als de verwachting van de volgende bladzijde ook een succes te maken.
Om de leerlingen veel kans op succes te bieden, is de methode *zeer systematisch en geleidelijk opklimmend in moeilijkheidsgraad ingericht*. Bij elk spellingonderwerp zorgt de methode voor een zo goed mogelijke oriënteringsbasis. Hierdoor vergroot de kans op leersucces.
Het stellen van *concrete, overzichtelijke en bereikbare doelen* helpt ook om de motivatie te bevorderen. Hiervoor kun je bijvoorbeeld de controledictees en de doelenkaart aanbieden. Door het inbouwen van *regelmatige controlemomenten* kun je het succesvol leren bevorderen. Tot slot staan in *Spelling in de lift adaptief* woorden die zoveel mogelijk aansluiten bij *de belevingswereld* van de leerlingen.

3.5 Werkvormen

De didactische werkvormen die in *Spelling in de lift adaptief* aan de orde komen zijn de oefeningen uit de werkboeken, de digitale omgeving en de oefeningen en aanwijzingen uit de handleidingen.
In de *werkboeken* zijn zeer gevarieerde oefeningen opgenomen zoals bijvoorbeeld:

- een woord bij een plaatje zoeken

Zet het goede woord erbij.
Het begint met *sch*.

- rijmoefeningen

Rijmen maar.

1. Tijdens de *jacht* praten de jagers ....
2. Ik heb snoep *gekocht*, omdat ik dat ....

- van gegeven letters een woord maken

Welke woorden zitten in de bloemen verborgen?
Ze beginnen met een *s*.

....

- **woorden afmaken**

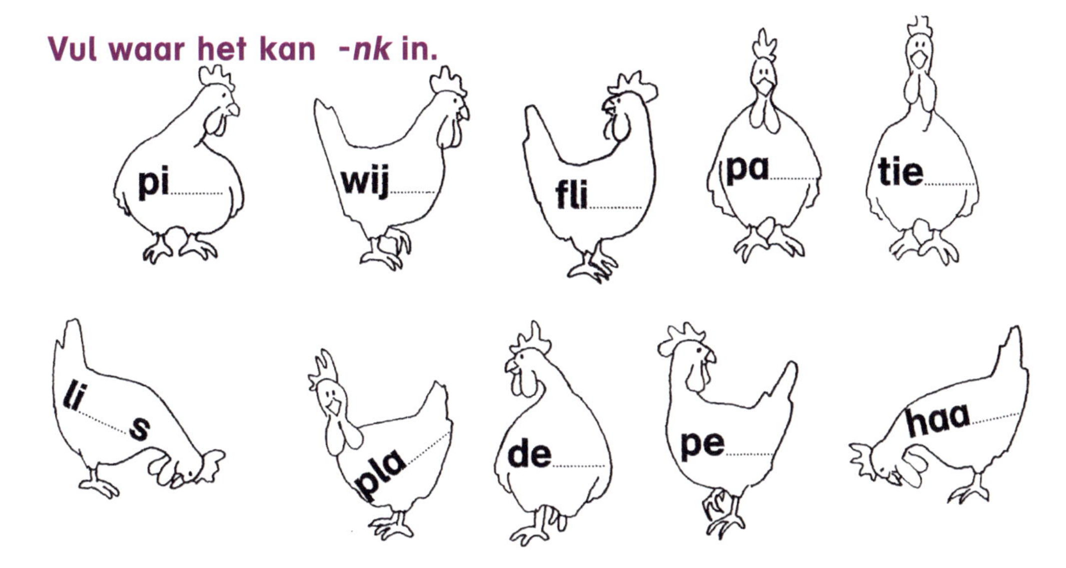

- **fouten laten zoeken**

Rare praatjes. Iemand heeft de voorste letters van twee woorden verwisseld.
Kun je het weer goed zetten?

1. In zee hemt een zwaai. ....
2. Zij jaait een nurk. ....
3. Hij graait het mas. ....

- **het woord in de goede vorm laten gebruiken**

Gebruik het woord in de goede vorm.

officieel 1. De .... instanties ontkennen dat bericht.

traditie 2. De Zeeuwse kap hoort bij de .... kledendracht.

- **woorden in zinnen laten gebruiken**

Maak zinnen die de dierenarts kan zeggen.
Gebruik het woord dat ervoor staat.
De dierenarts zei:

controle 1. ....

narcose 2. ....

Bovenstaande oefeningen zijn natuurlijk slechts voorbeelden. In de werkboeken komen talloze variaties op deze thema's voor. De oefeningen zijn zo gevarieerd mogelijk, omdat dat voor leerlingen motiverend is. Bovendien kunnen door die wisselende oefeningen alle aspecten van de spellingtaak aan bod komen.

In de werkboeken wordt verder verwezen naar:

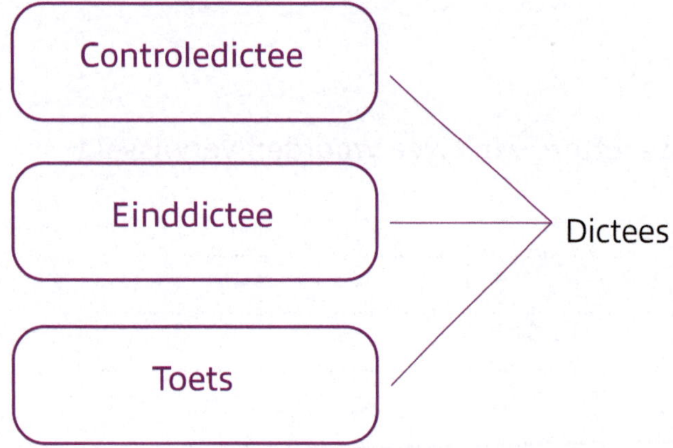

Deze zijn allemaal te vinden in de handleidingen per niveau.
Hierbij wordt nauwkeurig aangegeven hoe je de instructie het best kan geven.

Literatuur

- Assink, E. (1986).
  Hardnekkige spellingproblemen: oorzaken en behandelingsmethoden.
  In: Dyslexie, Stevens, L.M. en v.d. Leij, A. Lisse: Swets & Zeitlinger.

- Parreren, C. van en Carpay, J. (1982).
  Sovjetpsychologen over onderwijs en cognitieve ontwikkeling.
  Groningen: Wolters-Noordhoff.

Mijn stappenplan

adaptief

handleiding niveau 1

mkm-woorden:
medeklinkers
korte en lange klanken
tweetekenklanken

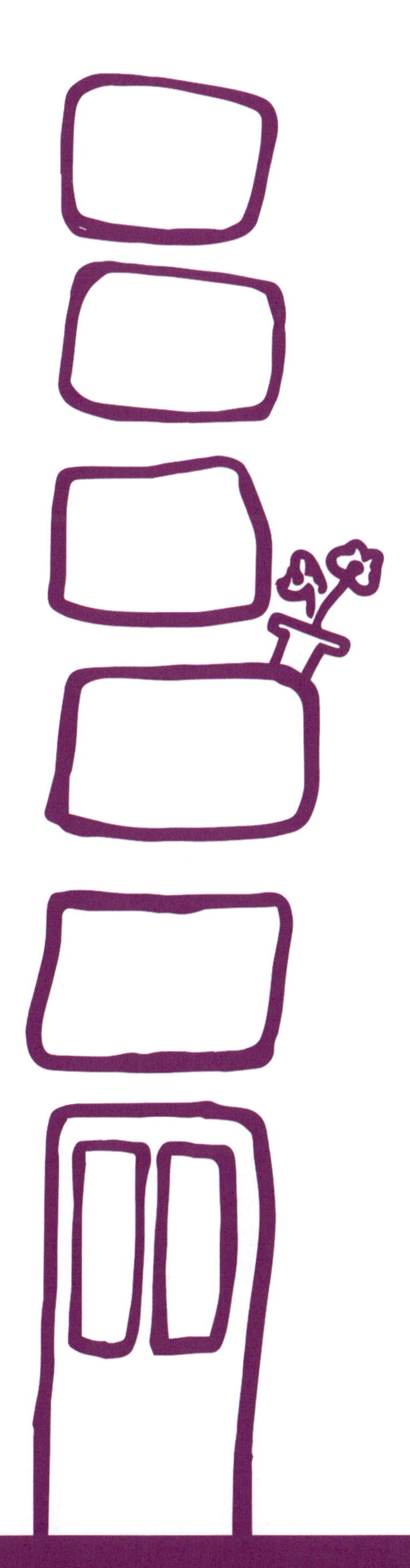

Inhoud

1 Doelstellingen

1.1 Algemene doelstellingen

Het werkboek niveau 1 is een onderdeel van de methode *Spelling in de lift adaptief*. Met deze methode leren leerlingen de schrijfwijze van veelvoorkomende Nederlandse woorden. Het is van belang dat leerlingen de woorden die ze leren niet alleen goed schrijven in de spellinglessen, maar dat ze die kennis ook gaan gebruiken in hun spontane schriftelijke taalgebruik. Hiervoor zijn speciale oefeningen opgenomen. Voor een verdere toelichting van de algemene doelstellingen kun je de Algemene Inleiding raadplegen.

1.2 Doelstellingen van niveau 1

Op niveau 1 wordt de schrijfwijze aangeleerd van veelvoorkomende woorden die bestaan uit één klankgroep, met:

- medeklinker – klinker (mk, bijvoorbeeld: mee);
- klinker – medeklinker (km, bijvoorbeeld: oom);
- medeklinker – klinker – medeklinker (mkm, bijvoorbeeld: met).

Het gaat dus om woorden van maximaal drie klanken.

1 Doelstellingen

2 Opbouw

2.1 Instaptoets

Om de beginsituatie van de leerling vast te stellen, wordt in de digitale omgeving gestart met een instaptoets.

Deze instaptoets is passend bij de didactische leeftijd van de leerling en de periode van een jaar terug: er worden enkel spellingcategorieën getoetst waar de leerling op dat moment in zijn leerproces aan toe is of is geweest.

De instaptoets duurt ongeveer 40 tot 60 minuten. Het advies is om de tijd van de instaptoets te verspreiden over verschillende momenten op een dag of in een week. Zo minimaliseer je eventuele onzekerheid of frustratie. De instaptoets gaat automatisch verder waar de leerling gebleven is.

De resultaten van de leerling worden na het afronden van de instaptoets in het resultatenscherm van de leerkracht getoond. Hierop kun je precies zien welke spellingcategorieën de leerling al goed beheerst en op welke spellingcategorieën nog meer geoefend moet worden. Ook kun je het niveau van klankherkenning inzien. Het systeem zet, op basis van de resultaten, vervolgens automatisch oefenstof klaar.

2.2 Digitaal verwerken

Tijdens het digitaal verwerken kun je in het resultatenscherm de voortgang van de leerling inzien. Wanneer een leerling uitvalt op een spellingcategorie, dan wordt in het resultatenscherm verwezen naar deze categorie binnen de handleiding per niveau van *Spelling in de lift adaptief*. De leerling heeft dan baat bij instructie, begeleide inoefening en verwerking die gestuurd wordt door de leerkracht.

Aan de klankherkenning en het klankonderscheid hangt geen 'goed' of 'fout' niveau. Het doel hiervan is om de snelheid van de verwerking van klank-tekenkoppeling te vergroten. Vooruitgang is daarbij het streven.

2.3 Instructie en verwerken op papier

In het resultatenscherm zie je op welke spellingcategorieën van niveau 1 de leerling uitvalt. Ga samen met de leerling aan de slag met de desbetreffende spellingcategorieën.

Het is dus zeker niet zo dat de leerling alle opdrachten uit het werkboekje van niveau 1 moet maken. Het mag natuurlijk wel, want extra oefening kan nooit kwaad.

In deze handleiding staan per bladzijde van het werkboek instructies en aanwijzingen bij de opdrachten. Daarnaast vind je bij verschillende bladzijden auditieve oefeningen die je samen met de leerling kunt doen. In hoofdstuk 3 vind je hoe deze zijn aangegeven, in zowel de handleiding, als in het werkboek.

2.4 Evaluatie

Tussen de verschillende oefeningen door, zijn controledictees voorhanden om na te gaan waar de leerling zich op dat moment in zijn leerproces bevindt. Aan het eind van iedere spellingcategorie vind je een einddictee. Dit kun je naast het controledictee en de gemaakte opgaven leggen om de voortgang van de leerling inzichtelijk te maken.

Zowel aan het controledictee, als aan het einddictee hangen geen normeringen.

De voortgang van de leerling wordt nog duidelijker zichtbaar door hem, na het oefenen op papier, weer digitaal te laten oefenen. In het resultatenscherm kun je zien hoe de leerling nu scoort op de spellingcategorieën.

3 Didactiek

3.1 Leerinhouden

In het werkboek vind je de volgende categorieën:

1 Medeklinkers
(uitsluitend in woorden met de lange klanken aa, oo, ee of uu)

introductie van de lange klanken	(blz. 4)
de medeklinkers m, p, f, w, s, t, k, r, h, b	(blz. 4 t/m 6)
herhaling van deze 10 medeklinkers	(blz. 7 t/m 9)
l, n, d, j, g	(blz. 10 en 11)
herhaling van de 15 medeklinkers	(blz. 12 en 13)
b	(blz. 14)
d	(blz. 15)
b, d	(blz. 16 en 17)
m	(blz. 18)
n	(blz. 19)
m, n	(blz. 20)
p	(blz. 21)
b, p	(blz. 22 en 23)
b, d, p	(blz. 24)
h	(blz. 26)
g, j, k, h	(blz. 27)
herhaling: alle medeklinkers door elkaar	(blz. 28 en 29)

2 Korte en lange klanken

o, oo	(blz. 32 en 33)
e, ee	(blz. 34 en 35)
o, oo, e, ee	(blz. 36)
a, aa	(blz. 37 en 38)
o, oo, e, ee, a, aa	(blz. 39 en 40)
i	(blz. 41)
o, oo, e, ee, a, aa, i	(blz. 42)
u, uu	(blz. 43 en 44)
herhaling van de korte en lange klanken	(blz. 45 en 46)
de l aan het eind van een woord	(blz. 47)

3 Didactiek

3 Tweetekenklanken

3.2 Leerprincipes

Voor een algemene toelichting op de verschillende leerprincipes kun je hoofdstuk 3 van de Algemene Inleiding lezen. Hieronder wordt besproken hoe deze leerprincipes op niveau 1 plaatsvinden.

Oriënteren
De (m)k(m)-woorden van niveau 1 vallen in principe onder de hoofdregel van de Nederlandse taal; elke klank wordt weergegeven door een letter of een lettercombinatie: 'je schrijft het woord zoals je het hoort'.

Mkm-woorden zoals weer, door of deur worden op dit niveau niet behandeld, omdat zij niet geheel klankzuiver zijn.

Deze methode gaat ervanuit dat de leerlingen de woorden me, je, we en de al redelijk geautomatiseerd hebben en kunnen schrijven.

Op dit niveau wordt veel aandacht besteed aan de verschillende onderdelen van de elementaire spellinghandeling: de leerlingen leren om goed naar een woord te luisteren en het goed na te zeggen. Verder leren zij een woord auditief te analyseren en vervolgens de klanken in de juiste volgorde in letters om te zetten.

De volgende begrippen komen op niveau 1 aan de orde:
- medeklinkers: tot de medeklinkers rekenen wij alle letters van het alfabet, behalve a, e, i, o, u en ij.

- korte klanken: a, e, i, o en u.

- lange klanken: twee dezelfde korte klanken samen heten lange klanken, dus aa, oo, ee en uu. Korte klanken hoor je kort en ze zien er kort uit. Lange klanken hoor je lang en ze zien er lang uit.

- tweetekenklanken: die bestaan uit twee tekens, maar je spreekt ze uit als één klank. Het zijn: oe, ui, eu, ie, ij, ei, ou en au (ei, ou en au worden niet behandeld op niveau 1).

In de werkboeken van niveau 1 worden deze begrippen op een begrijpelijke wijze aangeleerd door middel van instructies. De leerlingen 'bouwen woorden' met letters/klanken. De medeklinkers en korte klanken komen in korte hokjes. De lange klanken en tweetekenklanken komen in langere hokjes.

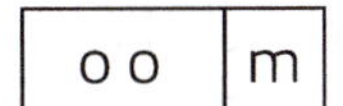

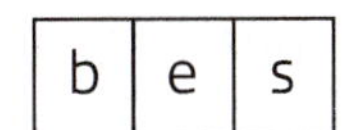

Op niveau 1 vindt een uitgebreide oriëntatie plaats op de afzonderlijke letters/klanken binnen het woord. In bijlage 1 is een lijst opgenomen met de kenmerken van die letters/klanken die voor de leerling problemen kunnen geven.
Bij het aanbieden van de letters/klanken is een opbouw van gemakkelijk naar moeilijk aangehouden.

In het eerste deel van het werkboek worden de medeklinkers behandeld, uitsluitend in combinatie met de lange klanken. In het begin kunnen de medeklinkers in auditief en visueel opzicht goed door de leerlingen onderscheiden worden. Ook in de uitspraak van klanken wordt zoveel mogelijk een volgorde van gemakkelijk naar moeilijk aangehouden: zo zijn bijvoorbeeld de h en de g minder goed zichtbaar uit te spreken dan de m, en daarom komen de eerste twee later aan de orde.

In tweede deel van het werkboek komen ook de lange en korte klanken door elkaar aan bod. Dit is zowel in auditief als in articulatorisch opzicht al wat moeilijker voor de leerling.

In het laatste deel van het werkboek worden de tweetekenklanken behandeld, die zowel in visueel, auditief als articulatorisch opzicht moeilijk zijn.

De oriëntatie op de verschillende letters en klanken kan op twee manieren plaatsvinden:
- Het is belangrijk dat de instructies zoveel mogelijk aansluiten op de leesmethode. De daar gebruikte globaal-, hulp- of sleutelwoorden en ezelsbruggetjes kunnen waarschijnlijk ook goed bij het spellingonderwijs gebruikt worden. Dit voorkomt verwarring bij de leerling.
- Het kan ook voorkomen dat een leerling de letter/klank niet uit de klassikale methode leert of dat de leesmethode hier geen gebruik van maakt. Dan kun je uit bijlage 2 een ezelsbruggetje selecteren en het met de leerling op die manier proberen.

In beide gevallen kan gebruik gemaakt worden van de aparte hokjes links bovenaan de bladzijden in de werkboeken om woorden of ezelsbruggetjes in te vullen.

Naast het richten op de kenmerken van de letter of de klank is ook belangrijk hoe de leerling de letter schrijft. Je let erop in welke volgorde van beweging de leerling de letter schrijft en of hij schrijft volgens de schrijfmethode die op school wordt gebruikt. Ook hierbij is bovenaan de bladzijde in de werkboeken ruimte om de schrijfwijze van de letters te oefenen, in de hokjes rechts en op de lijntjes.

Om de letters goed te leren, moeten de leerlingen de begrippen links, rechts, boven, onder, enzovoort kennen.

De leerlingen leren in de oriëntatiefase ook de betekenis van de gebruikte woorden. In de oefeningen en instructie wordt hieraan extra aandacht besteed. Je kunt de leerlingen de woorden in context laten gebruiken, bijvoorbeeld in een zin. Bij anderstalige leerling kan de oriëntatie op de letters en klanken problemen opleveren. In bijlage 3 vind je een overzicht van de meest voorkomende Nederlandse taalfouten (die betrekking hebben op spelling) die gemaakt kunnen worden door Marokkaanse, Turkse, Spaanse en Portugese leerlingen. Hier worden met name de zogenaamde 'interferentiefouten' behandeld. Dit zijn fouten die gemaakt worden doordat deze leerlingen een bepaald verschijnsel of een bepaalde klank in het Nederlands nog niet beheersen en dan terugvallen op structuren of klanken zoals ze die kennen in de moedertaal.

Optimaliseren
Bij het verinnerlijken leren de leerlingen om niet meer hardop auditief te analyseren, maar om dit fluisterend voor zichzelf of in het hoofd (dus niet hoorbaar) te doen.

Het verkorten kan geoefend worden door middel van wisselrijtjes:

boos – koos – roos

boom – boot – boos

Hierbij wordt steeds de voorste, middelste of laatste klank veranderd.

Voor het automatiseren zijn visuele dictees en flitskaarten nuttig. De leerlingen prenten dan het woord niet letter voor letter in maar in delen, bijvoorbeeld:
boom: b-oom
Ook het vaak opschrijven van woorden helpt bij het automatiseren, vooral wanneer letters aan elkaar geschreven worden volgens de gebruikte schrijfmethode.

Aan het generaliseren wordt aandacht besteed door de leerlingen op dit niveau zelf zinnen of verhaaltjes te laten (af)maken, bijvoorbeeld aan de hand van een tekening.

Isoleren, discrimineren en integreren
Naast het oriënteren en optimaliseren wordt aandacht besteed aan het isoleren, discrimineren en integreren. Voor de toelichting op deze begrippen kun je hoofdstuk 3 van de Algemene Inleiding lezen.

Op niveau 1 worden de medeklinkers, korte en lange klanken en tweetekenklanken eerst geïsoleerd aangeboden. Deze kennis wordt door oefeningen verstevigd. Vervolgens gaan de leerlingen deze kennis zelf leren gebruiken (integreren).

Voorbeeld:
In het werkboekonderdeel 'medeklinkers' worden op de eerste tien bladzijden de p, b en d verspreid behandeld, tussen medeklinkers die daar goed van te onderscheiden zijn, zoals de w, s en n. Na die tien bladzijden worden de letter b, d en p door elkaar behandeld, maar alleen in combinatie met lange klanken.

Controleren
Als controlemomenten zijn dictees ingebouwd. Hiermee krijgt zowel de leerkracht als de leerling een beeld van in hoeverre de leerling het geleerde kan toepassen. In een spellingschrift kan een leerling onder meer 'Mijn moeilijke woorden' opschrijven. Door regelmatig te oefenen wordt zo'n lijstje met moeilijke woorden steeds kleiner, wat erg motiverend werkt.

Motiveren
De leerinhouden worden stapje voor stapje aangeboden, zodat de leerlingen positieve ervaringen opbouwen. De oefeningen zijn zo afwisselend mogelijk gemaakt, maar bij het aanleren van de lettercombinaties wordt zoveel mogelijk dezelfde volgorde aangehouden.

3.3. Werkvormen

De handleiding
In deze handleiding vind je de instructies bij de oefeningen in het werkboek. De instructies bevatten onder andere: het bespreken van de betekenis van nieuwe woorden, een uitgebreide oriëntatie op een nieuw probleem, leiding geven aan auditieve oefeningen, het vooraf bespreken van de oefeningen uit het werkboek en het nabespreken van de gemaakte oefeningen.

De auditieve oefeningen zijn in de methode *Spelling in de lift adaptief* erg belangrijk. Deze sluiten aan op de leerstof, of ze bereiden de volgende oefeningen in het werkboek voor. De meeste onderdelen van de elementaire spellinghandeling worden door auditieve oefeningen aangeleerd. In de instructies kun je nieuwe begrippen en letters introduceren.

Regelmatig worden dictees afgenomen, geanalyseerd en nabesproken. Op niveau 1 worden voornamelijk woorddictees aangeboden, omdat zinnendictees in het begin nog te moeilijk voor de leerling zijn.

Het werkboek
Het oefenen van nieuwe medeklinkercombinaties gaat in een min of meer vaste volgorde: eerst visuele discriminatie en inprentingsoefeningen, daarna volgen oefeningen in auditieve discriminatie en auditieve analyse, tot slot oefeningen met het invullen van hele woorden in zinnen of in een verhaaltje, en oefeningen met het invullen van letters in woorden.

Door woorden steeds opnieuw te laten schrijven, wordt het schrijfmotorische woordbeeld geautomatiseerd. Naast deze grafisch-fonologische informatie, wordt er ook aandacht besteed aan semantische en syntactische functies. Aan de hand van plaatjes of eenvoudige zinnen wordt duidelijk gemaakt wat de betekenis van de woorden is en op welke wijze deze gebruikt worden. In deze methode staat de instructie centraal, het werkboek is niet bedoeld als zelfstandig oefenmateriaal. Het is van belang dat je controleert of de leerlingen de bedoeling van de opdracht hebben begrepen.

De oefeningen in het werkboek zijn voorgestructureerd om (te veel) fouten te voorkomen in de nog niet behandelde spellingcategorieën.

Het zelf schrijven van korte en eenvoudige zinnen komt pas aan het eind van dit niveau aan bod. Wel is er ruimte voor creativiteit van de leerling gelaten, bijvoorbeeld voor het maken van tekeningetjes. In het werkboek wordt nog geen gebruik gemaakt van hoofdletters.

3.4 Aanwijzingen per bladzijde, algemeen

De doelenkaart
De doelenkaart (op de binnenkant van de kaft) geeft aan welke onderdelen de leerling in het werkboek gaat doen en kan op twee manieren ingezet worden:

- **Voorafgaand aan het oefenen.**
  Bespreek samen met de leerling welke spellingcategorieën hij al beheerst en welke spellingcategorieën hij nog lastig vindt: kortom, met welke spellingcategorieën gaat de leerling de komende tijd oefenen.
- **Na afloop van het oefenen of na afloop van een dictee.**
  Evalueer het oefenproces met de leerling. Bespreek na in hoeverre de leerling de spellingcategorieën nu beheerst.

Instructie
Tijdens de instructie worden de doelstelling, het te hanteren materiaal en de introductievorm vermeld.

Auditieve oefeningen
De instructie en de woorden die worden aangeboden zijn omschreven. Auditieve analyse-oefeningen kunnen het best visueel ondersteund worden. Dit kan bijvoorbeeld door middel van structuurstroken of structuurvakken.

Gezamenlijke oefeningen
Deze oefeningen kunnen samen met een groepje leerlingen gedaan worden.

dictee

Dictees
Deze dictees zijn in de handleiding te vinden onder respectievelijk paragraaf 4.1 en 4.2.

Betekenis van woorden
Het is belangrijk dat de leerlingen de betekenis van de behandelde woorden kennen. Controleer dit regelmatig door de leerlingen bijvoorbeeld zinnen met de woorden te laten maken.

Creativiteit
Het is goed om de creativiteit van de leerlingen aan te moedigen. Bij de oefeningen is er lang niet altijd sprake van één correct antwoord; soms zijn er alternatieven. Reken het vooral niet fout als een leerling een ander woord invult dat wel in de oefening past. Als dit het geval is, geef de leerling dan een compliment voor zijn originaliteit. Speels omgaan met taal en spelling is leuk en moet zeker aangemoedigd worden!

3.5 Aanwijzingen per bladzijde , specifiek

1 Medeklinkers

Bladzijde 4

Instructie

Doel: De leerling maakt kennis met de klank en de schrijfwijze van de lange klanken aa, ee, oo en uu, voordat ze deze gaan gebruiken in woorden (dus samen met medeklinkers).

Introductie: Bespreek met de leerling dat hij met dit werkboek gaat leren hoe hij woorden kan schrijven. Vertel dat je het ook wel eens 'woorden bouwen' noemt. Vraag de leerling wat nodig is om woorden te bouwen. Bevestig dat dit letters of klanken zijn. Laat zien hoe je een woord bouwt met letters, door de letters in hokjes te zetten. Teken er een dak boven, als een huis.

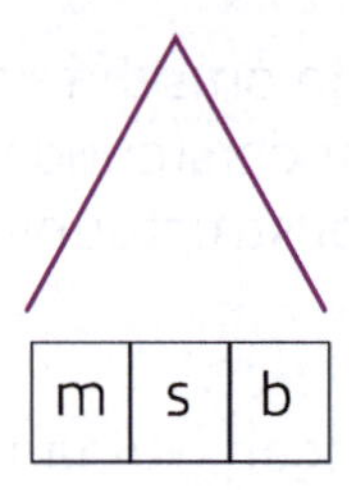

Vraag de leerling of dit een goed woord is en of hij het kan oplezen. Geef aan dat je het woord niet kunt uitspreken, omdat er alleen maar medeklinkers in zitten.

Bouw een ander woord:

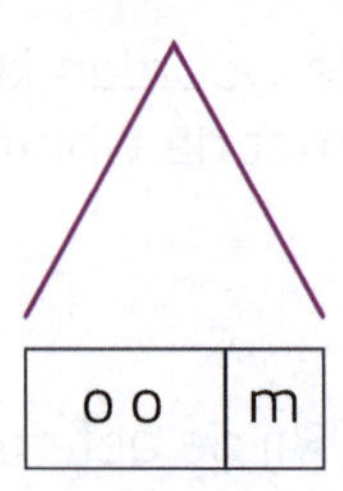

Vraag de leerling of dit een goed woord is en of hij het kan oplezen. Geef aan dat het woord nu te lezen is omdat er nu ook een lange klank in zit. Wanneer je meer voorbeelden wilt geven, kunnen de woorden met lange klanken uit het verhaaltje op bladzijde 4 gebruikt worden.
Bespreek dat in dit werkboek woorden worden gemaakt met lange klanken én medeklinkers. Vertel de leerling over vier lange klanken: aa, ee, oo en uu. (Schrijf deze op het bord en houd ze lang aan onder het uitspreken: aaaa... eeee... oooo... uuuu...)

Lees nu het verhaal van oefening 1 op bladzijde 4 samen met de leerling.

Vraag daarna welke woorden met lange klanken in het verhaal voorkomen. Elk woord wordt in de juiste rij op het bord geschreven. Vervolgens krijgt de leerling een blaadje. Hij mag de vier rijtjes op het blaadje overschrijven en daarna de lange klanken rood kleuren.

Na deze instructie met de lange klanken introduceer je de medeklinkers m en p (zie werkboek bladzijde 4). Spreek de letters fonetisch uit. De letters zijn al bekend vanuit de leesmethode. Voor eventuele ezelsbruggetjes kun je bijlage 2 van deze handleiding bekijken.

Als de leerling het begrip medeklinker heeft leren gebruiken, is het goed dat begrip ook hier te hanteren.

Let bij alle woorden die in dit blok worden aangeboden op een goede duidelijke uitspraak. Ga steeds na of de leerling de betekenis van de woorden kent; laat de woorden bijvoorbeeld in een zin gebruiken.

Auditieve oefening
Luister goed naar de volgende woorden. Zeg bij elk woord uit welke stukjes het bestaat (auditieve analyse). Zeg daarna ook of je er een m of een p in hoort (auditieve discriminatie):

aap – oom – mee – maak – loop – muur – poos – raam – paar – peen – maag – poot

Bladzijde 5
Oefening 1
Op deze bladzijde worden de f, w en s geïntroduceerd. Let vooral op een goede uitspraak bij f en s. Lees met de leerling het verhaal en laat hem de woorden met een f, w of s onderstrepen.

Auditieve oefening
Kies uit de twee woorden het woord waarin je een f hoort:
geef – leeg
neef – neem
been – beef
doos – doof
leef – lees
fee – mee

Nu het woord met een w:
maar – waar
boon – woon
weet – heet
weeg – deeg
raar – waar
keek – week

Nu het woord met een s:
haas – haan
leef – lees
baan – baas
boos – boon
kaal – kaas
roos – rook

Oefening 2
Ga na of de leerling de betekenis van de woorden kent.

Bladzijde 6
Op deze bladzijde worden de letters b, h, k, t en r aangeboden.

Raadpleeg voor ezelsbruggetjes bij deze letters de leesmethode of de suggesties in bijlage 2 van deze handleiding.

Oefening 3
Ga van alle woorden in deze oefening na of de leerling de betekenis kent. Laat ze elk woord in een zin gebruiken. Laat ze ervaren dat een woord meer betekenissen kan hebben, bijvoorbeeld:

Ik *heet* Bas.
Wat is het hier *heet*.

Auditieve oefening
Zeg steeds drie woorden. Laat de leerling goed luisteren en het woord benoemen waarin hij een b hoort.
boos – koos – roos
been – leen – teen
aan – maan – baan
oom – boom – room
haas – kaas – baas
boog – oog – hoog

Nu waarin je een h hoort:
haak – taak – raak
loop – koop – hoop
geel – heel – keel
heet – weet – meet

Vraag bij de volgende letters ook steeds of de leerling de desbetreffende letter voor- of achteraan het woord hoort.

Nu waarin je een k hoort:
paal – haal – kaal
weeg – weet – week
haak – haas – haan
meel – deel – keel

Nu waarin je een t hoort:
tuur – muur – huur
haal – taal – kaal
heet – heen – heel
boos – boom – boot

En ten slotte waarin je een r hoort:
maat – maak – maar
rook – kook – ook
boos – roos – doos
taak – raak – haak

Oefening 4
Deze oefening is een invuloefening. Voor een leerling is dat in het begin vaak moeilijk, misschien heeft hij wat extra steun nodig. Als hij de antwoorden niet weet, laat hem het verhaal dan nog eens lezen.

Bladzijde 7
Ook op deze bladzijde is het weer van groot belang om op de betekenis van de woorden in te gaan en de woorden in zinnen te laten gebruiken. Let er vooral op dat de woorden goed en duidelijk worden uitgesproken.

Auditieve oefening
Zeg het woord in stukjes. Bijvoorbeeld boom wordt b-oo-m.
raam – haas – meet – koop – huur – taak – week – boot – hoop – tuur – waar – heet – reep – roos – uur

Bladzijde 8

Oefening 1

Het is niet de bedoeling dat de volgorde van de letters veranderd wordt, dus dat bijvoorbeeld van 'slaap' 'pas' gemaakt wordt. (Een leerling die door de lettervolgorde te veranderen een goed woord gevonden heeft, verdient wel een compliment!)

Oefening 3

Als de leerling de woorden niet kan invullen, laat hem dan de verhaaltjes nog eens lezen.

Auditieve oefening

Bedenk een woord dat rijmt op:
paar – fee– tuur – naam – heet – poot – huur – raak – keek – hoop – uur – baas – boom – maar – ook

Bladzijde 9

Oefening 1

De letter die vervangen moet worden, is schuingedrukt.
De leerling mag kiezen uit de tot nu toe aangeleerde medeklinkers. Er zijn alternatieven mogelijk, bijvoorbeeld kaas, haas, baas. Bespreek weer uitgebreid de betekenis van de aangeboden woorden en controleer de uitspraak.

Oefening 3

Het vervangen van letters op deze manier is nieuw. Mogelijk is wat extra steun nodig.

Auditieve oefening

Bedenk een woord dat begint met dezelfde klank als:
maan – poos – weet – taal – koop – raak – haas – boom – mees – paal – weeg – keel – rook – heen – boos

Neem na deze bladzijde het controledictee af dat gaat over de letters m, p, f, w, s én t, k, r, h, b. Dit dictee is te vinden in paragraaf 4.1.

Bladzijde 10

Op deze bladzijde worden de l, n en j geïntroduceerd. Let op dat je de woorden met een l achteraan duidelijk uitspreekt en attendeer hier ook de leerling op. Het probleem van de klankverkleuring door de l achteraan, komt later in dit werkboek nog eens aan de orde. Let weer extra op of de betekenis van de nieuwe woorden bekend is.

Auditieve oefening

Kies het woord met een n erin. Hoor je deze letter voor- of achteraan?

noot – boot
boon – boos
woon – rook
nee – fee
leen – lees
geen – geef
geef – neef
naar – daar

Bladzijde 11

Op deze bladzijde worden de g en d aangeboden. Ezelsbruggetjes vind je in de leesmethode of in bijlage 2 van deze handleiding. Let op een goede uitspraak en op de kennis van de betekenis.

Auditieve oefening

In welke woorden hoor je een g aan het eind?

laag – raam – oog – weeg – boot – week – tuur – maag – deel – haar – deeg – haan – mee – hoog

Oefening 2

Een invuloefening op deze manier kan voor de leerling nog erg moeilijk zijn. Hij heeft mogelijk extra steun nodig.

Oefening 4

Laat de leerling elk woord dat hij gebruikt heeft doorstrepen.

Na deze bladzijde wordt het controledictee, speciaal over de letters l, n, d, j en g, afgenomen. Dit dictee is te vinden in paragraaf 4.1.

Bladzijde 12

Op deze en de volgende bladzijde worden alle medeklinkers die tot nu toe in dit werkboek zijn aangeleerd nog eens herhaald.

Oefening 3

Dit is een discriminatieoefening van letters die auditief en visueel niet op elkaar lijken.

Auditieve oefening

Kijk naar de plaatjes van oefening 1.

In welke woorden:
hoor je een h?
hoor je een g?
hoor je een k?
hoor je een m?
hoor je een n?
hoor je een t?
hoor je een l?
hoor je een f?
hoor je een r?

Bladzijde 13

Oefening 2

Het gebruik van het goede lidwoord kan een probleem vormen. Geef extra hulp door de woorden ook in zinnetjes te laten gebruiken.

Oefening 3

Elke letter mag één keer gebruikt worden en kan weggestreept worden als hij ingevuld is.

Auditieve oefening

Zeg het woord in stukjes:

paal – boon – huur – nee – naam – geel – hoog – duur – haal – deeg – kool – uur

Bladzijde 14

Instructie

Doel: De leerling wordt zich bewust van de kenmerken van de letter b in combinatie met lange klanken en medeklinkers die goed van de b te onderscheiden zijn.

Introductie: Bespreek de afbeelding van de boom in het werkboek. Vraag welke woorden de leerling ziet op de blaadjes en welke letter bij alle blaadjes hetzelfde is.

Door op het bord en in de lucht te schrijven, kan de schrijfbeweging geoefend worden. In het hokje rechtsboven kan vervolgens de letter b geschreven worden, volgens de op school gebruikte schrijfmethode.

Vervolgens mag de leerling de letter b nog een paar keer schrijven op de stippellijntjes links van het kleine hokje op bladzijde 14. In het hok linksboven kan een ezelsbruggetje getekend worden dat de leerling helpt om de letter b te onthouden. Je zou kunnen teruggrijpen op een ezelsbruggetje dat bij het aanvankelijk lezen gebruikt werd. In plaats daarvan kan ook uit bijlage 2 een ezelsbruggetje gekozen worden.

Verder oefenen van de schrijfletter b kan in de schrijfles gebeuren. Behandel de betekenis van de b-woorden met de leerling.

Auditieve oefening

Haal bij de woorden die ik nu zeg de eerste klank weg. Zet er een b voor in de plaats.

Welk woord krijg je dan?

kaas – hoek – room – teen – goot – ziet – hoog – zus – roos – laan – ton – loon

Bladzijde 15

Instructie

Op deze bladzijde wordt de letter d apart behandeld. De letter kan het beste op dezelfde wijze behandeld worden als de letter b. Zie de instructies bij bladzijde 14 van het werkboek.

De introductie kan hier plaatsvinden met behulp van de druppels op bladzijde 15 van het werkboek.

In het werkboek komt een aantal relatief moeilijke woorden voor met de letter l achteraan, bijvoorbeeld 'deel', 'heel', 'keel'. De ee krijgt hier een andere klank onder invloed van de l aan het eind. Dit probleem wordt later uitgebreid behandeld. In het begin mag de leerling dit soort woorden alleen lezen of overschrijven.

Auditieve oefening

Rijm op de volgende woorden met een woord waarin je een d hoort:

jas – *das*
roos – ....
waar – ....
mag – ....
muur – ....
hier – ....
leeg – ....
pit – ....

Bladzijde 16

Hier worden de b en de d door elkaar aangeboden.

Oefening 1

De woorden met een d komen in de linkerboom en de woorden met een b komen in de rechterboom. Laat de leerling zo nodig gebruik maken van de ezelsbruggetjes uit bijlage 2.

Auditieve oefening

Geef de leerling een blaadje, met onder elkaar de nummers 1 t/m 10. Noem nu de volgende b- en d-woorden op en laat de leerling bij elk woord opschrijven of hij een b of een d gehoord heeft.

De woorden zijn:

boom – doos – deel – boos – boon – baan – beef – deeg – boog – duur

Oefening 3

Sommige leerlingen zullen moeite hebben met het bedenken van rijmwoorden. Help deze leerling door de oefening eerst mondeling te bespreken.

Bladzijde 17

Oefening 1

Het verhaaltje heeft betrekking op een hond. Omdat dit een woord is dat op dit niveau nog niet aan de orde komt, hoeven de leerling hier alleen een tekening van het dier te maken.

Auditieve oefening

Zeg of je van de volgende woorden ook een woord met een b of een d kunt maken. Voorbeeld: van toon kun je boon maken, maar niet doon. In boon hoor ik een b.

De woorden zijn:
veeg – vaar – heen – veel – roos – zoom – gaan – leeg – gaas – vuur

Na oefening 3 wordt het controledictee gemaakt.
Dit dictee is te vinden in paragraaf 4.1.

Bladzijde 18

Instructie

Op bladzijde 18 wordt de letter m apart behandeld. De letter kan op dezelfde wijze besproken worden als de letters b en d. Hier kan de introductie plaatsvinden met behulp van de tekening van de muur op bladzijde 18 van het werkboek. Het ezelsbruggetje uit de leesmethode of uit bijlage 2 wordt weer in het hok linksboven geschreven. Let op een goede uitspraak van de m.

Wijs de leerling erop dat bij het uitspreken van de m de lippen op elkaar zijn. Behandel de betekenis van de m-woorden met de leerling.

Auditieve oefening

Zoek een rijmwoord met een m, bijvoorbeeld baan – maan:
beet – raak – zaag – laat – buur

Oefening 3

Mogelijk is extra uitleg nodig bij de aanduiding -b die in deze oefening wordt gebruikt.

Bladzijde 19

Instructie

Op bladzijde 19 wordt de letter n apart behandeld. Maak de leerling eerst bewust van de kenmerken van de letter n. De n kan in het werkboek in het hokje rechtsboven geschreven worden. Op de stippellijntjes mag de leerling de letter n nog een paar keer schrijven. In het hok linksboven kan eventueel het ezelsbruggetje uit bijlage 2 geschreven worden dat als houvast geeft.

Ga na of de betekenis van de woorden bekend is.

Auditieve oefening

Verdeel het woord in stukjes. Staat de n voor- of achteraan?
teen – woon – neef – peen – naar – aan– noot – geen – baan

Oefening 3

Wijs de leerling erop, dat bij het invullen de lange klanken in de 'lange' hokjes komen.

Bladzijde 20

Op deze bladzijde worden de n en m door elkaar behandeld.

Oefening 2

Dit soort parallelwoorden als maar – naar kan gemakkelijk tot verwarring leiden. Laat de leerling na het invullen de woorden nog eens oplezen. Let op een goede articulatie. Laat de leerling zelf een zin bedenken met elk woord.

Auditieve oefening

Schrijf op of je in het woord een m of een n hoort.

1. naar
2. maan
3. maar
4. muur
5. neef
6. haan
7. nee
8. mee
9. meel
10. naam
11. boom
12. noot

Na oefening 5 wordt het controledictee afgenomen.
Dit dictee is te vinden in paragraaf 4.1.

Bladzijde 21

Instructie

Eerst wordt de letter p apart geoefend. De leerling wordt op de kenmerken van de p georiënteerd. Je kunt bij de introductie gebruikmaken van de tekening met paddenstoelen op bladzijde 21 van het werkboek.
Het is belangrijk de leerling erop te wijzen dat de stok van de p naar beneden wijst.

De schrijfletter p wordt in het hokje rechtsboven geschreven en kan nog even geoefend worden op de stippellijntjes bovenaan bladzijde 21. Een geschikt ezelsbruggetje kan in het vak linksboven ingevuld worden. Zie (eventueel) hiervoor bijlage 2.

Auditieve oefening
Zeg elk woord eerst in stukjes. Waar hoor je een p? In het begin of aan het eind van het woord?
reep – peen – paar – hoop – aap – paal – loop – gaap

Nu de leerling op de plaats van de p in het woord attent gemaakt is, kan hij oefening 1 maken.

Bladzijde 22
Bovenaan de bladzijde wordt de letter b nogmaals geïsoleerd aangeboden en in oefening 1 geoefend. Indien nodig kan het ezelsbruggetje dat al eerder voor het onthouden van de b gebruikt werd nog eens bovenaan op bladzijde 22 ingevuld worden.

Vervolgens worden de b en de p door elkaar aangeboden, allereerst in de auditieve oefening.

Auditieve oefening a
Luister goed naar de volgende woorden. Als je een b in het woord hoort, dan wijs je naar boven; hoor je een p, dan wijs je naar beneden.

De woorden zijn:
peen – gaap – been – pen – baan – koop – bon – boek – reep – paar – boos – baan – poot – bes – roep – hoop – boon

Oefening 2
Bespreek eerst een of twee woorden samen met de leerling. Kiezen uit tien woorden kan moeilijk zijn. Laat de leerling eventueel de al gebruikte woorden doorstrepen.

Auditieve oefening b
Luister goed naar de volgende woorden. Wat is de eerste letter? Maak daar een nieuw woord mee.
Voorbeelden:
boom –> b/oo/m –> boot
paar –> p/aa/r –> poes

De woorden zijn:
baas – paal – boot – poot – been – boos – boog – peen

Bladzijde 23
Op deze bladzijde wordt verder geoefend met b en p door elkaar.
Nu moet de leerling ook goed op de betekenis van de woorden letten, er wordt sterker een beroep gedaan op het vermogen tot analyse van woorden. Bespreek bij de oefeningen eerst wat de bedoeling is en maak één of twee items samen met de leerling. Daarna kan de leerling zelfstandig verder werken.

Auditieve oefening
Welke klank hoor je in beide woorden? En waar hoor je die klank in het woord: voor- of achteraan?

De woorden zijn:
boom – been
bot – bus
lap – sop
koop – gaap
poes – pen
been – bos

Laat de leerling de woorden op het gehoor analyseren als hij de oplossing niet direct weet.

Bladzijde 24
Op deze bladzijde worden b, d en p door elkaar behandeld.

Oriënteer de leerling vooraf nogmaals op de verschillen tussen deze letters en klanken. Gebruik eventueel de eerder aangeboden ezelsbruggetjes uit bijlage 2.

Oefening 1
Dit is een sorteeroefening. De woorden worden in de goede stoel ingevuld. Daarna mag de leerling 'de tafel dekken', door er zelf bordjes, bestek enzovoort op te tekenen.

Auditieve oefening
Wat hoor je in het woord: een p, een d of een b?

paar – reep – been – deeg – peen – boot – poot – duur – boog – baan – paal – doof – paar – daar – gaap – baas – koop – doos

Oefening 2
Het is de bedoeling dat de leerling zelf uit het zinsverband haalt welke letters ingevuld moeten worden. Door de woorden op het gehoor in stukjes te verdelen kan hij er achter komen welke letters in de symbooltjes ingevuld moeten worden. Behandel eventueel de eerste zin samen met de leerling.

Oefening 3
Sommige woorden kunnen op twee manieren aangevuld worden, bijvoorbeeld:
... oot: poot of boot.

Na oefening 3 wordt het controledictee afgenomen.
Dit dictee is te vinden in paragraaf 4.1.

Bladzijde 25
Op deze bladzijde wordt apart aandacht besteed aan de h. Maak de leerling attent op de vorm van de letter. De schrijfletter h wordt in het hokje rechtsboven geschreven en kan geoefend worden op de stippellijntjes bovenaan bladzijde 25. Schrijf het ezelsbruggetje bijvoorbeeld uit bijlage 2 in het vak linksboven.

Oefening 1
Bespreek de oefening na.

Auditieve oefening
De h is een moeilijke letter, omdat hij achterin de keel gevormd wordt, wat moeilijk te zien is. Wel is het aan de keel te voelen als er een h gemaakt wordt. Laat de leerling zelf woorden bedenken die met een h beginnen.

Bladzijde 26
Voordat oefening 1 gemaakt wordt, moet de leerling op de letter k georiënteerd worden. De schrijfletter k wordt in het hokje rechtsboven geschreven. Oefen de schrijfwijze van de letter k op de stippellijntjes en schrijf het ezelsbruggetje uit de leesmethode, of eventueel een ezelsbruggetje uit bijlage 2 in het vak linksboven.

Oefening 1
Vraag de leerling welke letter in alle woorden voorkomt. Laat deze letter kleuren.

Auditieve oefening
Ook de k wordt achterin de keel gevormd. Er is nu geen trilling voelbaar, in tegenstelling tot bij de h.

Oefening: verdeel de woorden in stukjes.

Vervang de eerste letter van elk woord door een k. Welk woord wordt het nu?
baas – loop – zaak – veel – maal – rook – zool – week

Oefening 2
Controleer of de leerling de betekenis van alle woorden uit oefening 1 kent.

Oefening 4
Laat de leerling elk woord met een h en een k proberen. Pas dan merkt hij waarschijnlijk of hij een h en een k in kan vullen, dus of hij het woord rood mag kleuren.

Bladzijde 27

Op deze bladzijde wordt aandacht besteed aan de medeklinkers g, j, k en h. Omdat het probleem bij deze medeklinkers meestal op het auditieve vlak ligt, zijn de auditieve oefeningen op deze bladzijde heel belangrijk. Let hierbij op een goede uitspraak.

Auditieve oefening a

Verdeel de woorden eerst in stukjes.
Hoor je de g aan het begin of aan het eind?
hoog – gaap – oog – geef – boog – geen

Auditieve oefening b

Verdeel de woorden in stukjes.
Verander de eerste letter in een h. Welk woord wordt het?
kaas – muur – koop – boog – kaal – jaar

Verdeel de woorden in stukjes.
Verander de eerste of de laatste letter in een g. Welk woord wordt het?
heen – boot – haan – lees – neef – boos

Verdeel de woorden in stukjes.
Verander de eerste of laatste letter in een k. Welk woord wordt het?
haas – rook – haal – koop – roos – haan

Auditieve oefening c

Welke letter hoor je vooraan? Maak daar een ander woord mee.
haas – geef – koop – hoog – gaan – kaal

Auditieve oefening d

Rijmen met de h, g, j en k. Schrijf deze letters op het bord.
Opdracht: Bedenk nieuwe, liefst bestaande, rijmwoorden op de volgende woorden:

baas	(haas, kaas)
maan	(gaan, haan)
weet	(heet)
loop	(koop, hoop)
maar	(jaar, haar)
leef	(geef)
muur	(huur)
maal	(kaal, haal)

Deze bladzijde wordt afgesloten met het controledictee.
Dit dictee is te vinden in paragraaf 4.1.

Bladzijde 28
Op deze en de volgende bladzijde vindt een herhaling plaats van alle medeklinkers door elkaar.

Oefening 1
Deze oefening kan het best samen gedaan worden. Laat eerst een woord maken en daarna controleren of het in het 'de'- respectievelijk in het 'het'-rijtje past. Leg zo nodig uit wat het woord betekent. Ter verduidelijking kan het woord in een zin worden ingevuld.

Bladzijde 29

Oefening 1
Hier wordt een beroep gedaan op de auditieve waarneming. De afbeeldingen helpen de leerling bij het rijmen.

Oefening 2
Kan uitgebreid worden door de woorden in zinnen te laten invullen.

Deze bladzijde wordt hier afgesloten met een einddictee dat ook als afsluiting dient van onderdeel 1 'Medeklinkers'. Dit dictee is te vinden in paragraaf 4.2.

2 Korte en lange klanken

Bladzijde 32
In dit werkboekonderdeel worden naast de lange klanken ook de korte klanken a, e, i, o en u behandeld. Voordat de korte klanken aan de orde komen, moet de leerling eerst leren wat een korte klank is door een instructie. Wanneer de leerling dit begrip al kent, kan deze oefening ingekort of overgeslagen worden.

Instructie

Doel: De leerling herhaalt de klank en de schrijfwijze van de lange klanken en maakt kennis met de klank en de schrijfwijze van de korte klanken a, e, i, o en u.

Introductie: Bespreek dat de leerling weer huisjes gaat bouwen met klanken. Vraag of de leerling een huisjekan tekenen met een lange klank en een medeklinker.
Geef zo nodig zelf voorbeelden:

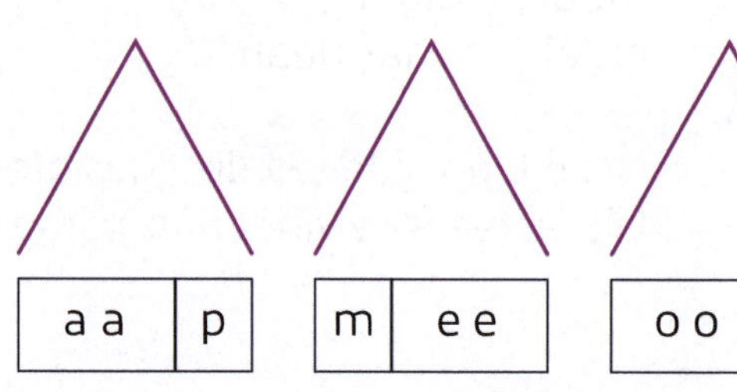

Laat de leerling de medeklinkers en de lange klanken aanwijzen en benoemen. Kleur de lange klanken rood. Wijs de leerling erop dat hij voor de lange klank een grote 'steen' nodig heeft. Breid dit nu uit naar tekeningen van huisjes met twee medeklinkers en een lange klank. Vraag de leerling wat er nu veranderd is. Laat de leerling de lange klanken benoemen en rood kleuren. Schrijf ze vervolgens in een hok op het bord.

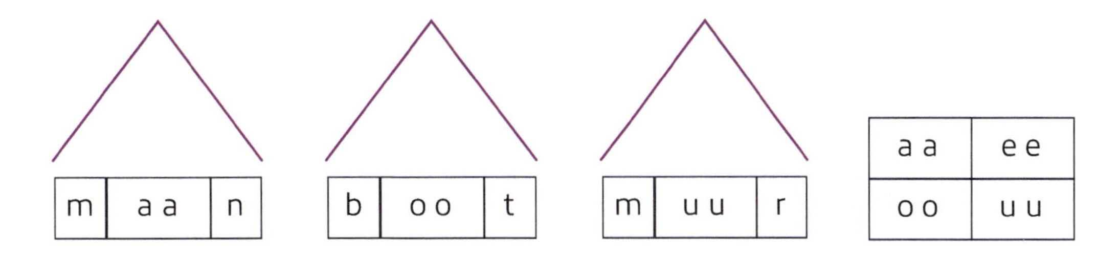

Haal alle getekende huisjes weg van het bord. Laat het hok met de lange klanken staan. Teken nu twee huisjes naast elkaar:

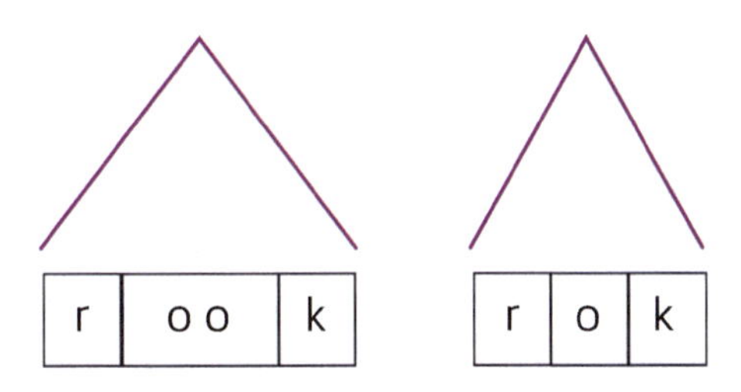

Vraag de leerling of deze huisjes hetzelfde zijn. Bespreek daarna het verschil: Bij het eerste huisje staat in het midden een lange klank (kleur deze ondertussen rood), maar in het tweede huisje staat een korte klank (kleur deze blauw). Daar is een kleine 'steen' voor nodig. Vertel de leerling dat er vijf korte klanken zijn, noem ze op geef deze een plaats in een ander hok, bijvoorbeeld:

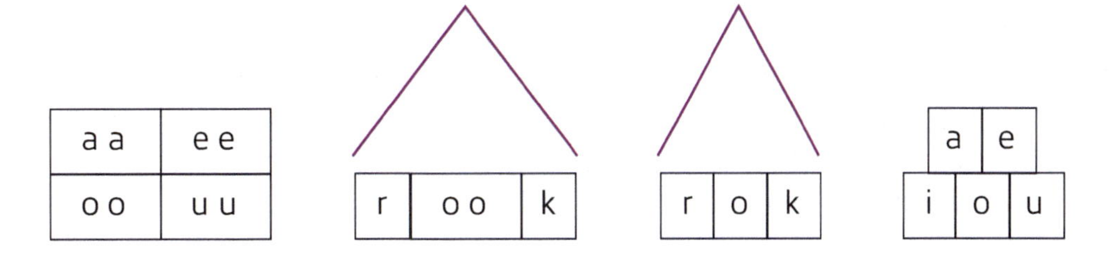

Leg de leerling nog eens uit dat je de lange klanken onder het uitspreken lang kunt aanhouden: aaaa..., eeee... enzovoort. Ondersteun dit door tijdens het uitspreken een lange streep op het bord – of denkbeeldig in de lucht – te trekken. Laat de leerling meedoen, in de lucht of op de tafel met de wijsvinger.

De korte klanken zijn niet zo makkelijk lang aan te houden; trek tijdens het uitspreken een kort streepje.

Noem nu afwisselend korte en lange klanken op en laat de leerling zeggen of het om een korte klank of om een lange klank gaat. Laat het bijbehorende motorische gebaar – in de lucht of met de vinger op tafel – maken.

Oefening 1
In deze oefening worden de klanken oo en o aangeleerd. Hierbij worden de woorden rook en rok als steun gebruikt.

Wanneer je liever gebruikmaakt van sleutelwoorden die in de leesmethode voorkomen, of andere ezelsbruggetjes, dan kunnen deze in de grote vakjes bovenaan de bladzijde ingevuld worden. In de kleine vakjes kunnen de schrijfletters geschreven worden, bijvoorbeeld oo en o, en op de stippellijntjes kunnen deze nog eens geoefend worden.

Schrijf de woorden rook en rok op het bord. Geef de letters oo en o een verschillende kleur. Laat de leerling de woorden lezen en vraag wat er opvalt. Schrijf onder de twee woorden de oo en o nog eens apart op. Gebruik hierbij de termen lange klank en korte klank.

Auditieve oefening
Steek je duim omhoog wanneer je een woord met een oo hoort:
boom – rook – hok – pop – woon – top – kom – rot – sop – noot – sok – roos
Wanneer de leerling problemen heeft met deze oefening kunnen de woorden eerst auditief geanalyseerd worden.

Bladzijde 33
Oefening 1
Het is niet de bedoeling dat de leerling de woorden overtrekt. Laat het woord eronder schrijven.

Auditieve oefening
Maak van de oo-woorden een o-woord:
oom – boom – koop – doof – boon – poot – boot – kook – rook – boos
Laat de leerling deze o-woorden in een zin gebruiken. Wanneer de leerling problemen heeft met deze oefening, kunnen de woorden eerst auditief geanalyseerd worden.

Na oefening 4 wordt het controledictee afgenomen.
Dit dictee is te vinden in paragraaf 4.1.

Bladzijde 34
Instructie

Oefening 1
De introductie van de ee en e kun je op dezelfde wijze uitvoeren als van de oo en de o. Zie de instructies bij bladzijde 32 oefening 1 van het werkboek.

Auditieve oefening
Laat de leerling woorden met ee en e bedenken.
Schrijf deze ee- en e-woorden in aparte rijen op het bord. Laat de leerling daarna afwisselend een ee- en een e-woord oplezen.

Oefening 3
Laat de leerling bij deze oefening verschillende kleuren gebruiken. Wanneer er geen kleurpotloden aanwezig zijn, kunnen de rondjes met verschillende figuurtjes gearceerd worden.

Bladzijde 35
Gezamelijke oefening
Deel het bord of een vel papier in drieën. Zet in het eerste vak een ee, in het tweede vak een e en in het derde vak de volgende medeklinkers b, p, d, n, m, r, t, s en k.

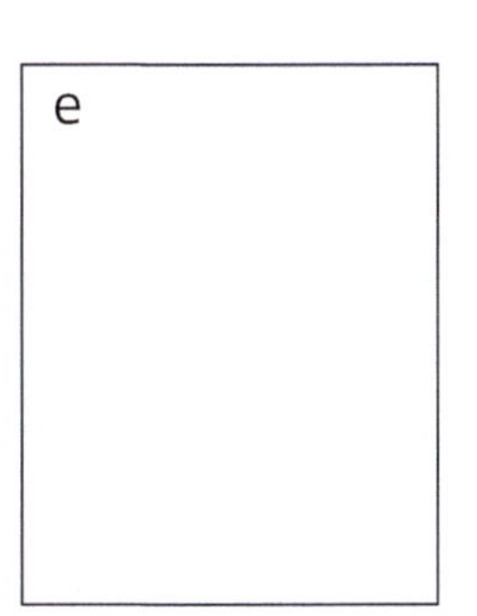

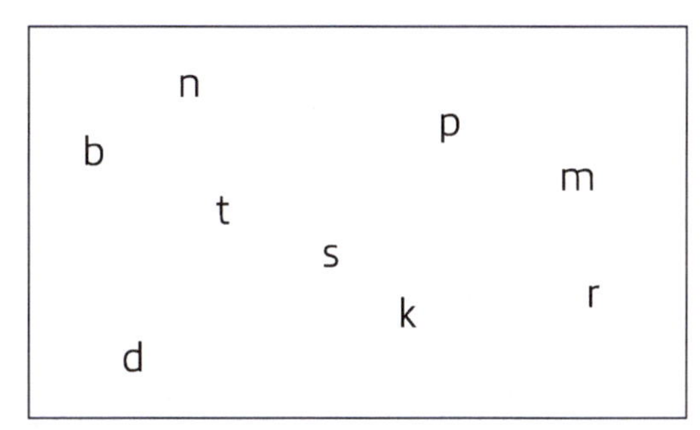

Laat de leerlingen met de ee, de e en de medeklinkers woorden maken. Deze woorden moeten de leerlingen in het juiste vak plaatsen.

Na oefening 4 wordt het controledictee afgenomen.
Dit dictee is te vinden in paragraaf 4.1.

Bladzijde 36
Auditieve oefening
Deel een blaadje uit, waarop de volgende vier vakken staan.

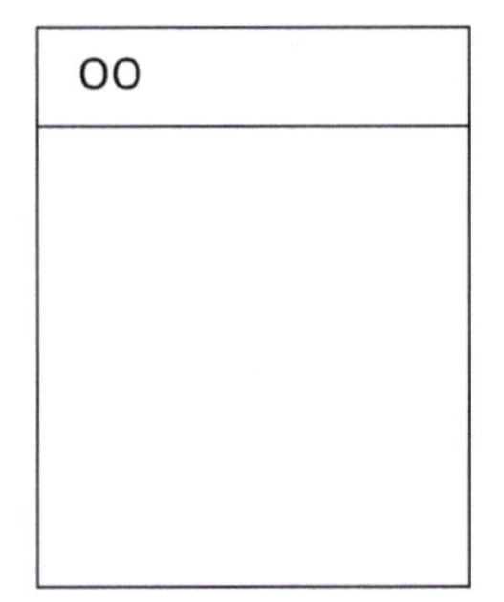

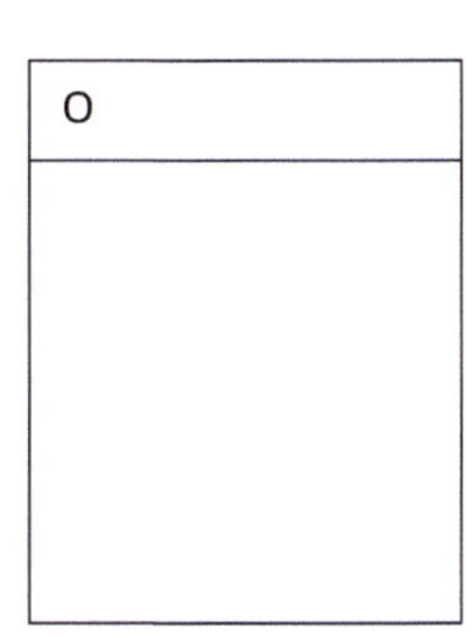

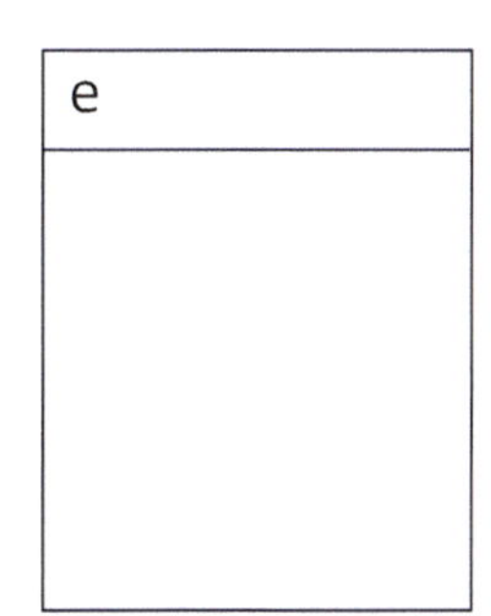

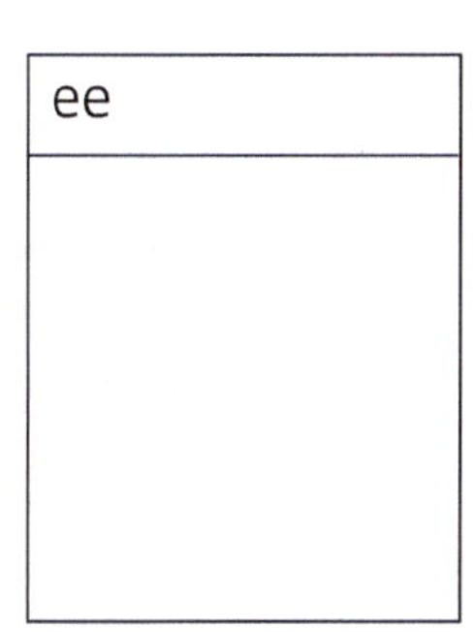

Bied de volgende woorden mondeling aan en laat de leerling de woorden in de juiste vakken plaatsen:

boos – weet – reep – wel – pop – bos – boom – keek – tol – rem – bek – hoog

Oefening 3

Sommige leerlingen zullen dit een moeilijke oefening vinden. Bespreek deze oefening goed voor. Laat de leerling ter ondersteuning de werkwoordsvorm in een zin gebruiken.

Bladzijde 37

Instructie

Oefening 1

De introductie van de aa en a kun je op dezelfde wijze uitvoeren als de introductie van oo en o. Zie de instructies bij oefening 1 van bladzijde 32 van het werkboek.

Auditieve oefening

Steek je duim omhoog wanneer je een woord met een a hoort:
maan – haas – sap – lam – laat – das – jas – paal – rat – waar

Wanneer de leerling problemen heeft met deze oefening, kunnen de woorden eerst auditief geanalyseerd worden.

Bladzijde 38

Oefening 1

Deze oefening kan lastig zijn. Bespreek enkele items en laat de oefening waar mogelijk zelfstandig afmaken. Laat de woorden en lidwoorden in een zin gebruiken.

Auditieve oefening

Maak van de aa-woorden een a-woord als het kan en bedenk er dan een zin mee:
naam – raam – gaap – baas – haas – paal – haal – maan – haan – laat – maak – haak – waar – naar – maag – laag

Na oefening 3 wordt het controledictee afgenomen.
Dit dictee is te vinden in paragraaf 4.1.

Bladzijde 39

Oefening 1

Gebruik bij deze oefening de termen lange klank en korte klank.

Auditieve oefening

Laat de leerling onderstaande woorden eerst op het gehoor analyseren. Vervolgens geeft hij aan welke klank hij in het midden hoort. Tot slot mag de leerling het woord op het bord in de juiste rij schrijven (namelijk onder oo, o, ee, e, aa of a).
sop – rem – hoop – ham – pas – fee – wol – leen – dek – woon – heg – som – geen – wat – gaap – poos – bes – los – neef – dag – hem – gas – boog – dom – waar – leeg – gaat – raar – maag

Bladzijde 40

Oefening 1

Door de middelste klank te veranderen kan de leerling nieuwe woorden maken. De leerling kan ook nieuwe woorden met tweetekenklanken zoals ui en eu maken. Natuurlijk mag dat. Hij verdient een compliment als hij die woorden goed geschreven heeft.

Mochten er fouten in zitten, leg daar niet te veel nadruk op, maar vertel de leerling dat de woorden met tweetekenklanken later besproken zullen worden.

Auditieve oefening

Deel het bord of een vel papier in vijf vakken en schrijf achtereenvolgens in de vakken o, ee, e, aa en a. Bied daarna de onderstaande woorden aan. De leerling verandert de middenklank in eerst een o, dan een ee, dan een e, dan een aa en tot slot een a.

Wanneer het woord bestaat, wordt het in het vak geschreven.
boos – rook – poot – kook – boon – hoog

Oefening 2

Soms wordt het woord dat moet worden ingevuld voorafgegaan door een afbeelding, maar soms ook niet. Dan speelt het zinsbegrip een belangrijke rol. De leerling heeft bij de juiste keuze van het woord steun aan de zin die ervoor of erachter staat.

Bladzijde 41

Oefening 1

Schrijf de woorden ook op het bord. Geef de letter i een kleur. Laat de leerling de woorden lezen. Bespreek de betekenis van de woorden. Schrijf de letter i groot op en laat deze verklanken. De hokjes bovenaan kunnen weer gebruikt worden voor het schrijven van de i en het eventuele ezelsbruggetje.

Auditieve oefening

Steek je duim omhoog wanneer je een woord met een i hoort:
poot – pil – pit – pet – sop – sip – keek – kin – wip – weet – lig – laag – leeg – gil – ren – ril

Wanneer de leerling problemen heeft met deze oefening kunnen de woorden eerst auditief geanalyseerd worden.

Oefening 2

De leerling zou per ongeluk ook een streep onder het woord 'niet' kunnen zetten; hierin bevindt zich immers ook een i. Leg de leerling uit dat in dit woord de i en e samen één klank vormen, de ie, en dat er daarom een vierkant omheen getekend is. Het is dus geen echt i-woord.

Bladzijde 42

Bladzijde 42 biedt herhalingsstof over o, oo, e, ee, a, aa en i.

Oefening 1

Leg de leerling uit wat hij moet doen aan de hand van een paar voorbeelden.

Auditieve oefening

Geef de leerling een blaadje en vraag hem op te schrijven welke klank hij in het midden van het woord hoort:
paal – mes – geen – los – kin – wat – wit – weeg – lig – heg – boos – kat

Na oefening 3 wordt het controledictee afgenomen.
Dit dictee is te vinden in paragraaf 4.1.

Bladzijde 43

Instructie

Oefening 1

De introductie van de uu en u kun je op dezelfde manier uitvoeren als de introductie van de andere lange en korte klanken. Zie de instructie bij oefening 1 van bladzijde 32 van het werkboek. Bespreek de betekenis van de nieuwe woorden. Na het behandelen van de woorden mag de leerling zelfstandig de goede woorden bij de plaatjes invullen.

Auditieve oefening
Welke klanken hoor je in de volgende woorden?
duur – bes – haar – bus – huur

Verander bij de volgende woorden de klank in het midden in een u:
bes – mis – pit – bek – dan – kas – haan – mag – los

Verander de klank in het midden in een uu:
daar – maar – haar

Bladzijde 44

Auditieve oefening
Ik zeg twee woorden. In welk woord hoor je de lange klank?
Zeg die lange klank nog eens.
dun – duur
muur – mus
huur – hut
mug – muur
hut – tuur
uur – juf

Nu zeg ik drie woorden. Welk woord klinkt anders in het midden?
Hoor je daar een korte of een lange klank?

muur – duur – dus	korte klank
buk – put – huur	lange klank
tuur – muur – mug	korte klank
huur – dun – duur	korte klank
rug – muur – hut	lange klank

Oefening 3
Help de leerling op gang door enkele voorbeelden te geven.

Na oefening 4 wordt het controledictee afgenomen.
Dit dictee is te vinden in paragraaf 4.1.

Bladzijde 45

Bladzijde 45 en 46 bieden herhalingsstof: o, oo, e, ee, a, aa, i, u en uu.

Auditieve oefening
Maak een nieuw woord door de eerste letter te veranderen.
kin – man – jas – bom – rol – ben – het – lip – gil – rug – paal – maan – weeg – boos – noot – muur

Bladzijde 47

Op deze laatste bladzijde van lange en korte klanken wordt speciaal aandacht besteed aan moeilijke woorden als heel, geel, keel enzovoort. Onder invloed van de eind-l verandert de ee-klank in een i-klank, waardoor leerlingen fouten gaan maken: hil in plaats van heel, gil in plaats van geel enzovoort.

Instructie

Doel: De leerling leert dat onder invloed van de eind-l de klank ee op de klank i gaat lijken.

Introductie:

Laat de leerling de woorden uit oefening 1 lezen. Schrijf de woorden nog eens op het bord en accentueer de ee en de i met een apart kleurtje. Bespreek met de leerling dat deze woorden bijna hetzelfde klinken, maar dat er toch verschillen zijn. Vraag de leerling twee zinnen te bedenken: één met het woord geel en één met het woord gil. Probeer dan geel en gil eens lang aan te houden, terwijl je de zin uitspreekt. Bij geel kan dat wel, maar bij gil niet. 'Ik geef een giiiiiil' lijkt dan op 'Ik geef een geeeeel'. Je moet het woord kort aanhouden en dus gil schrijven.

Kun je het lang aanhouden zonder dat de betekenis verandert, dan schrijf je geel.

Auditieve oefening

Schrijf twee woorden op het bord: keel en gil.

Noem nu de volgende woorden op en laat de leerling vertellen of die woorden bij keel of bij gil horen:
pil – deel – geel – wil – heel – meel – ril – bil – veel

Laat bij twijfel onderzoeken of het woord in een zin lang aangehouden kan worden.

Laat de leerling zoveel mogelijk rijmwoorden bedenken bij de volgende woorden:
gil – keel – pil – geel

Onderdeel 2 'Korte en lange klanken' wordt hier afgesloten met een einddictee. Dit dictee is opgenomen in paragraaf 4.2.

3 Tweetekenklanken

In het laatste deel van het werkboek van niveau 1 worden de tweetekenklanken ie, ij, ui, oe en eu behandeld. De tweetekenklank ei komt op niveau 4 aan de orde en de tweetekenklanken ou en au op niveau 5.

Door middel van een instructie worden de vijf tweetekenklanken besproken.

Bladzijde 50
Instructie

Doel: De leerling maakt kennis met tweetekenklanken: ie, ij, eu, oe, ui.

Introductie: Herhaal de huisjes met korte klanken en medeklinkers.
Vraag of de leerling nog zo'n huisje kan tekenen. Voorbeeld:

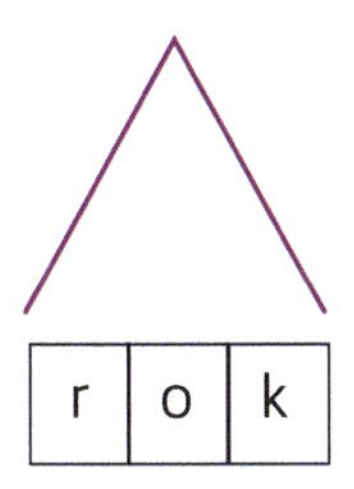

Herhaal de huisjes met lange klanken en medeklinkers.
Vraag of de leerling nog zo'n huisje kan tekenen. Voorbeeld:

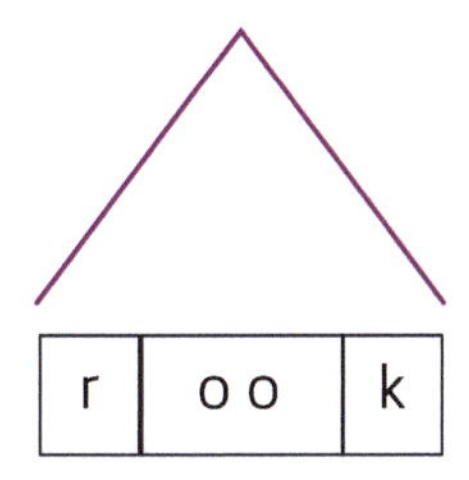

De lange klanken hebben een grote steen nodig en de korte klanken een kleine steen.
De lange klanken worden rood gekleurd en de korte klanken blauw.

Wanneer de kennis is opgefrist, kun je verder gaan. Bespreek dat er ook andere klanken zijn die een grote steen nodig hebben.
Teken het volgende huisje:

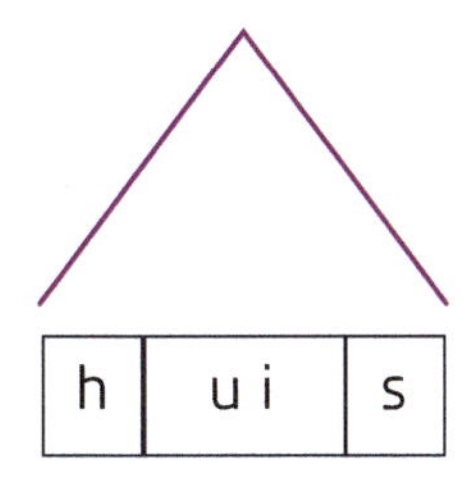

Bespreek dat de ui een tweetekenklank heet omdat het uit twee tekens bestaat. Schrijf de volgende tweetekenklanken nu in een hok op het bord:

ie	ij	eu
oe	ui	

Wanneer de leerling vraagt waarom de ij maar uit één teken bestaat, kun je vertellen dat de ij bestaat uit een i en een j, die bij het schrijven aan elkaar geplakt zitten.

De tweetekenklanken krijgen de kleur geel.
Laat de leerling nu korte woorden bedenken met daarin een tweetekenklank. Van een aantal woorden worden de huisjes op het bord getekend.

Oefening 1
Op bladzijde 50 wordt de tweetekenklank ie aangeboden. In het hokje rechtsboven kan de ie geschreven worden.
Als je gebruikmaakt of wilt gaan maken van een ezelsbruggetje (bijvoorbeeld een ezelsbruggetje of hulpwoord uit de leesmethode of uit bijlage 2) kun je dit laten schrijven in het grote vak linksboven.
Op de stippellijntjes kan het schrijven van de ie nog eens geoefend worden.
De woorden uit deze oefening kunnen waar nodig auditief geanalyseerd worden. De volgende oefening sluit hier goed bij aan.

Auditieve oefening
Laat de leerling de onderstaande woorden auditief analyseren. Is het een ie- of een i-woord? De ie en de i moeten duidelijk uitgesproken worden:
mier – riet – rit – mis – kies – giet – wil – liep – lig – hier – lieg – lip

Bladzijde 51
Auditieve oefening
Deze oefening is een voorbereiding op oefening 2. Laat de leerling de onderstaande woorden in stukjes zeggen. Kan hij de ie vervangen door de ee (en andersom) en welk woord wordt het dan?
lief – heet – tien – diep – deeg – hiel – neef – nies – teen – geel – giet

Oefening 2
Wanneer de leerling hier moeite mee heeft, kan deze oefening mondeling geanalyseerd worden.

Bijvoorbeeld:
d - ie - p --> diep
d - ee - p --> kan niet, want deep bestaat niet.

Oefening 3
In deze oefening gaat het om de tegenwoordige en de verleden tijd. Dit kan moeilijk zijn. Behandel deze oefening eventueel gezamenlijk.

Bladzijde 52
Op deze bladzijde wordt de ij aangeboden. In het hokje rechtsboven kan de ij geschreven worden. In het hokje linksboven kan bijvoorbeeld het ezelsbruggetje of hulpwoord uit de leesmethode geschreven worden of eventueel uit bijlage 2. Op de stippellijntjes kan het schrijven geoefend worden.

Auditieve oefening
Steek je duim omhoog wanneer je een woord met een ij hoort:
fijn – biet – hij – hek – heel – kijk – haai – bijt – teen – riem – rijm – wijs

Bladzijde 53
Oefening 1
Als voorbereiding kunnen wat rijmoefeningen gedaan worden, bijvoorbeeld: 'Wie weet woorden die rijmen op pijp?'

Besteed aandacht aan de betekenis van de woorden.

Bladzijde 54
Op bladzijde 54 en 55 worden de tweetekenklanken ie en ij door elkaar aangeboden.

Auditieve oefening
Maak van de ie-woorden ij-woorden als het kan en bedenk er dan een zin mee:
wie – tien – biet – lief – lieg

Maak van de ij-woorden ie-woorden als het kan en bedenk er dan een zin mee:
fijn – pijp – dij – jij – rijp

Bladzijde 55
Oefening 3
Deze oefening kan met de leerling besproken worden, zodat de verschillende mogelijkheden aan bod kunnen komen.

Na oefening 4 wordt het controledictee afgenomen.
Dit dictee is te vinden in paragraaf 4.1.

Bladzijde 56
Op deze bladzijde wordt de tweetekenklank oe voor het eerst aangeboden. De volgorde van de o en de e kan een probleem zijn: de leerling weet dan niet goed welke letter het eerst en welke letter het laatst komt. In het hok links bovenaan bladzijde 56 kun je een hulpwoord of ezelsbruggetje uit de leesmethode of uit bijlage 2 invullen. Het schrijven van de tweetekenklank oe kan bovenaan de bladzijde geoefend worden op de stippellijntjes.

Auditieve oefening
Bedenk één of meer rijmwoorden bij de volgende woorden:
boot – bok – boek – loop – tol – toen – poes – boos – koe

Oefening 2
In het mandje worden appels met oe getekend. Daarna mag de leerling zelf nieuwe woorden bedenken met de andere gegeven letters. Bespreek de zelfbedachte woorden. Besteed aandacht aan de betekenis van de woorden.

Oefening 3
Om de leerling te helpen kan de leerkracht zeggen dat alle zinnen met het woord 'ik' beginnen.

Bladzijde 57
Oefening 3
De leerling mag zelf korte, lange of tweetekenklanken bedenken en invullen.

Bladzijde 58
Op bladzijde 58 en 59 worden de tweetekenklanken ie, oe en ij door elkaar aangeboden.

Auditieve oefening
Bedenk zelf woorden met ie, oe, ui, ij. Let goed op: gebruik telkens de laatste letter van het vorige woord! Begin bijvoorbeeld met het woord poes. Welke klank horen jullie aan het eind? Maak met die klank nu een nieuw woord met ie, oe of ij. en ui. Voorbeeld: soep. Daarna: pijn.

Help de leerling eventueel door de laatste klank van het vorige woord al te noemen. Ook kunnen, indien nodig, de tweetekenklanken ie, oe, ui en ij opgeschreven worden.

Bladzijde 59
Oefening 1
Bij het verhaaltje 'naar de boer' moet de leerling er zelf achter komen dat het om de klanken ie, oe en ij gaat.

Oefening 3
Laat de leerling eventueel de reeds gebruikte woorden doorstrepen.

Bladzijde 60
Op deze bladzijde wordt de tweetekenklank ui aangeboden. In het hokje rechtsboven schrijft de leerling de ui. Het hokje linksboven is bedoeld voor het ezelsbruggetje of hulpwoord en op de stippellijntjes kan de leerling het schrijven van de ui oefenen.

Ga na of de betekenis van de woorden bij de leerling bekend is.

Auditieve oefening
Steek je duim omhoog wanneer je een woord met een ui hoort.
Een leerling die het lastig vindt, kan het woord auditief analyseren.
muis – aal – uil – baan – doen – duim – duik – peen – haal – huil

Bladzijde 61
Oefening 2
Kijk deze oefening met de leerling na.

Oefening 3
De leerling maakt hier een ik-afleiding van het hele werkwoord.
Het is goed om dit van te voren te bespreken.

Deze bladzijde wordt afgesloten met een controledictee.
Dit dictee is te vinden in paragraaf 4.1.

Bladzijde 62
Op bladzijde 62 en 63 worden de oe, ui, ie en ij door elkaar aangeboden.

Oefening 2
Als de leerling moeite heeft met deze oefening, kan hij de woorden ook eerst onder de plaatjes schrijven.

Auditieve oefening
Deel het bord in vier vakken en schrijf achtereenvolgens in de vakken:
ie, ij, oe en ui.
Bied daarna de onderstaande woorden aan. De leerling verandert de middenklank eerst in een ie, dan een ij, dan een ui en tenslotte in een oe.
Wanneer het woord bestaat, wordt het in het desbetreffende vak geschreven.
boot – pan – dof – ton – bek – wol – raam – was

Bladzijde 63
Oefening 3
Wanneer de leerling moeite heeft met deze oefening, kan hij de woorden eerst onder het plaatje zetten.

Bladzijde 64
Op deze bladzijde wordt de eu aangeboden. In het hokje rechtsboven schrijft de leerling de eu. Het hok linksboven is bedoeld voor het ezelsbruggetje of hulpwoord en op de stippellijntjes kan de leerling het schrijven van de eu oefenen. Bespreek de betekenis van de eu-woorden.

Auditieve oefening
Steek je duim omhoog wanneer je een woord met een eu hoort. Een leerling die het lastig vindt, kan het woord auditief analyseren.
keus – mus – leuk – maak – buik – reus – beuk – mees – kus – deuk

Bladzijde 66
Op deze bladzijde worden de ui en eu door elkaar aangeboden. Het kan zijn dat een anderstalige leerling problemen ervaart met deze tweetekenklanken, omdat deze in hun taal niet voorkomen.

Auditieve oefening
Zeg het woord na en maak er daarna een zin mee:
heus – huis – beuk – buik – deuk – duik

Oefening 2
Leg de oefening uit door één zin met de leerling te bespreken.

Na oefening 3 wordt het controledictee afgenomen.
Dit dictee is te vinden in paragraaf 4.1.

Bladzijde 67
Op bladzijde 67, 68 en 69 worden de tweetekenklanken door elkaar aangeboden.

Gezamenlijke oefening
Lees de onderstaande woorden op. Laat de leerlingen de woorden schrijven bij de juiste tekening. Het zijn ui-, eu-, ie-, oe- en ij-woorden. Bij elke tekening komen vier woorden te staan (het eerste woord in het vakje en de andere drie op de lijntjes). De gezamenlijke oefening kan op het bord besproken worden.

De woorden zijn:
poes – bijl – riem – ui – neus – hij – reus – tien – muis – soep – duim – jeuk – wieg – heup – boer – pijl – koek – buik – rijm – dief

Bladzijde 68

Oefening 1

Deze oefening kan ook eerst mondeling behandeld worden.

Na oefening 2 wordt het controledictee afgenomen.
Dit dictee is te vinden in paragraaf 4.1.

Bladzijde 69

Op deze bladzijde worden de b en de d herhaald in combinatie met tweetekenklanken, korte klanken en lange klanken. Voor een leerling die problemen ervaart met de b en de d kunnen de ezelsbruggetjes nog eens besproken worden. Wijs op het verschil tussen de b en de d.

Oefening 1

Bespreek deze oefening gezamenlijk.

Auditieve oefening

Welke twee woorden beginnen met dezelfde klank? Welke klank is het?
boom – boot – doos
boek – doel – doek
dak – das – bak
bos – dop – bot
dun – bus – dus
Herhaal de woorden hierboven. Welk woord begint met een andere klank?
Welke klank is het?

Oefening 3

Laat de leerling zo nodig in zichzelf of fluisterend analyseren en synthetiseren.

Gezamenlijke oefening

Schrijf een woord langzaam op het bord. Nadat je het woord het opgeschreven, dek je deze af. De leerlingen moet het woord opschrijven. Daarna kunnen de leerlingen controleren of zij het woord goed geschreven hebben. Onder de voorste letter wordt een streep gezet, zodat deze goed aandacht krijgt.

De woorden zijn:
bal – dak – doos – big – dik – been – bok – duur – doel – boek – beuk – duim – bijl

Bladzijde 70

Op bladzijde 70 worden de b, de d en de p door elkaar behandeld in combinatie met tweetekenklanken, korte en lange klanken.

Auditieve oefening
Rijmen met de p, de b of de d.
Alleen woorden die bestaan, mag je noemen. De woorden zijn:
geen – roos – leeg – zak – rot – zit – luis – leuk – rijk

Oefening 1
Wijs nog eens op het verschil tussen p, b en d.

Na oefening 4 wordt een controledictee afgenomen.
Dit dictee is te vinden in paragraaf 4.1.

Bladzijde 71
Auditieve oefening
Welke woorden rijmen op:
in – om – aan – ham – geen – oom – en

Bladzijde 72
Op bladzijde 72 worden de letters h, k, g en j door elkaar behandeld in combinatie met tweetekenklanken, korte en lange klanken.

Auditieve oefening
Zeg de volgende drie woorden. Welk woord is anders? De woorden zijn:

haas – haas – *kaas*	haar – *jaar* – haar
gat – *kat* – gat	*ham* – kam – kam
gas – jas – jas	*hij* – jij – jij
heen – heen – *geen*	*jok* – hok – hok
gek – gek – *hek*	heus – *keus* – heus

Aan het eind van deze bladzijde wordt een controledictee afgenomen.
Dit dictee is te vinden in paragraaf 4.1.

Bladzijde 73
Op deze bladzijde wordt de ie in combinatie met de i behandeld.

Auditieve oefening
Van welk i-woord kun je een ie-woord maken? Welk woord wordt het dan?
De woorden zijn:
lig – wip – wil – dit – dik – lip – pit

Bladzijde 74
Op bladzijde 74 worden de i, de ie, de e en de ee door elkaar behandeld.
Laat de leerling voordat hij oefening 1 maakt eerst zelf woorden met een ee en een e bedenken. Wijs hem nog eens op het verschil tussen een lange klank en korte klank.

Oefening 2
Leg de leerling, indien nodig, nog eens het verschil uit tussen de ee (kun je lang aanhouden: geeeel) en de i (als je de i lang aanhoudt, wordt het een ee, luister maar: gil – giiiil – geel).

Auditieve oefening
Welke klank hoor je in het midden? Maak een zin met het woord.

De woorden zijn:
leeg – lieg – leg – lig – deel – ril – tel – wiel – liep – lip

Bladzijde 75
Op deze bladzijde worden de ui, uu en u, de o, oo en oe én de uu, eu en e door elkaar behandeld.

Oefening 1
In elke zin moet een uu-woord, een u-woord en een ui-woord ingevuld worden. Bespreek nog eens het verschil tussen de uu en de u.

Auditieve oefening
Welke klank hoor je in het midden? Verander de middelste klank, als het kan, in een o, een oo of een oe en maak er een zin mee.

De woorden zijn:
kook – bof – toen – poos – kop – soep – rook – hok – boek

Oefening 3
Bespreek deze oefening na. Er zijn soms meer mogelijkheden.

Oefening 4
Ook hier zijn meerdere mogelijkheden, bijvoorbeeld bij l...k kan lek en leuk ingevuld worden. Een leerling die dit merkt, kan zo'n woord rood kleuren, of het andere woord erachter schrijven.

Deze bladzijde wordt afgesloten met een controledictee.
Dit dictee is te vinden in paragraaf 4.1.

Bladzijde 76
Op deze bladzijde komen ui, eu, e, uu, u en ij door elkaar aan de orde.

Oefening 1
Het is de bedoeling dat de leerling woorden maakt met de medeklinkers uit de wagons en één van de letters uit de stoomwolk. Daarbij vraagt hij zich af of het een woord is dat hij kent. Daarna mag hij het woord opschrijven.

Auditieve oefening

Welk woord hoort niet in het rijtje? Waarom niet?

	Iets moeilijker:
huis – muis – *lus*	kuit – *rug* – ruit
duur – neus – reus	*buk* – beuk – jeuk
bel – wel – *deuk*	peuk – *lek* – leuk
muur – huur – *gum*	huis – buis – *heus*
tuin – duur – tuur	bus – *buis* – lus
keus – heus – *rek*	lek – *leuk* – bek

Onderdeel 3 'Tweetekenklanken' wordt hier afgesloten met een einddictee. Dit dictee is opgenomen in paragraaf 4.2.

Gezamenlijke oefening

Als afsluiting van dit werkboek kan een quiz gehouden worden.
Kopieer het quizblad op de volgende pagina of laat de leerlingen de antwoorden van de quiz op een leeg blaadje schrijven.

De bedoeling van deze quiz is dat de leerlingen de antwoorden van de vragen opschrijven.
Voor elk goed antwoord krijgen de leerlingen een punt.
Als de antwoorden correct geschreven zijn, krijgen de leerlingen nog een extra punt. Het zijn ie-, oe-, ij-, ui- of eu-woorden.

In het b-vak schrijven de leerlingen daarna nog een bestaand rijmwoord op.
Elk goed rijmwoord levert een extra punt op. Bespreek gezamenlijk na.

De quizvragen zijn:

1.	welk dier zegt: piep, piep?	muis
2.	ik heb een bal gekregen en nu is die bal dus van …	mij
3.	er staan verhalen in	boek
4.	als ik een kriebeltrui aan heb, heb ik …	jeuk
5.	je kunt ermee plakken	lijm
6.	het regent heel hard, het …	giet
7.	dit dier graast in de wei en geeft melk	koe
8.	ik heb verdriet, er komen tranen in mijn ogen als ik …	huil
9.	dat vind ik heel erg prettig, dat vind ik …	fijn
10.	het is een getal dat komt na negen	tien

een quiz

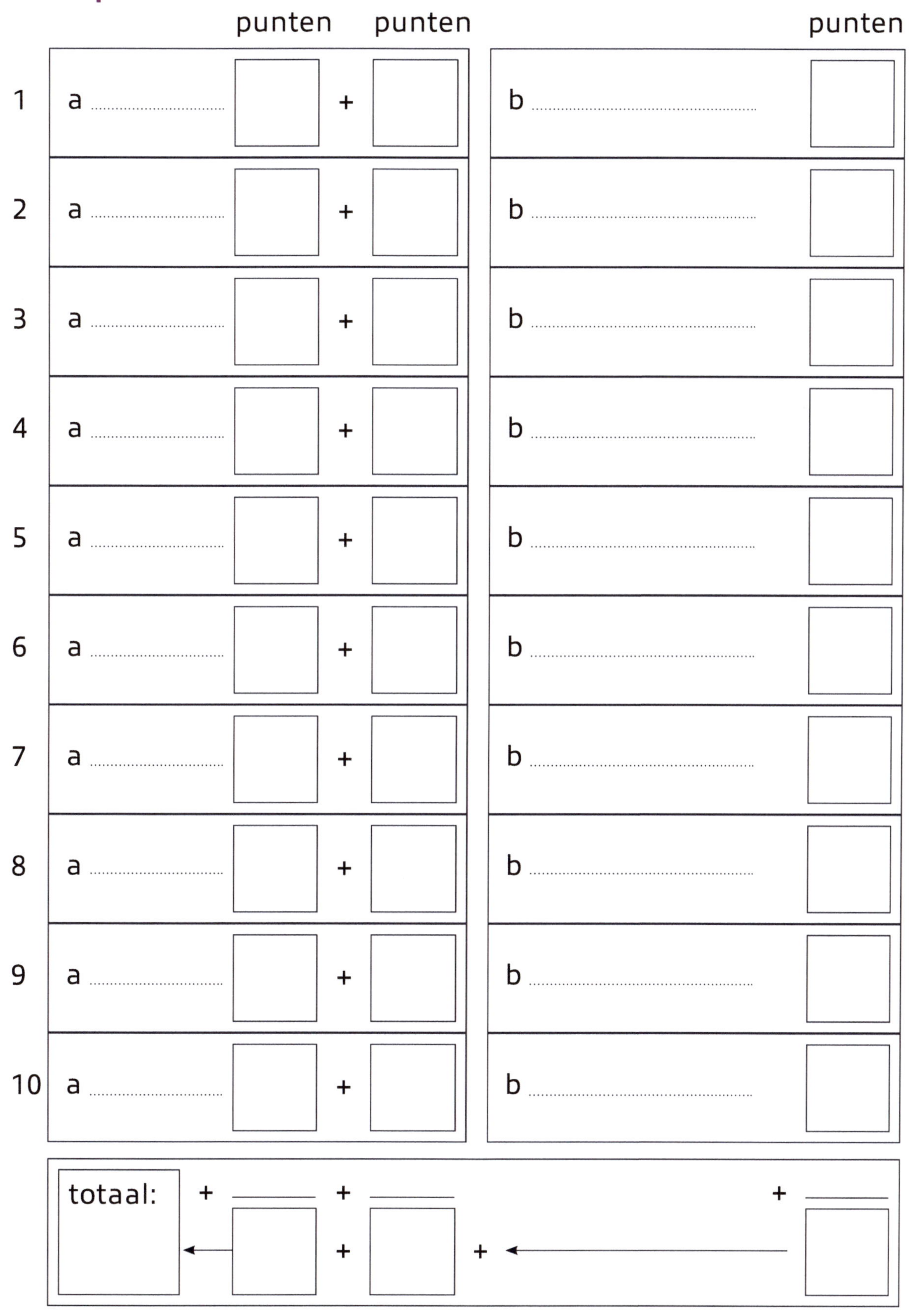

punten
punten
punten
1 a + b
2 a + b
3 a + b
4 a + b
5 a + b
6 a + b
7 a + b
8 a + b
9 a + b
10 a + b
totaal:
+
+
+
+
+

4 Dictees

4.1 Controledictees

Dictees bij 1 Medeklinkers

Controledictee na bladzijde 9

	Schrijf op:
1. Hoe heet jij?	heet
2. Een week heeft zeven dagen.	week
3. De haas is in het bos.	haas
4. De hond geeft een poot.	poot
5. De meester is heel boos.	boos
6. Ik tuur door het raam.	tuur
7. Is dat echt waar?	waar
8. De fee is weg.	fee
9. Dat maak ik voor jou.	maak
10. De poes zit op de muur.	muur

Controledictee na bladzijde 11

	Schrijf op:
1. We gaan naar huis.	gaan
2. De bakker maakt deeg.	deeg
3. Op school krijgen we taal.	taal
4. De vogel zit hoog in de boom.	hoog
5. Ik vind dat veel te duur.	duur
6. Ik lees de krant.	lees
7. Een jaar heeft twaalf maanden.	jaar
8. Ik speel vaak met mijn neef.	neef
9. Hoe laat is het?	laat
10. Ik word doof van het lawaai.	doof

Controledictee na bladzijde 17

	Schrijf op:
1. Er valt een kastanje uit de boom.	boom
2. In de doos zit speelgoed.	doos
3. Mijn been doet pijn.	been
4. Ik heb een pijl en boog.	boog
5. Daar loopt een muis.	daar
6. De jas is duur.	duur
7. Bas stopt de boon in de grond.	boon
8. Ik doe het deeg in de kom.	deeg
9. Ben je doof?	doof
10. Moeder is boos op jou.	boos

Controledictee na bladzijde 20

	Schrijf op:
1. De aap zit op de muur.	muur
2. Wat is je naam?	naam
3. Ik stoot mijn teen.	teen
4. Ik maak een taart.	maak
5. De aap loopt naar oom.	naar
6. De plant staat voor het raam.	raam
7. De maan schijnt door de bomen.	maan
8. Die noot is voor mij.	noot
9. Waar ga jij heen?	heen
10. Ik neem mijn tas mee.	neem

Controledictee na bladzijde 24

	Schrijf op:
1. Daar gaat de trein.	daar
2. Deze baan is vrij.	baan
3. De peen is voor het paard.	peen
4. Geef mij maar een reep chocola.	reep
5. De boot vaart weg.	boot
6. Ik koop een paar schoenen.	paar
7. Doe de schoenen maar in de doos.	maar
8. Kemal is de baas.	baas
9. Moeder rolt het deeg uit.	deeg
10. Ik stoot mijn been.	been

Controledictee na bladzijde 27

	Schrijf op:
1. De haan kraait.	haan
2. Ik keek uit het raam.	keek
3. Het glas is leeg.	leeg
4. Anne neemt kaas op haar brood.	kaas
5. Het jaar is bijna voorbij.	jaar
6. Hoe gaat het ermee?	gaat
7. De boswachter ziet een haas.	haas
8. Hij heeft een lapje voor zijn oog.	oog
9. Deze taak is bijna klaar.	taak
10. Ik haal een glas limonade.	haal

Dictees bij 2 Korte en lange klanken

Controledictee na bladzijde 33

	Schrijf op:
1. Waarom kijk je zo boos?	boos
2. Dat meisje heeft een leuke rok aan.	rok
3. De kok kookt spinazie.	kok
4. De poot van de stoel is kapot.	poot
5. Het ruikt lekker in het bos.	bos
6. Op zondag kook ik een ei.	kook
7. Die som is moeilijk.	som
8. Ik rook een sigaret.	rook
9. De toren is heel hoog.	hoog
10. De dop zit op de fles.	dop

Controledictee na bladzijde 35

	Schrijf op:
1. Ik schrijf met een pen.	pen
2. Ik weeg het meel.	weeg
3. Lees jij weleens een boek?	lees
4. Hij eet met mes en vork.	mes
5. Dat neem ik mee naar huis.	neem
6. Een wortel is een peen.	peen
7. Daar gaat de bel.	bel
8. Au! Je trapt op mijn teen.	teen
9. Zij loopt weg.	weg
10. De les is afgelopen.	les

Controledictee na bladzijde 38

	Schrijf op:
1. Ik doe mijn boek in de tas.	tas
2. 's Nachts schijnt de maan.	maan
3. Hang je jas maar aan de haak.	haak
4. De hak van mijn schoen is kapot.	hak
5. Daar loopt een man.	man
6. Doe niet zo raar.	raar
7. Laat dat liggen!	laat
8. De andijvie zit in de pan.	pan
9. Ik loop over een lat.	lat
10. Dat gaat heel goed.	gaat

Controledictee na bladzijde 42

	Schrijf op:
1. Mis poes!	mis
2. Hij heeft een pukkel op z'n kin.	kin
3. Koop dat boek maar voor mij.	koop
4. Er zit een pit in de kers.	pit
5. Zet een pet op je hoofd!	pet
6. Ik ril van de kou.	ril
7. Volgend jaar kom ik logeren.	jaar
8. Het plafond is wit.	wit
9. Ik bijt op mijn lip.	lip
10. Wie weet waar Utrecht ligt?	weet

Controledictee na bladzijde 44

	Schrijf op:
1. Wie betaalt de huur van dit huis?	huur
2. De mus zit in de boom.	mus
3. Mijn rug doet zeer.	rug
4. Het is 4 uur.	uur
5. Die jas is duur.	duur
6. We bouwen een hut in het bos.	hut
7. Ik pak het gum van de tafel.	gum
8. Er hangt een tekening aan de muur.	muur
9. Onze juf heet Loes.	juf
10. Ik heb nul fout.	nul

Dictees bij 3 Tweetekenklanken

Controledictee na bladzijde 55

	Schrijf op:
1. Ik ben hier	hier
2. Hoe heet jij?	jij
3. De muur is wit	wit
4. Wie is daar?	wie
5. Heb je pijn aan je knie?	pijn
6. Ik lijk op mijn zusje.	lijk
7. Riep je mij?	riep
8. Ik leen een boek van de juf.	leen
9. De lijm is op.	lijm
10. Ik vind dat niet zo leuk	niet

Controledictee na bladzijde 61

	Schrijf op:
1. Doen jullie ook mee?	doen
2. Kom eens uit je bed.	uit
3. Hij gaat met de bus naar school.	bus
4. De boer werkt op het land.	boer
5. Ruim die rommel eens op.	ruim
6. Liet jij dat kopje vallen?	liet
7. Ik hoef vandaag niet naar school.	hoef
8. Hij is bang voor een muis.	muis
8. Ik duik in het zwembad.	duik
10. Ik lees een leuk boek.	boek

Controledictee na bladzijde 66

	Schrijf op:
1. In de asbak ligt een peuk.	peuk
2. Hij schoot de bal door de ruit.	ruit
3. Het water is diep.	diep
4. Ik snuit mijn neus.	neus
5. Heb jij jeuk op je rug?	jeuk
6. Ik graaf een diepe kuil.	kuil
7. Wij hebben een grote tuin.	tuin
8. Ik heb geen andere keus.	keus
9. Ik wacht op de hoek van de straat.	hoek
10. Hij sloeg met een hamer op zijn duim.	duim

Controledictee na bladzijde 68

	Schrijf op:
1. De meloen is allang rijp.	rijp
2. Er zit een uil in de boom.	uil
3. Ik neem een koek uit de doos.	koek
4. De baby ligt in de wieg.	wieg
5. Waarom huil jij?	huil
6. Mijn broer staat in het doel.	doel
7. Heb jij ook zo'n jeuk?	jeuk
8. Mijn vader rookt een pijp.	pijp
9. Er zit een mier in de suikerpot.	mier
10. Ik vind voetbal heel leuk.	leuk

Controledictee na bladzijde 70

	Schrijf op:
1. Wil je een boodschap voor me doen?	doen
2. De man hakt hout met een bijl.	bijl
3. Daar gaat de trein.	daar
4. De vuilniswagen neemt het puin mee.	puin
5. De hond licht zijn poot op.	poot
6. We hebben een beuk in onze tuin.	beuk
7. Wil je dit pakje wegbrengen?	dit
8. De bus gaat om 2 uur.	bus
9. Je hebt een mooi uitzicht op de top van die berg.	top
10. Ik heb een blauwe plek op mijn been.	been

Controledictee na bladzijde 72

Schrijf de hele zin op:

1. Hij is tien jaar.
2. Geef de pen maar hier.
3. De juf is heel moe.
4. Mijn neef gaat naar de hal.
5. Ik kom wel naar de hoek.

Controledictee na bladzijde 75

Schrijf de hele zin op:

1. Het boek is weg.
2. Hier is je pil.
3. Weet jij waar mijn riem is?
4. De bok moet aan de lijn.
5. Er is een muur om de tuin.

4.2 Einddictees

Einddictee bij 1 Medeklinkers

(na bladzijde 29)

	Schrijf op:
1. Ik heb last van mijn maag.	maag
2. Wie weet het antwoord?	weet
3. Laat maar, ik doe het wel.	laat
4. De huur van dit huis is hoog.	huur
5. Dat duurt een hele poos.	poos
6. Hij heeft geen haar, hij is kaal.	kaal
7. Volgend jaar word ik acht.	jaar
8. Ik weeg het meel.	weeg
9. De doos is dicht.	doos
10. Ik vaar met de boot.	boot
11. De fee tovert een bal.	fee
12. Die jas is heel duur.	duur
13. Buiten schijnt de maan.	maan
14. Papegaaitje leef je nog?	leef
15. Ik stop een boon in de grond.	boon
16. Hoop jij ook dat de zon gaat schijnen?	hoop
17. Daar loopt een konijn.	daar
18. Ik houd niet van kool.	kool
19. Waarom kijk jij zo boos?	boos
20. Ik ben moe, ik gaap.	gaap

Einddictee bij 2 Korte en lange klanken

(na bladzijde 47)

	Schrijf op:
1. Er vaart een boot op het meer.	boot
2. Ik pel mijn sinaasappel.	pel
3. De haas loopt in de wei.	haas
4. Mijn keel doet pijn.	keel
5. Het mes is bot.	mes
6. Ik neem een hap van de taart.	hap
7. Geef me een kus.	kus
8. Dat was een harde gil.	gil
9. Hoe duur is die broek?	duur
10. Die broek is heel erg duur.	heel
11. Ik sta hoog en jij staat laag.	laag
12. Ik heb een vuiltje in mijn oog.	oog
13. De dokter geeft mij een pil.	pil
14. Een mug heeft mij gestoken.	mug
15. Ik rek me uit.	rek
16. Mijn oma breit een trui van rode wol.	wol
17. De zon is geel.	geel
18. Ik koop een reep chocola.	reep
19. Er zit een gat in de muur.	gat
20. Waarom tuur jij door het raam?	tuur

Einddictee bij 3 Tweetekenklanken

(na bladzijde 76)

	Schrijf op:
1. Roep jij je broertje even?	roep
2. Is het heus waar?	heus
3. Ik ruil knikkers met mijn vriend.	ruil
4. Wij gaan een dagje uit.	wij
5. Mijn tante brak haar heup.	heup
6. De ruit van de schuur is kapot.	ruit
7. Er loopt een mier op de jampot.	mier
8. Raisa heeft jeuk op haar rug.	jeuk
9. Ik lust wel een kop soep.	soep
10. Langs de rivier ligt een dijk.	dijk
11. Die peer is nog niet rijp.	rijp
12. Ik lig lui op de bank.	lui
13. De baby ligt in de wieg.	wieg
14. Hoe heet jij?	hoe
15. Ik fiets de hoek om.	hoek
16. Kijk eens naar mijn tekening.	kijk
17. De muis rent hard naar zijn hol.	muis
18. Dat meer is heel diep.	diep
19. Leun niet tegen die deur!	leun
20. Het regent dat het giet.	giet

5 Woordenlijsten

Woordenlijst 1 Medeklinkers

aan
aap
baan
baas
been
boog
boom
boon
boos
boot
daar
deeg
deel
doof
doos
duur
een
eet
fee
gaan
gaap
gaat
geef
geel
geen
haak
haal
haan
haar
haas
heel
heen
heet
hoog
hoop
huur
jaar
kaal
kaas
keek
keel
kook
kool
koop
laag
laan
laat
leef
leeg
leen
lees
loop
maag
maak
maan
maar
maat
mee
meet
muur
naam
naar
nee
neef
neem
noot
oog
ook
oom
paal
paar
peen
poot
raak
raam
raar
reep
rook
roos
taak
taal
teen
tuur
uur
waar
weeg
weet
woon

Woordenlijst 2 Korte en lange klanken

Korte klanken

af
al
bak
bal
big
bil
bof
bok
bom
bos
bot
buk
bus
dag
dak
den
dik
dit
dol
dom
dop
dun
en
er

gas
gat
gek
gil
gum
hak
hal
ham
hap
heg
hek
hem
hok
hol
hut
ik
in
is
jas
jok
juf
kam
kan
kar

kat
ken
kil
kin
kip
kok
kom
kon
kop
kus
lam
lap
lat
leg
lek
les
lig
lik
lip
los
lus
mag
man
mat

mes
met
min
mis
mol
mug
mus
nat
nek
net
nog
nul
of
om
op
pak
pan
pap
pas
pen
pet
pil
pit
pop

pot
put
rat
rek
rem
ren
ril
rok
rol
rot
rug
sap
sip
sok
som
sop
tak
tas
tel
tik
tol
ton
top
tot

was
wat
weg
wel
wil
win
wip
wit
wol

Lange klanken

aan
aap
baan
baas
been
boog
boom
boon
boos
boot
daar
deeg
deel
doof
doos
duur

een
eet
fee
gaan
gaap
gaat
geef
geel
geen
haak
haal
haan
haar
haas
heel
heen

heet
het
hoog
hoop
huur
jaar
kaal
kaas
keek
keel
kook
kool
koop
laag
laan
laat

leef
leeg
leen
lees
loop
maag
maak
maan
maar
maat
mee
meel
meet
muur
naam
naar

nee
neef
neem
noot
oog
ook
oom
paal
paar
peen
poos
poot
raak
raam
raar
reep

rook
roos
taak
taal
teen
tuu
uur
waar
weeg
weet
woon

Woordenlijst 3 Tweetekenklanken

beuk	doet	koe	niet	tien
bier	duif	koek	noem	toe
biet	duik	kuil	peuk	toen
bij	duim	kuit	piep	tuin
bijl	fijn	leuk	pijl	uil
bijt	giet	leun	pijn	uit
boef	heup	lief	pijp	wie
boek	heus	lieg	puin	wieg
boer	hiel	liep	reus	wiel
buig	hier	liet	riem	wij
buik	hij	lijf	riep	wijk
buis	hijg	lijk	riet	wijn
buit	hoe	lijm	rij	wijs
deuk	hoef	lijn	rijk	
die	hoek	lui	rijm	
dief	huil	luis	rijp	
diep	huis	mier	roep	
dier	ijs	mij	roer	
dij	jeuk	mijn	roet	
dijk	jij	moe	ruik	
doe	keus	moet	ruil	
doek	kier	muis	ruim	
doel	kies	neus	ruit	
doen	kijk	nies	soep	

Bijlage 1
Kenmerken van letters en klanken

Om de leerling goed te kunnen oriënteren, is het van belang om te weten wat de kenmerken van de aan te leren letters en klanken zijn en waarom deze moeilijk voor de leerling kunnen zijn.

Hieronder volgt een overzicht van de belangrijkste kenmerken van een aantal letters en klanken, onder andere overgenomen uit het Spellingpakket van de Stichting Onderwijsbegeleidingscentrum Eindhoven e.o.

Medeklinkers

b – d:
De omkering van een letterteken kan leiden tot een ander letterteken. Hiervan is sprake bij de omkering van b en d. De leerling weet niet precies of de stok links of rechts moet en of het bolletje naar voren of naar achter moet wijzen.

b – p:
Omkeringen in de verticale richting komen minder vaak voor. De belangrijkste omkering in deze groep is de b – p-verwisseling.

De leerling weet niet of de stok naar boven of naar beneden moet wijzen.

Soms worden de b en p verwisseld vanwege de klankovereenkomst: beide zijn 'ploffers'; de b is stemhebbend, de p is stemloos.

m – n:
De letters m en n vertonen, zowel wat hun klank als wat hun vorm betreft, overeenkomst. Beide medeklinkers zijn stemhebbend.

h – k:
De letters h en k kunnen worden verwisseld omdat ze qua vorm op elkaar lijken. Er is sprake van een onvoldoende gedetailleerde visuele waarneming. Daarnaast speelt het schrijfmotorische aspect een rol. Wanneer een leerling slordig schrijft, kunnen h en k te veel op elkaar gaan lijken. Soms weet een leerling bij het teruglezen zelf niet meer welke letter hij opgeschreven heeft.

j – g:
De klanken j en g worden in auditief opzicht regelmatig verward.
Beide klanken behoren tot de lage tonen. De plaats van de articulatie van beide klanken is niet zo duidelijk zichtbaar: zij worden meer achter in de keel gearticuleerd.

Korte en lange klanken
Het verwisselen van korte en lange klanken is een vrij veelvoorkomende fout. De oorzaak ligt vaak in het auditieve vlak: de leerling hoort onvoldoende het verschil tussen lange en korte klinkers.

Een letter vertegenwoordigt een klank, maar heeft daarnaast een naam in het alfabet. Als een leerling te horen heeft gekregen dat bos met een /oo/ wordt geschreven, dan kunnen er gemakkelijk misverstanden ontstaan (boos in plaats van bos).

Tweetekenklanken
Zoals de naam al zegt worden de tweetekenklanken weergegeven door twee lettertekens. Het onthouden van de juiste volgorde van deze lettertekens kan een probleem zijn. De leerling weet niet goed welke letter het eerst en welke letter het laatst komt. Hij moet zodoende raden, met als gevolg dat er regelmatig foute tweetekenklanken geproduceerd worden.

Bij een aantal tweetekenklanken doen zich hiernaast nog bijzondere problemen voor:

ie
Wordt de ie omgekeerd, dan ontstaat de ei en andersom.
Op niveau 1 is dit nog niet zo'n probleem, omdat we hier geen ei-woorden behandelen. Wel speelt het probleem vanaf niveau 4.
Parallelwoorden vormen dan een extra moeilijkheid: zei en zie komen beide voor.

ui
Het onthouden van de juiste volgorde van de letters binnen de ui wordt bemoeilijkt door de aanwezigheid van de eu: in de ui staat de u voorop, in de eu komt de u het laatst.

eu – uu
Zie de opmerking bij de ui. De leerling kan ook problemen met de klank eu hebben. De eu ligt in het gehoor dicht bij de klanken uu, e, ee, ui.
Een leerling die de neiging heeft om woorden slordig uit te spreken en ze te weinig te beluisteren of een leerling die woorden te vluchtig auditief analyseert, zal de neiging hebben om bovengenoemde klanken te verwarren.

NB. Wanneer een leerling gehooruitval in de hoge tonen heeft, zal het deze klanken zeker verwisselen.

Bijlage 2

Lijst met ezelsbruggetjes

Algemeen

Een leerling kan met een ezelsbruggetje geholpen zijn. Echter, niet alle ezelsbruggetjes zijn even geschikt en te veel ezelsbruggetjes brengen de leerling in verwarring of doen een te groot beroep op zijn geheugen.

Belangrijke voorwaarden voor het gebruik van ezelsbruggetjes zijn meestal dat de leerling de begrippen links en rechts, boven en onder, vooraan en achteraan kent.

Wij zijn van mening dat het spellingonderwijs goed dient aan te sluiten op de in de school gebruikte leesmethode. Daarom geven we er in het algemeen de voorkeur aan dat bij de methode *Spelling in de lift adaptief* de ezelsbruggetjes of sleutel- of hulpwoorden uit de leesmethode gebruikt worden.

Een leerling kan desondanks behoefte hebben aan andere ezelsbruggetjes of sleutel- of hulpwoorden, bijvoorbeeld als het onthouden met een bepaald steuntje maar niet wil lukken, of wanneer een leerling een beperking op visueel of auditief gebied heeft. Een keuze uit de onderstaande lijst kan dan raadzaam zijn. Voordat er een beroep gedaan wordt op zo'n ezelsbruggetje, is het van belang te achterhalen hoe het komt dat een leerling fouten blijft maken. Een bekende oorzaak van de verwisseling van lange en korte klanken is bijvoorbeeld dat de leerling de klanknaam en de letternaam verwart: de a wordt als (alfabet) -aa benoemd, de b als -bee- enzovoort. Dit leidt tot schrijffouten als gan in plaats van gaan.

Ook kan er sprake zijn van slechthorendheid. Bij hardnekkige fouten kan een audiologisch onderzoek raadzaam zijn.

Naast het gebruik van ezelsbruggetjes verdient het altijd aanbeveling om een leerling goed op de belangrijke kenmerken van de letter te oriënteren.

In bijlage 1 is een overzicht gemaakt van de kenmerken van een aantal letters. Wij hebben een lijst gemaakt van ezelsbruggetjes bij de naar onze mening moeilijkste letters en klanken. Daarbij hebben we rekening gehouden met de moeilijkheidsgraad van de in onze methode gebruikte woorden. De 'buikletter' konden wij bijvoorbeeld maar gedeeltelijk gebruiken, omdat de tweetekenklank ui bij aanbieding van de medeklinker b nog niet beheerst wordt. Een aantal ezelsbruggetjes is afkomstig uit de methode 'Letterstad' van H. Kooreman.

Kortom: indien nodig één ezelsbruggetje per letter of klank, bij voorkeur uit de leesmethode en anders uit de hierna volgende lijst.

Uitzondering: indien de leerling een adequaat eigen hulpmiddel bij een moeilijke letter of klank bedacht heeft, laat hem dit dan gebruiken!

Medeklinkers

b - Het volgende plaatje kan aangeboden worden:

Hierbij kan verteld worden dat dit de buikletter is: het meisje loopt van links naar rechts en houdt haar buik vooruit.

Je mag het woord buik niet opschrijven omdat de tweetekenklank ui nog niet behandeld is.

- Voor een leerling die al geruime tijd schrijfonderwijs heeft, kan de schrijfletter een steun zijn.

d - De d kan 'de andere letter ' – vergeleken met de b – genoemd worden, op grond van de volgende 'redenering':

'Hoor ik in het woord de b van buik? Zo nee, dan komt het bolletje aan de andere kant.

Bij deze letter geven wij geen plaatje.

p - Bij de p wijzen wij met de vinger naar beneden, want de stok van de p wijst ook naar beneden.

Ook hier geven wij geen plaatje, om verwarring met b en d te voorkomen.

m - Bij de m kan het volgende plaatje aangeboden worden:

We noemen de m de mondletter. Het boogje van je mond is net een m.

Als je mmmond zegt, hoor je de m.

- Als je de m uitspreekt, houd je je lippen op elkaar.

n - De n noemen we de neusletter. Als je neus zegt, hoor je de n. Als je de letter n uitknipt, dan kun je hem op je neus zetten; doe maar net alsof.

- Als je de n uitspreekt dan trek je je neus een beetje op.

h - Bij de letter h kunnen we het volgende plaatje aanbieden: we noemen de h de hijgstoelletter.

De h lijkt op een stoeltje. Als je hard gelopen hebt, dan ga je uithijgen op het stoeltje.

k — - Bij de letter k kan de volgende tekening aangeboden worden.
De k is de klapstoelletter. Het lijkt of je de letter k in en uit kunt klappen.

j — - De j koppelen we in *Spelling in de lift adaptief* bij voorkeur aan een – auditief – sleutelwoord, namelijk de j van jaar.

g — - De g koppelen we aan een – auditief – sleutelwoord, namelijk de g van gaap.

Korte klanken (a, e, i, o, u) en lange klanken (aa, ee, oo, uu)
Voor deze klanken bieden wij alleen de woorden aan die in het werkboek vermeld staan, bijvoorbeeld op bladzijde 32 de oo van rook en de o van rok.

Tenzij de leesmethode bij deze klanken andere woorden aanbiedt, kunt je van deze woorden gebruik maken. Andere hulpmiddelen om het onderscheid tussen korte en lange klanken aan de leerling duidelijk te maken zijn:

- Het gebruikmaken van symbolen. Bij de oefeningen in de werkboeken is gebruikgemaakt van het symbool ☐ voor korte klanken en van het symbool ▭ voor lange klanken.
  Het verdient aanbeveling om deze symbolen een vast kleurtje te geven, bijvoorbeeld de korte klank blauw en de lange klank rood.

- Motorisch kan het onderscheid tussen korte en lange klanken ondersteund worden door hand/armgebaren of door het zetten van een streep onder het uitspreken van de klank.

  Bij korte klanken maakt de leerling een horizontale korte beweging met één hand. Bij lange klanken wordt het 'lange karakter' ondersteund door een horizontale lange beweging met beide handen van links naar rechts.

Tweetekenklanken

oe — - Bij de klank oe kunnen we het volgende plaatje aanbieden:

Hierbij hoort het volgende rijmpje:
'De letter oe heeft één oog open en één oog toe.'

ie

- Van de ie kun je een tien maken:

ui

- Eerst vullen we het glas en dan pakken we het rietje.

eu

- Bij de eu kunnen we het volgende plaatje aanbieden:

Een auto met een deuk.
Daar komt de politie al: je hoort 'è – u – è – u – è – u!'

ij

- Bij de letter ij kunnen we het volgende plaatje aanbieden:

De ij van ijs.

Bijlage 3

Interferentiefouten van anderstalige leerlingen

In het boekje: 'Leren van fouten' (geschreven door drs. J.A. Coenen e.a., en uitgegeven door het KPC te Den Bosch) wordt een analyse gegeven van de meest voorkomende Nederlandse taalfouten – betrekking hebbend op spelling – die gemaakt worden door Marokkaanse, Turkse, Spaanse en Portugese leerlingen. Hieronder zal een samenvatting gegeven worden van interferentiefouten die door deze leerlingen gemaakt worden.
Interferentiefouten zijn fouten die veroorzaakt worden doordat anderstaligen een bepaald verschijnsel of een bepaalde klank in het Nederlands nog niet beheersen en dan terugvallen op structuren of klanken zoals die voorkomen in de moedertaal.

Op spellingniveau 1 (mkm) kunnen de volgende interferentiefouten verwacht worden:

MAROKKAANS – NEDERLANDS
Klanksysteem:
- het onderscheid p – b bestaat niet
- het onderscheid v – f bestaat niet
- de Marokkaanse w wordt 'gerond' uitgesproken (bijvoorbeeld zoals de Engelse of Surinaamse w)
- het Marokkaans kent alleen de aa-, ie- en oe-klank en de e-, ay- en aw-klank.

Uitspraak: De Nederlandse klinkers zullen voor een Marokkaans sprekende leerling meer problemen opleveren dan de medeklinkers. Hoe worden de Nederlandse klanken nu uitgesproken? Voor wat niveau 1 betreft geven we de volgende voorbeelden.

Medeklinkers
- verwisseling van b met p en omgekeerd;
- verwisseling van v met f en omgekeerd; dit onderscheid wordt niet gemaakt in het Marokkaans;
- s wordt uitgesproken als sj;
- g –> k Deze verwisselingen worden waarschijnlijk veroorzaakt doordat
k –> g beide keelklanken zijn.

Lange en korte klanken
Deze klanken kunnen op twee of drie verschillende manieren door de Marokkaanse leerling uitgesproken worden.
Voorbeelden:
Het woord bak wordt uitgesproken als bek, bok, baak.
Het woord boot wordt uitgesproken als bot, boet.

Tweetekenklanken
Alleen de oe lijkt weinig problemen op te leveren.
De ie, ui, eu en ij leveren twee tot vier verschillende uitspraakmogelijkheden op, bijvoorbeeld bij ui: eu, oe, u of au.

TURKS – NEDERLANDS
Klanksysteem:
- in het Turks komen de volgende klanken niet voor:
  ee, i, u, eu, aa (maar wel een klank die ligt tussen aa en a) en oo (maar wel een klank die ligt tussen oo en o);
- in het Turks komen wél voor:
  ie en ei
  e
  uu
  ö : deze lijkt op ee – eu, maar is meer open, zoals de Duitse ö
  w : deze wordt gespeld als v
  f

NB. De Nederlandse spelling van de klanken eu, oe en ui door middel van twee symbolen kan aanleiding geven tot het opvatten van deze klanken als twee klanken. Voor een Turks kind is eu uit te spreken als e – oe of e – w. Deze uitspraak van eu kan snel lijken op ui.

Uitspraak: Hoe worden de Nederlandse klanken door Turkse leerling uitgesproken? We geven hieronder de volgende voorbeelden.

Medeklinkers
v wordt w en omgekeerd.

Lange en korte klanken
aa wordt a en omgekeerd
ee wordt ei of ie en omgekeerd
oo wordt o
i wordt e of ie en omgekeerd
u wordt uu

Tweetekenklanken
eu wordt – via ew – ui
ui wordt ew

SPAANS/PORTUGEES – NEDERLANDS
Klanksysteem:
Wat betreft de medeklinkers:
- het Spaans (Chileens) en Portugees kennen geen h en w;
- het Spaans (Chileens) kent geen onderscheid tussen b en v;
- het Spaans (Chileens) kent alleen een 'tong'-r. In sommige dialecten van het Portugees komt een 'brouw'-r voor;
- als een woord eindigt op een medeklinker, dan valt deze in sommige streken van Spanje, en met name in Chili, vaak weg. In het Spaans wordt 'roos' dan uitgesproken als roo.

Wat betreft de klinkers:
Het Spaans en Portugees kennen alleen de klinkers aa, ee, oo, ie en oe. De klinkers zijn echter korter dan de Nederlandse klinkers.
Soms worden oo, aa en ee heel 'kort' uitgesproken en ze neigen dan naar o, a en e.

Uitspraak: Hoe worden de Nederlandse klanken door Spaans/Portugese leerling uitgesproken?

Medeklinkers
- de h wordt of niet uitgesproken of als een g uitgesproken.
  Voorbeeld: hoek → oek
- de w wordt als b of p uitgesproken of als oe.
  Voorbeeld: wij → bij
- de b en de v worden verwisseld; de b kan ook een w worden.
  Voorbeeld: biet → wiet

Lange en korte klanken
uu wordt uitgesproken als oe
a wordt uitgesproken als aa en omgekeerd
o wordt uitgesproken als oo en omgekeerd
e wordt uitgesproken als i
i wordt uitgesproken als ie
u wordt uitgesproken als oe

Tweetekenklanken
eu en ui komen niet voor;
de eu wordt uitgesproken als eew;
ook bij ij zijn er uitspraakproblemen.

Spelling in de lift adaptief

handleiding niveau 2

medeklinkercombinaties:
mkmm – eenvoudig
mmkm
mkmm – moeilijk
mmkmm

Inhoud

1 Doelstellingen

1.1 Algemene doelstellingen

Het werkboek niveau 2 is een onderdeel van de methode *Spelling in de lift adaptief*. Met deze methode leren leerlingen de schrijfwijze van veelvoorkomende Nederlandse woorden. Het is van belang dat leerlingen de woorden die ze leren niet alleen goed schrijven in de spellinglessen, maar dat ze die kennis ook gaan gebruiken in hun spontane schriftelijke taalgebruik. Hiervoor zijn speciale oefeningen opgenomen. Voor een verdere toelichting van de algemene doelstellingen kun je de Algemene Inleiding raadplegen.

1.2 Doelstellingen van niveau 2

Op dit niveau wordt de schrijfwijze aangeleerd van veelvoorkomende woorden die bestaan uit één klankgroep, met:

- een medeklinkercombinatie achteraan (mkmm, bijvoorbeeld lamp);
- een medeklinkercombinatie vooraan (mmkm, bijvoorbeeld brief);
- een medeklinkercombinatie vooraan en achteraan (mmkmm, bijvoorbeeld staart).

Het gaat dus om woorden van maximaal vijf klanken.

2 Opbouw

2.1 Instaptoets

Om de beginsituatie van de leerling vast te stellen, wordt in de digitale omgeving gestart met een instaptoets.

Deze instaptoets is passend bij de didactische leeftijd van de leerling en de periode van een jaar terug: er worden enkel spellingcategorieën getoetst waar de leerling op dat moment in zijn leerproces aan toe is of is geweest.

De instaptoets duurt ongeveer 40 tot 60 minuten. Het advies is om de tijd van de instaptoets te verspreiden over verschillende momenten op een dag of in een week. Zo minimaliseer je eventuele onzekerheid of frustratie. De instaptoets gaat automatisch verder waar de leerling gebleven is.

De resultaten van de leerling worden na het afronden van de instaptoets in het resultatenscherm van de leerkracht getoond. Hierop kun je precies zien welke spellingcategorieën de leerling al goed beheerst en op welke spellingcategorieën nog meer geoefend moet worden. Ook kun je het niveau van klankherkenning inzien. Het systeem zet, op basis van de resultaten, vervolgens automatisch oefenstof klaar.

2.2 Digitaal verwerken

Tijdens het digitaal verwerken kun je in het resultatenscherm de voortgang van de leerling inzien. Wanneer een leerling uitvalt op een spellingcategorie wordt in het resultatenscherm verwezen naar deze categorie binnen de handleiding per niveau van *Spelling in de lift adaptief*. De leerling heeft dan baat bij instructie, begeleide inoefening en verwerking die gestuurd wordt door de leerkracht.
Aan de klankherkenning en het klankonderscheid hangt geen 'goed' of 'fout' niveau. Het doel hiervan is om de snelheid van de verwerking van klank-tekenkoppeling te vergroten. Vooruitgang is daarbij het streven.

2.3 Instructie en verwerken op papier

In het resultatenscherm zie je op welke spellingcategorieën van niveau 2 de leerling uitvalt. Ga samen met de leerling aan de slag met de desbetreffende spellingcategorieën.

Het is dus zeker niet zo dat de leerling alle opdrachten uit het werkboekje van niveau 2 moet maken. Het mag natuurlijk wel, want extra oefening kan nooit kwaad.

In deze handleiding staan per bladzijde van het werkboek instructies en aanwijzingen bij de opdrachten. Daarnaast vind je bij verschillende bladzijden auditieve oefeningen die je samen met de leerling kunt doen. In hoofdstuk 3 vind je hoe deze zijn aangegeven, in zowel de handleiding, als in het werkboek.

2.4 Evaluatie

Tussen de verschillende oefeningen door, zijn controledictees voorhanden om na te gaan waar de leerling zich op dat moment in zijn leerproces bevindt. Aan het eind van iedere spellingcategorie vind je een einddictee. Dit kun je naast het controledictee en de gemaakte opgaven leggen om de voortgang van de leerling inzichtelijk te maken.

Zowel aan het controledictee, als aan het einddictee hangen geen normeringen.

De voortgang van de leerling wordt nog duidelijker zichtbaar door hem, na het oefenen op papier, weer digitaal te laten oefenen. In het resultatenscherm kun je zien hoe de leerling nu scoort op de spellingcategorieën.

3 Didactiek

3.1 Leerinhouden

In het werkboek vind je de volgende categorieën:

1 mkmm-woorden eindigend op:

-mp, -ms, -mt	(blz. 4 en 5)
-gt, -ft	(blz. 6 en 7)
-lt, -ls	(blz. 8)
(-nk), -nt, -ns	(blz. 9 en 10)
-kt, -ks	(blz. 11)
-rt, -rs	(blz. 12 en 13)
-st, -ts	(blz. 14 en 15)
-sp, -ps	(blz. 16 en 17)
herhaling, alles door elkaar	(blz. 18 en 19)

2 mmkm-woorden die beginnen met:

bl-, br-	(blz. 22 en 23)
kl-, kn-, kr-, kw-	(blz. 24 en 25)
gl-, gr-	(blz. 26 en 27)
sl-, sm-, sn-, sp-, st-	(blz. 28 en 29}
tr-, tw-	(blz. 30)
dr-, dw-	(blz. 31)
vl-, vr-, zw-	(blz. 32)
pl-, pr-	(blz. 33 en 34)
fl-, fr-	(blz. 35 en 36)
herhaling, alles door elkaar	(blz. 37 en 38)

3 mkmm-woorden waarbij in de medeklinkercombinatie een tussenklank te horen is:

-rf, -rg, -rk, -rm, -rp	(blz. 40 t/m 43)
-lf, -lk, -lm, -lp	(blz. 44 t/m 47)
herhaling, alles door elkaar	(blz. 48 en 49)

4 mmkmm-woorden, die beginnen en eindigen met een van bovengenoemde medeklinkercombinaties:

zonder tussenklank	(blz. 52 t/m 59)
met tussenklank	(blz. 60)
herhaling, alles door elkaar	(blz. 61 t/m 64)

3.2 Leerprincipes

Voor een algemene toelichting op de verschillende leerprincipes kun je hoofdstuk 3 van de Algemene Inleiding lezen. Hieronder wordt besproken hoe deze leerprincipes op niveau 2 plaatsvinden.

Oriënteren
De woorden van niveau 2 vallen in principe onder de hoofdregel van de Nederlandse spelling, die voor de leerlingen als volgt vertaald is: 'Je schrijft het woord zoals je het hoort'.

Mmkmm-woorden zoals 'stoort' of 'zweert' worden op dit niveau niet behandeld, omdat deze woorden niet klankzuiver zijn.
Er wordt veel aandacht besteed aan de verschillende onderdelen van de elementaire spellinghandeling. De leerlingen leren om goed naar een woord te luisteren en het goed na te zeggen. Zij leren een woord auditief te analyseren en vervolgens de klanken in de juiste volgorde in letters om te zetten. Dit leidt tot het geschreven woord. Woorden zoals melk, warm, golf enzovoorts kunnen lastig zijn. Je hoort bij deze woorden een tussenklank tussen de twee medeklinkers, maar deze woorden mogen niet worden uitgesproken als een tweelettergrepig woord. Dit zou namelijk kunnen zorgen voor spellingfouten, zoals melluk, warrem, gollef. Aan dit soort fonetisch moeilijke woorden wordt uitgebreid aandacht besteed in het werkboek.

Net als op niveau 1 worden lange klanken en tweetekenklanken in het werkboek in een langer hokje opgeschreven dan de korte klanken en medeklinkers.
Op niveau 2 bied je de leerlingen een uitgebreide oriëntatie aan op de combinaties van hooguit twee medeklinkers in klankzuivere woorden. In de methode is bij het aanbieden een volgorde van gemakkelijk naar moeilijk aangehouden:

In het werkboek worden eerst de medeklinkercombinaties behandeld, waarbij geen sprake is van een tussenklank. Eerst komen de mkmm-woorden aan bod, waarin alleen aan het eind een medeklinkercombinatie voorkomt. Daarna volgen de mmkm-woorden. Hier staat de medeklinkercombinatie vooraan.

Vervolgens komen de moeilijke mkmm-woorden aan de beurt; dit zijn woorden waarbij wel sprake is van een tussenklank die niet geschreven mag worden (bijvoorbeeld: melk en geen melluk). Daarna volgen de woorden waarbij zowel voor- als achteraan een medeklinkercombinatie staat: eerst zonder tussenklank en later ook met tussenklank.

De leerlingen leren in de oriëntatiefase ook de betekenis van de gebruikte woorden. In de oefeningen en instructie wordt hieraan extra aandacht besteed. Je kunt de leerlingen de woorden in context laten gebruiken, bijvoorbeeld in een zin.

Optimaliseren
Het gaat hierbij om het verinnerlijken, verkorten, automatiseren en generaliseren van de elementaire spellinghandeling.

Bij het verinnerlijken leren de leerlingen om niet meer hardop auditief te analyseren, maar om dit fluisterend voor zichzelf of in het hoofd (dus niet hoorbaar) te doen.

Het verkorten wordt onder andere geoefend door middel van wisselrijtjes, bijvoorbeeld zaagt – zegt – legt en rijmoefeningen, waarbij de medeklinkercombinatie als één geheel gezien kan worden (analogie).

Automatiseren van de vaardigheid vindt plaats door een beperkt aantal woorden steeds weer opnieuw aan te bieden, zodat de leerlingen een goed auditief, visueel en schrijfmotorisch beeld van een woord in hun hoofd hebben ingeprent.

Aan het generaliseren wordt gewerkt door leerlingen zelf woorden te laten bedenken en de woorden in zinsverband te laten gebruiken.

Het is belangrijk om veel aandacht te besteden aan oefeningen die ervoor zorgen dat de leerlingen de geleerde vaardigheid in verschillende situaties kunnen toepassen. Hiermee bereid je de leerlingen erop voor dat ook buiten de spellinglessen aandacht aan de schrijfwijze van woorden wordt besteed.

Isoleren, discrimineren en integreren
Naast het oriënteren en optimaliseren wordt aandacht besteed aan het isoleren, discrimineren en integreren. Voor de toelichting op deze begrippen kun je hoofdstuk 3 van de Algemene Inleiding lezen.

Op niveau 2 wordt steeds eerst een beperkt aantal medeklinkers geïsoleerd aangeboden. Daarna leren de leerlingen de nieuwe combinaties samen te gebruiken met wat ze eerder hebben geleerd. Vervolgens leren ze hoe zij deze kennis zelf kunnen gebruiken en dat ze van twee korte woorden soms een nieuw langer woord kunnen maken.

Controleren
Als controlemomenten zijn dictees ingebouwd. Hiermee krijgt zowel de leerkracht, als de leerling een beeld van in hoeverre de leerling het geleerde kan toepassen. In een spellingschrift kan een leerling onder meer 'Mijn moeilijke woorden' opschrijven. Door regelmatig te oefenen wordt zo'n lijstje met moeilijke woorden steeds kleiner, wat erg motiverend werkt.

Motiveren
De leerinhouden worden stapje voor stapje aangeboden, zodat de leerlingen positieve ervaringen opbouwen. De oefeningen zijn zo afwisselend mogelijk gemaakt, maar bij het aanleren van de lettercombinaties wordt zoveel mogelijk dezelfde volgorde aangehouden.

3.3. Werkvormen

De handleiding
In deze handleiding vind je de instructies bij de oefeningen in het werkboek. De instructies bevatten onder andere: het bespreken van de betekenis van nieuwe woorden, een uitgebreide oriëntatie op een nieuw probleem, leiding geven aan auditieve oefeningen, het vooraf bespreken van de oefeningen uit het werkboek en het nabespreken van de gemaakte oefeningen.

De auditieve oefeningen zijn in de methode *Spelling in de lift adaptief* erg belangrijk. Deze sluiten aan op de leerstof, of ze bereiden de volgende oefeningen in het werkboek voor. De meeste onderdelen van de elementaire spellinghandeling worden door auditieve oefeningen aangeleerd. Instructie speelt hierbij een belangrijke rol.

Regelmatig worden dictees afgenomen, geanalyseerd en nabesproken. Naast woorddictees worden op niveau 2 ook zinnendictees afgenomen om te kijken of de geleerde woorden in deze situaties ook goed geschreven worden.

Het werkboek
Het oefenen van nieuwe medeklinkercombinaties gaat in een min of meer vaste volgorde: eerst visuele discriminatie en inprentingsoefeningen, daarna volgen oefeningen in auditieve discriminatie en auditieve analyse, tot slot oefeningen met het invullen van hele woorden in zinnen of in een verhaaltje, en oefeningen met het invullen van letters in woorden.

Door woorden steeds opnieuw te laten schrijven, wordt het schrijfmotorische woordbeeld geautomatiseerd. Naast deze grafisch-fonologische informatie, wordt er ook aandacht besteed aan semantische en syntactische functies. Aan de hand van plaatjes of eenvoudige zinnen wordt duidelijk gemaakt wat de betekenis van de woorden is en op welke wijze deze gebruikt worden. In deze methode staat de instructie centraal, het werkboek is niet bedoeld als zelfstandig oefenmateriaal. Het is van belang dat je controleert of de leerlingen de bedoeling van de opdracht hebben begrepen.

De oefeningen zijn voorgestructureerd om (te veel) fouten in de nog niet behandelde spellingcategorieën te voorkomen. Ook het zelf schrijven van zinnetjes door de leerling komt aan bod. Hierdoor is er ruimte voor de creativiteit van de leerlingen gelaten. Want spelen met spelling en taal is leuk!

3.4 Aanwijzingen per bladzijde, algemeen

De doelenkaart

De doelenkaart (op de binnenkant van de kaft) geeft aan welke onderdelen de leerling in het werkboek gaat doen en kan op twee manieren ingezet worden:

- **Voorafgaand aan het oefenen.**
  Bespreek samen met de leerling welke spellingcategorieën hij al beheerst en welke spellingcategorieën hij nog lastig vindt: kortom, met welke spellingcategorieën gaat de leerling de komende tijd oefenen.
- **Na afloop van het oefenen of na afloop van een dictee.**
  Evalueer het oefenproces met de leerling. Bespreek na in hoeverre de leerling de spellingcategorieën nu beheerst.

Instructie

Tijdens de instructie worden de doelstelling, het te hanteren materiaal en de introductievorm vermeld.

Auditieve oefeningen

De instructie en de woorden die worden aangeboden zijn omschreven. Auditieve analyse-oefeningen kunnen het best visueel ondersteund worden. Dit kan bijvoorbeeld door middel van structuurstroken of structuurvakken.

Gezamenlijke oefeningen

Deze oefeningen kunnen samen met een groepje leerlingen gedaan worden.

dictee

Dictees

Deze dictees zijn in de handleiding te vinden onder respectievelijk paragraaf 4.1 en 4.2.

Betekenis van woorden

Het is belangrijk dat de leerlingen de betekenis van de behandelde woorden kennen. Controleer dit regelmatig door de leerlingen bijvoorbeeld zinnen met de woorden te laten maken.

Zinnen maken

De oefeningen waarbij leerlingen zelf zinnen moeten maken, zijn erg belangrijk. Let erop dat ze toepassen wat ze geleerd hebben. Behalve de behandelde woorden van niveau 2, moeten ook de woorden van niveau 1 goed geschreven worden. Leerlingen die daartoe in staat zijn, kunnen hoofdletters en leestekens gebruiken.

Creativiteit

Het is goed om de creativiteit van de leerlingen aan te moedigen. Bij de oefeningen is er lang niet altijd sprake van één correct antwoord; soms zijn er alternatieven. Reken het vooral niet fout als een leerling een ander woord invult dat wel in de oefening past. Als dit het geval is, geef de leerling dan een compliment voor zijn originaliteit. Speels omgaan met taal en spelling is leuk en moet zeker aangemoedigd worden!

3.5 Aanwijzingen per bladzijde, specifiek

In de oefeningen komen enkele woorden met nk, v en z aan de orde. Dit aantal blijft beperkt. Pas op niveau 3 wordt uitgebreid aandacht besteed aan woorden met ng – nk; f – v; s – z.

Op niveau 2 komen deze woorden vrijwel uitsluitend voor in overschrijfoefeningen. Er worden op dit niveau geen auditieve oefeningen met deze woorden aangeboden.

1 mkmm – eenvoudig

Bladzijde 4
Instructie

Doel: De leerling oriënteert zich op medeklinkercombinaties aan het eind van klankzuivere mkmm-woorden.

Introductie: Vertel de leerling dat hij woorden gaat leren met 2 medeklinkers op het eind. (Herhaal eventueel het begrip 'medeklinker' (zie handleiding niveau 1).)
Er kunnen meer medeklinkers achter elkaar in een woord voorkomen, zoals: -mp of -ms. Neem vervolgens zelf het woord 'soms' als voorbeeld.

Vraag de leerling wat de laatste 2 klanken zijn van het woord soms: '-ms' en schrijf deze op. Bespreek welke klanken je nog meer hoort in het woord: 's' en 'o' en schrijf deze ook op.

Het woord bestaat dus uit 4 klanken: 'soms'

Vraag de leerling een woord te bedenken met 2 medeklinkers op het eind. Mocht de leerling hier moeite mee hebben, behandel dan de woorden: lijmt, damp, remt. Laat de leerling meeschrijven op een blaadje.

Ga na of de leerling de betekenis van de woorden die op de bladzijde voorkomen, kent.

Geef voorbeelden van zinnen waarin het woord gebruikt wordt, laat de leerling deze ook zelf bedenken. Herhaal dit telkens wanneer in het blok nieuwe woorden geïntroduceerd worden.

Auditieve oefening
Zeg steeds de twee laatste klanken van het woord:
lamp – kamt – soms – ramp – rijmt – pomp – neemt – kamp

Bladzijde 5

Auditieve oefening

Verdeel het woord in klanken:
lift – legt – leeft – jaagt – liegt – ligt – hoeft – buigt – hijgt

Bladzijde 7

Oefening 3

Oriënteer indien nodig op de eerste letter.

Bladzijde 8

Auditieve oefening

Laat een klank weg en maak een ander woord:
hals – gilt – als – kamt – wals – huilt – pols – soms – lijmt

Deze bladzijde wordt afgesloten met een controledictee.
De controledictees zijn opgenomen in paragraaf 4.1.

Bladzijde 10

Auditieve oefening

Welke klanken hoor je?
eens – noemt – lint – mens – soms – kant – als – kans – wens – kant – remt

Bladzijde 11

Auditieve oefening

Noem een woord dat rijmt op:
lijkt – hakt – raakt – rijmt – rookt – wens – tent – als

Oefening 3

Deze oefening kan voor de leerling als moeilijk ervaren worden. Spreek de oefening goed met de leerling door. Laat de leerling ter ondersteuning de werkwoordsvorm in een zin gebruiken.

Bladzijde 12

Auditieve oefening

Welke klanken hoor je?
laars – kaars – taart – hert – buurt – kort – maart – kers – hart – kaart

Bladzijde 13
Oefening 1
Wijs de leerling erop dat de lange klanken in een groot hok komen.

Oefening 4
De oefeningen waarbij de leerling zelf zinnen moet maken, zijn erg belangrijk. Let er goed op dat de leerling toepast wat hij al geleerd heeft.

Na oefening 4 wordt een controledictee afgenomen.
Dit dictee is te vinden in paragraaf 4.1.

Bladzijde 14
Auditieve oefening
Zeg of de woorden rijmen of niet:
rest – west
roest – koets
kust – muts
kost – post
rits – kist
toets – poets
hoest – woest
fiets – kiest

Bladzijde 16
Auditieve oefening
Welke klanken hoor je?
west – heks – rasp – naast – gesp – nest – beest – rups – muts

Bladzijde 17
Deze bladzijde wordt afgesloten met een controledictee.
Dit dictee is te vinden in paragraaf 4.1.

Bladzijde 18
Oefening 2
Laat de woorden die gebruikt zijn, doorstrepen.

Bladzijde 19
Oefening 2
Kies een aantal woorden uit en laat de leerling deze in een zin gebruiken.

Onderdeel 1 'mkmm – eenvoudig' wordt hier afgesloten met een einddictee.
De einddictees zijn opgenomen in paragraaf 4.2.

2 mmkm

Bladzijde 22

Instructie

Doel: De leerling oriënteert zich op medeklinkercombinaties aan het begin van klankzuivere woorden.

Introductie: Noem de volgende woorden: bleek – blik – blijf. Vraag de leerling met welke 2 klanken deze woorden beginnen: bl. Schrijf deze op het bord.

Vraag de leerling welke klanken je nog meer hoort in:
bleek
blik
blijf

Schrijf mee op het bord.

Er kunnen dus ook twee medeklinkers aan het begin van een woord staan. Herhaal deze oefening met de woorden: braaf – breek – braam. Laat de leerling het nu ook zelf op een blaadje schrijven.

Bij het introduceren van nieuwe woorden wordt eerst ingegaan op de betekenis en het gebruik ervan. Pas daarna volgen de oefeningen uit het werkboek, afgewisseld met auditieve oefeningen en dictees zoals aangegeven in het werkboek.

Auditieve oefening
Zeg steeds de eerste twee klanken van het woord:
brug – bril – bloem – bruin – blijf – blik – broer

Bladzijde 24
Auditieve oefening
Zeg het woord dat er niet bij hoort en zeg waarom dat is:
klaar – klas – knip
kroon – kwijt – kraag
glas – grof – grijp
kruip – knie – krul
klok – krijg – klim
groen – glas – groot

Oefening 3
Leg uit dat de losse letter ertussen geplaatst moet worden om een goed woord te krijgen.

Bladzijde 27
Deze bladzijde wordt afgesloten met een controledictee.
Dit dictee is te vinden in paragraaf 4.1.

Bladzijde 28
Auditieve oefening
Verdeel het woord in klanken:
slok – snel – spijt – twee – smaak – stuur – traan – smal – snoep – stuk

Bladzijde 31
Auditieve oefening
Bedenk steeds één of meer woorden met:
dr: voorbeeld drop
bl: voorbeeld bloem
pr: voorbeeld prik
gr: voorbeeld graag
st: voorbeeld ster
kl: voorbeeld klas

Oefening 1
De lange klank komt in een groot hok.

Oefening 3
Behandel één slang met de leerling.

Bladzijde 32
Deze bladzijde wordt afgesloten met een controledictee.
Dit dictee is te vinden in paragraaf 4.1.

Bladzijde 34
Auditieve oefening
Laat één klank weg en maak een goed woord:
fles – blok – stap – fruit – troep – sloep – staal – bloot – blij

Bladzijde 36
Deze bladzijde wordt afgesloten met een controledictee.
Dit dictee is te vinden in paragraaf 4.1.

Bladzijde 38
Onderdeel 2 'mmkm' wordt hier afgesloten met een einddictee. Dit dictee is opgenomen in paragraaf 4.2

3 mkmm – moeilijk

Bladzijde 40

Instructie:

Doel: De leerling oriënteert zich op mkmm-woorden die fonetisch moeilijk zijn, omdat een tussenklank gehoord wordt in de medeklinkercombinatie.

Introductie: Gebruik hierbij oefening 1. Je kunt, na het auditief analyseren, de woorden nogmaals oplezen en op laten schrijven door de leerling.

Lees met de leerling alle woorden uit oefening 1. Laat, zonder de tussenklank helemaal te laten verdwijnen, horen dat het hier niet gaat om tweelettergrepige woorden.

Leg uit dat het overdreven is om verref en berreg te zeggen.

Auditieve oefening
Laat de woorden uit oefening 1 analyseren.

Bladzijde 41
Auditieve oefening
Noem de twee letters aan het eind van de volgende woorden:
jurk
erg
warm
arm
park
berg
dorp
werk
kurk
hark
worm
merk

Bladzijde 43
Deze bladzijde wordt afgesloten met een controledictee.
Dit dictee is te vinden in paragraaf 4.1.

Bladzijde 44
Auditieve oefening
Welk woord rijmt op:
kalf – wolk – dolk – palm – hulp – golf – elk – welk

Bladzijde 45
Oefening 2
Laat de leerling de woorden hardop lezen.
Ga na of de betekenis van de woorden bekend is.

Bladzijde 47
Auditieve oefening
Welk woord past niet in het rijtje?
elf – half – wolk – golf
palm – elk – balk – melk
vers – maart – paars – laars
fiets – muts – roest – rots
worm – warm – werk – arm

Oefening 3
Besteed veel aandacht aan oefening 3, waarbij de leerling zelf zinnen moet maken. Let er vooral op dat de leerling toepast wat hij al geleerd heeft. Moedig de leerling aan om een leuke zin te bedenken die hij zelf kan opschrijven.

Na oefening 3 wordt een controledictee afgenomen.
Dit dictee is te vinden in paragraaf 4.1.

Bladzijde 49
Oefening 1
Laat eerst verticale streepjes tussen de woorden zetten.

Onderdeel 3 'mkmm – moeilijk' wordt hier afgesloten met een einddictee.
Dit dictee is opgenomen in paragraaf 4.2.

4 mmkmm

Bladzijde 52
Op deze pagina begint deel 4 met een medeklinkercombinatie voor- en achteraan het woord.

Instructie

Doel: De leerling oriënteert zich op woorden waarbij zowel vooraan, als achteraan het woord medeklinkercombinaties voorkomen.

Introductie: Herhaal dat medeklinkercombinaties achteraan een woord kunnen staan, bijvoorbeeld: ga<u>ns</u>, do<u>rp</u>, maar ook vooraan het woord, bijvoorbeeld: <u>gl</u>as. Nu zijn er ook woorden waarbij de combinaties zowel vooraan als achteraan staan: <u>gl</u>a<u>ns</u>.

Vraag de leerling om nog zo'n woord te bedenken.

Noem daarna de volgende woorden, laat de leerling de woorden analyseren in klanken en op een blaadje schrijven.

Laat de lettercombinaties onderstrepen. De woorden zijn:
sluipt – smelt – spons.
Bespreek na.

Oefening 2
Besteed veel aandacht aan de oefening 'Maak een zin met' om ervoor te zorgen dat de leerling ook in zijn spontane taalgebruik woorden goed gaat schrijven. Dit geldt ook voor alle andere oefeningen over zinsvorming in dit blok.

Bladzijde 53
Auditieve oefening
Verdeel de volgende woorden in klanken:
staart – stomp – steelt – slikt – sluipt – speelt – sport – spons – stapt – stuurt – steekt – slaapt – stopt

Bladzijde 54
Auditieve oefening
Wat zijn de eerste twee klanken van de volgende woorden?
krant – sport – kwast – smaakt – klimt – slikt – knipt – start – klomp – stomp – kruipt – sluipt – krijgt – kwart

Bladzijde 55

Auditieve oefening

In welk woord hoor je een w?

kwast – smaakt – dwars – spons – kwart – drukt – droomt – klomp – krant – dwaas

Oefening 3

Wijs erop dat het grote hok voor de lange klank is.

Bladzijde 56

Deze bladzijde wordt afgesloten met een controledictee.
Dit dictee is te vinden in paragraaf 4.1.

Bladzijde 57

Auditieve oefening

Doe je ogen dicht en steek je vinger op als je een 'p' hoort:

plakt – draagt – prins – proeft – plaatst – plant – drukt – dwars – prikt – droomt – roept – rups

Bladzijde 58

Auditieve oefening

Laat één van de laatste twee klanken weg en maak een nieuw woord:

graaft – slaapt – krant – plant – stomp – stuurt – klomp – kruipt – draagt – plaats – plakt – droomt – krans – drukt

Bladzijde 59

Na oefening 3 wordt een controledictee afgenomen.
Dit dictee is te vinden in paragraaf 4.1.

Bladzijde 60

Ook bij mmkmm-woorden komen woorden voor die fonetisch moeilijk zijn, omdat je een tussenklank hoort in de achterste medeklinkercombinatie. Laat duidelijk horen dat het hier niet om tweelettergrepige woorden gaat.

Auditieve oefening

Laat de volgende woorden analyseren: sterk – dwerg – twaalf – storm – slurf

Oefening 4

Bespreek nog eens nadrukkelijk dat het overdreven is om melluk en dwerreg te zeggen.

Na oefening 4 wordt het controledictee afgenomen.
Dit dictee is te vinden in paragraaf 4.1.

Bladzijde 62

Auditieve oefening

Zeg steeds of de laatste twee klanken hetzelfde zijn of niet:

blaft – klimt
sport – kwart
knipt – kruipt
plaats – blaast
breekt – trekt
twaalf – slurf
brult – speelt
graaft – draagt
trots – plaats
krant – krans
spons – grens
broers – dwars

Bladzijde 64

Onderdeel 4 'mmkmm' wordt hier afgesloten met een einddictee. Dit dictee is opgenomen in paragraaf 4.2.

4 Dictees

4.1 Controledictees

Dictees bij 1 mkmm – eenvoudig

Controledictee na bladzijde 8

	Schrijf op:
1. Steek de lamp eens aan.	lamp
2. De kip legt een ei.	legt
3. De giraf heeft een lange hals.	hals
4. Soms doe ik goed mijn best.	soms
5. Hij geeft mij een hand.	geeft
6. Mijn moeder haalt mijn broertje op.	haalt
7. Wat rijmt er op 'lijmt'?	rijmt
8. We gaan een week op kamp.	kamp
9. Mijn vader ligt nog in bed.	ligt
10. Bert ruilt knikkers met Rob.	ruilt

Controledictee na bladzijde 13

Schrijf de hele zin op:

1. De heks woont in een hut.
2. De kok bakt een taart.
3. Doe die kaars eens aan.
4. Daar is een kaart van de buurt.
5. Hij pakt zijn tent in.

Controledictee na bladzijde 17

	Schrijf op:
1. De postbode brengt de post.	post
2. De rups kruipt over de tak.	rups
3. Ik verloor mijn muts in de storm.	muts
4. Vanavond eten we rijst met kip.	rijst
5. Aan mijn riem zit een gesp.	gesp
6. Zij hangt haar jurk in de kast.	kast
7. Hij krijgt een nieuwe fiets.	fiets
8. Haar arm zit in het gips.	gips
9. Zij heeft niets van de taart gekregen.	niets
10. Ik ben bang voor een wesp.	wesp

Dictees bij 2 mmkm

Controledictee na bladzijde 27

	Schrijf op:
1. Het raam is van glas.	glas
2. Doe de kraan dicht.	kraan
3. Hij gaf mij een klap.	klap
4. Wij eten soep uit blik.	blik
5. Ben heeft een blauwe plek op z'n knie.	knie
6. Die jongen zit in groep zes.	groep
7. Oom schrijft een brief.	brief
8. Maak je knoop eens vast.	knoop
9. Jan is mijn broer.	broer
10. In Den Haag daar woont een graaf.	graaf

Controledictee na bladzijde 32

Schrijf de hele zin op:

1. De trui is al droog.
2. Ik kruip door het gras.
3. Ik neem snel een slok.
4. De stoep is maar smal.
5. Ik stap op de trap.

Controledictee na bladzijde 36

	Schrijf op:
1. Geef mij eens een plak kaas.	plak
2. Mijn vader heeft bruin haar.	bruin
3. Ik proef van de soep.	proef
4. Ik houd van fruit.	fruit
5. Zij won de eerste prijs.	prijs
6. Brood wordt van graan gemaakt.	graan
7. Moeder zet de kraan aan.	kraan
8. Zij leert spelen op een fluit.	fluit
9. Er hangt een mooie plaat aan de muur.	plaat
10. Buiten is het fris.	fris

Dictees bij 3 mkmm – moeilijk

Controledictee na bladzijde 43

Schrijf de hele zin op:

1. In het dorp staat een kerk.
2. Het is warm in de tuin.
3. Ik merk er niets van.
4. Durf jij die berg op?
5. Ik werk graag in het park.

Controledictee na bladzijde 47

	Schrijf op:
1. Een wolf is een gevaarlijk dier.	wolf
2. Op het strand staat een palm.	palm
3. Soms eten wij patat met appelmoes.	soms
4. Zaterdagavond ga ik naar de film.	film
5. Het is half vier, de school gaat uit.	half
6. Ik help moeder met de afwas.	help
7. De wesp prikte in mijn arm.	wesp
8. Een soldaat draagt een helm.	helm
9. De rups zit stil op de tak.	rups
10. Een tulp is een bloem.	tulp

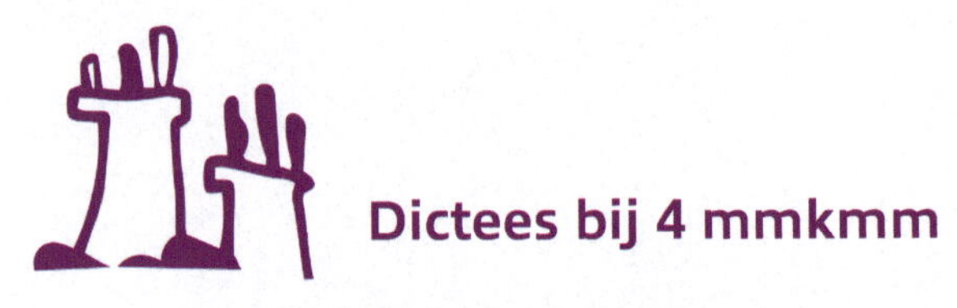

Dictees bij 4 mmkmm

Controledictee na bladzijde 56

	Schrijf op:
1. Het staat in de krant.	krant
2. Ik kleur graag met een stift.	stift
3. Hij draagt de tas.	draagt
4. Je verft met een kwast.	kwast
5. Kees speelt met de bal.	speelt
6. Jij krijgt een plaatje.	krijgt
7. Er steekt een storm op.	steekt
8. De auto staat dwars op de weg.	dwars
9. De baby kruipt op de grond.	kruipt
10. Ik doe veel aan sport.	sport

Controledictee na bladzijde 59

Schrijf de hele zin op:

1. De prins stapt in de koets.
2. Zij proeft hoe de soep smaakt.
3. Je droomt als je slaapt.
4. Hij stopt bij de grens.
5. Leg de spons op zijn plaats.

Controledictee na bladzijde 60

	Schrijf op:
1. De beer is sterk.	sterk
2. De olifant spuit water met zijn slurf.	slurf
3. Hij is elf jaar oud.	elf
4. Op een wijnfles zit een kurk.	kurk
5. Heb jij wel eens een dwerg gezien?	dwerg
6. Ik woon in een dorp.	dorp
7. Er staat storm op zee.	storm
8. Durf jij over die sloot te springen?	durf
9. Twaalf juni is zij jarig.	twaalf
10. In het park groeien mooie bloemen.	park

4.2 Einddictees

Einddictee bij 1 mkmm – eenvoudig

(na bladzijde 19)

	Schrijf op:
1. Vanmorgen was er post voor mij.	post
2. Ik dans van blijdschap.	dans
3. Maak die rits eens dicht.	rits
4. De wesp vliegt door de bus.	wesp
5. Hij knoopt zijn das om zijn hals.	hals
6. Men noemt hem ook wel 'de ouwe'.	noemt
7. De rups vreet aan de blaadjes.	rups
8. De boom buigt door de storm.	buigt
9. Ineke maakt het pakje open.	maakt
10. Ik vind paars een mooie kleur.	paars
11. Welke kant ga jij op?	kant
12. De heks voelde of de vinger van Hans al dik was.	heks
13. Soms voel ik me verdrietig.	soms
14. De zeemeermin kamt haar haar.	kamt
15. Het kind rilt van de koorts.	rilt
16. Ik kreeg een kaart van mijn oom.	kaart
17. Er valt een stuk rots in zee.	rots
18. Die man rookt altijd sigaren.	rookt
19. De brand was een ramp voor de oude mensen.	ramp
20. Het dictee is nu haast klaar.	haast

Einddictee bij 2 mmkm

(na bladzijde 38)

	Schrijf op:
1. Zij praat graag over de vakantie.	praat
2. Margo heeft een nieuwe bloes.	bloes
3. Ik heb trek in een boterham met kaas.	trek
4. Op deze plek bouwen we een fort.	plek
5. Ik wil graag naar huis.	graag
6. De mier heeft het heel druk.	druk
7. Die weg is erg smal.	smal
8. Mijn vriend is heel knap.	knap
9. Ik hoor zijn stem.	stem
10. Twee is meer dan één.	twee
11. Kun jij even op de klok kijken?	klok
12. De auto stopt voor de brug.	brug
13. Wat een vieze smaak heeft dat drankje.	smaak
14. Het glas valt aan scherven op de grond.	glas
15. Ik had een leuke droom.	droom
16. Ik houd niet van limonade met prik.	prik
17. We zijn zó klaar met eten.	klaar
18. Jan loopt de trap op.	trap
19. Aan de muur hangt een mooie plaat.	plaat
20. Ik draai een krul in mijn haar.	krul

Einddictee bij 3 mkmm – moeilijk

(na bladzijde 49)

		Schrijf op:
1.	De golf slaat op het strand.	golf
2.	Met een knal sprong de kurk van de fles.	kurk
3.	Durf jij wel zo diep te duiken?	durf
4.	Op die balk zitten een paar roestige spijkers.	balk
5.	Kleed je maar lekker warm aan.	warm
6.	De zee is erg kalm.	kalm
7.	Ik merk nu pas dat ik een snee in mijn vinger heb.	merk
8.	Help je me even er een pleister op te doen?	help
9.	Elf is minder dan twaalf.	elf
10.	Mijn oma woont in een klein dorp.	dorp
11.	De prins moest op de glazen berg klimmen.	berg
12.	De jongen haalde kokosnoten uit de palm.	palm
13.	Hij drinkt wel twee bekers melk.	melk
14.	Morgen trek ik mijn nieuwe jurk aan.	jurk
15.	Op de brommer moet je altijd een helm op.	helm
16.	Buiten is het erg koud.	erg
17.	Er trekt een wolk voor de zon.	wolk
18.	Die tulp is mooi van kleur.	tulp
19.	Die visser is erg arm.	arm
20.	Het kalf bleef dicht bij de koe.	kalf

Einddictee bij 4 mmkmm

(na bladzijde 64)

	Schrijf op:
1. Hij graaft een kuil.	graaft
2. Ik heb twee broers.	broers
3. Een muis heeft een lange staart.	staart
4. Ik geef de plant water.	plant
5. Ik ben trots op mijn nieuwe fiets.	trots
6. Het is kwart over drie.	kwart
7. Hij blijft thuis.	blijft
8. Om twaalf uur gaan we eten.	twaalf
9. Een olifant pakt de noot met zijn slurf.	slurf
10. Zij drukt op de knop.	drukt
11. Hij trekt zijn jas aan.	trekt
12. Els klimt in de boom.	klimt
13. Zij prikt mij met een speld.	prikt
14. Oma breekt een bord.	breekt
15. Ik ben klant in die winkel.	klant
16. Hij gaf mij een stomp.	stomp
17. De dief sluipt om het huis.	sluipt
18. Hij trapt tegen een bal.	trapt
19. Zij blaast de kaars uit.	blaast
20. De winnaar kreeg een krans om zijn nek.	krans

5 Woordenlijsten

Woordenlijst 1 mkmm – eenvoudig

-ft
boft
geeft
heeft
hoeft
leeft
lift

-gt
hijgt
jaagt
buigt
legt
liegt
ligt

-ks
heks

-kt
bakt
hakt
kijkt
kookt
lijkt
lukt
maakt
pakt
raakt
rookt
ruikt

-ls
als
hals
pols
wals

-lt
belt
daalt
deelt
gilt
haalt
holt
huilt
maalt
rilt
rolt
ruilt
telt
tilt

-mp
damp
kamp
lamp
ramp
pomp

-ms
soms

-mt
kamt
lijmt
komt
neemt
remt
rijmt
noemt

-ns
wens
dans
eens
gans
kans
mens
ons

-nt
bont
kant
kent
kunt
leent
lint
munt
punt
rent
sint
tent
want
wint
woont

-ps
gips
rups

-pt
koopt
loopt
roept

-rs
kaars
kers
laars
paars

-rt
buurt
duurt
hert
hart
huurt
kaart
kort
maart
taart

-sp
wesp
gesp
rasp

-st
beest
best
feest
gast
haast
hoest
juist
kast
kiest
kist
kost
kust
last
leest
lijst
lust
mast
mast
meest
mest
mist
nest
oost
past
post
rest
rijst
roest
rust
test
west
wijst
woest

-ts
fiets
iets
muts
niets
poets
rits
toets
trots

Woordenlijst 2 mmkm

bl-
bleek
blijf
blijk
blik
bloem
blok
bloot

br-
braaf
braam
breek
brief
bril
broek
broer
brok
brug
bruin

dr-
draag
draak
drie
droog
droom
drop
druif
druk

dw-
dwaas

fl-
fles
fluit

fr-
fris
fruit

gl-
glas

gr-
graaf
graag
graan
grap
gras
greep
griep
grijp
grijs
groen
groep
groet
grof
groot
grot

kl-
klaar
klap
klas
klem
klep
klim
klok
klus
kluis

kn-
knap
knie
knip
knol
knoop
knop

kr-
kraag
kraal
kraan
kras
krijg
krom
kroon
krop
kruik
kruip
kruis
kruk
krul

kw-
kwijt

pl-
plaat
plak
plan
plas
plat
plek
ploeg
plus

pr-
praat
preek
pret
prijs
prik
proef
pruim

sl-
slaag
slaap
slag
slak
slap
slee
slik
slim
slok
sloot
slot
sluip
sluit

sm-
smaak
smak
smal
smul

sn-
snel
snoek
snoep
snor
snot
snuit

sp-
spaar
spar
speel
speen
spek
spel
spier
spijt
spin

tr-
traag
traan
trap
tree
trek
troep
trol
troon
trui

st-
staal
staat
staf
stal
stam
stap
steeg
steek
steel
steen
stel
stem
ster
steun
stier
stijf
stil
stip
stoel
stoep
stof
stok
stook
stoom
stop
stuk
stuur

tw-
twee

Woordenlijst 3 mkmm – moeilijk

-lf
elf
golf
half
kalf
wolf

-lk
balk
elk
kalk
melk
welk
wolk

-lm
film
helm
kalm
palm

-lp
help
hulp
tulp

-rf
durf
erf

-rg
berg
erg

-rk
hark
jurk
kerk
kurk
merk
park
werk

-rm
arm
warm
worm

-rp
dorp

Woordenlijst 4 mmkmm

blaast
blaft
blijft
breekt
broers
brult
draagt
droomt
drukt
dwars
dwerg
glans
graaft
grens
klant
klimt
klomp
kluns
knipt
kramp
krans
krant
krijgt
kruipt
kwart
kwast

plaats
plakt
plant
prikt
prins
proeft
slaapt
slikt
sluipt
slurf
smaakt
smelt
smurf
snars
spaart
speelt
spits
spons
sport
staart
stapt
start
steekt
steelt
sterk
stift

stomp
stopt
storm
stuurt
trapt
trekt
trots
twaalf

Spelling in de lift adaptief

handleiding niveau 3

combinaties van drie of meer medeklinkers
ng – nk
f – v
s – z

Inhoud

1 Doelstellingen

1.1 Algemene doelstellingen

Het werkboek niveau 3 is een onderdeel van de methode *Spelling in de lift adaptief*. Met deze methode leren leerlingen de schrijfwijze van veelvoorkomende Nederlandse woorden. Het is van belang dat leerlingen de woorden die ze leren niet alleen goed schrijven in de spellinglessen, maar dat ze die kennis ook gaan gebruiken in hun spontane schriftelijke taalgebruik. Hiervoor zijn speciale oefeningen opgenomen. Voor een verdere toelichting van de algemene doelstellingen kun je de Algemene Inleiding raadplegen.

1.2 Doelstellingen van niveau 3

Op dit niveau wordt de schrijfwijze aangeleerd van veelvoorkomende woorden die bestaan uit één klankgroep en in één van de volgende vier spellingcategorieën thuishoren:

- een combinatie van drie of meer medeklinkers (bijvoorbeeld: schaatst, herfst, sproet);
- ng – nk (bijvoorbeeld: bang, bank);
- f – v (bijvoorbeeld: dief, vis);
- s – z (bijvoorbeeld: poes, zes).

2 Opbouw

2.1 Instaptoets

Om de beginsituatie van de leerling vast te stellen, wordt in de digitale omgeving gestart met een instaptoets.

Deze instaptoets is passend bij de didactische leeftijd van de leerling en de periode van een jaar terug: er worden enkel spellingcategorieën getoetst waar de leerling op dat moment in zijn leerproces aan toe is of is geweest.

De instaptoets duurt ongeveer 40 tot 60 minuten. Het advies is om de tijd van de instaptoets te verspreiden over verschillende momenten op een dag of in een week. Zo minimaliseer je eventuele onzekerheid of frustratie. De instaptoets gaat automatisch verder waar de leerling gebleven is.

De resultaten van de leerling worden na het afronden van de instaptoets in het resultatenscherm van de leerkracht getoond. Hierop kun je precies zien welke spellingcategorieën de leerling al goed beheerst en op welke spellingcategorieën nog meer geoefend moet worden. Ook kun je het niveau van klankherkenning inzien. Het systeem zet, op basis van de resultaten, vervolgens automatisch oefenstof klaar.

2.2 Digitaal verwerken

Tijdens het digitaal verwerken kun je in het resultatenscherm de voortgang van de leerling inzien. Wanneer een leerling uitvalt op een spellingcategorie, dan wordt in het resultatenscherm verwezen naar deze categorie binnen de handleiding per niveau van *Spelling in de lift adaptief*. De leerling heeft dan baat bij instructie, begeleide inoefening en verwerking die gestuurd wordt door de leerkracht.

Aan de klankherkenning en het klankonderscheid hangt geen 'goed' of 'fout' niveau. Het doel hiervan is om de snelheid van de verwerking van klank-tekenkoppeling te vergroten. Vooruitgang is daarbij het streven.

2.3 Instructie en verwerken op papier

In het resultatenscherm zie je op welke spellingcategorieën van niveau 3 de leerling uitvalt. Ga samen met de leerling aan de slag met de desbetreffende spellingcategorieën.

Het is dus zeker niet zo dat de leerling alle opdrachten uit het werkboekje van niveau 3 moet maken. Het mag natuurlijk wel, want extra oefening kan nooit kwaad.

In deze handleiding staan per bladzijde van het werkboek instructies en aanwijzingen bij de opdrachten. Daarnaast vind je bij verschillende bladzijden auditieve oefeningen die je samen met de leerling kunt doen. In hoofdstuk 3 vind je hoe deze zijn aangegeven, in zowel de handleiding, als in het werkboek.

2.4 Evaluatie

Tussen de verschillende oefeningen door, zijn controledictees voorhanden om na te gaan waar de leerling zich op dat moment in zijn leerproces bevindt. Aan het eind van iedere spellingcategorie vind je een einddictee. Dit kun je naast het controledictee en de gemaakte opgaven leggen om de voortgang van de leerling inzichtelijk te maken.

Zowel aan het controledictee, als aan het einddictee hangen geen normeringen.

De voortgang van de leerling wordt nog duidelijker zichtbaar door hem, na het oefenen op papier, weer digitaal te laten oefenen. In het resultatenscherm kun je zien hoe de leerling nu scoort op de spellingcategorieën.

3 Didactiek

3.1 Leerinhouden

In het werkboek vind je de volgende categorieën:

1 Combinaties van drie of meer medeklinkers

mmmkm(m)-woorden

Het gaat met name om spr- of str- aan het begin van een woord (blz. 4 t/m 7)

sch(r) (blz. 8 t/m 11)

m(m)kmmm-woorden

Het gaat met name om:

-fst, -gst, -nst, -rst, -tst aan het eind van een woord (blz. 12 t/m 15)

de resterende combinaties van drie of meer medeklinkers

en herhaling. (blz. 16 t/m 20)

2 ng – nk

woorden met ng (blz. 22 t/m 24)

woorden met nk (blz. 25 t/m 27)

woorden met ng of nk door elkaar (blz. 28 t/m 30)

3 f – v

woorden met f (blz. 32 t/m 34)

woorden met v (blz. 35 t/m 37)

woorden met f of v door elkaar (blz. 38 t/m 40)

4 s – z

woorden met s (blz. 44 t/m 46)

woorden met z (blz. 47 t/m 49)

woorden met s of z door elkaar (blz. 50 t/m 53)

3.2 Leerprincipes

Voor een algemene toelichting op de verschillende leerprincipes kun je hoofdstuk 3 van de Algemene Inleiding lezen. Hieronder wordt besproken hoe deze leerprincipes op niveau 3 plaatsvinden.

Oriënteren
De woorden van niveau 3 vallen, met uitzondering van de combinatie sch-, onder de hoofdregel van de Nederlandse spelling, die voor de leerlingen als volgt vertaald is:

'Je schrijft het woord zoals je het hoort.'

Ook op niveau 3 wordt door middel van auditieve oefeningen aandacht besteed aan de elementaire spellinghandeling. De leerlingen leren om goed naar een woord te luisteren en het goed na te zeggen. Zij leren een woord auditief te analyseren en vervolgens de klanken in de juiste volgorde in letters om te zetten. De nadruk ligt hierbij op de aan te leren medeklinkers en medeklinkercombinaties.

In tegenstelling tot niveau 1 en 2 worden de lange klanken en tweetekenklanken nu niet meer in een langer hokje genoteerd dan de korte klanken en medeklinkers.
Op niveau 3 wordt in de oefeningen gebruik gemaakt van hoofdletters, dit in tegenstelling tot niveau 1 en 2. Je zou er ook voor kunnen kiezen om de leerlingen die het kunnen, zelf hoofdletters te laten gebruiken.

Bij het aanbieden van de medeklinkercombinaties is een volgorde van gemakkelijk naar moeilijk aangehouden.

1. Eerst worden de klankzuivere combinaties van drie medeklinkers vooraan aangeboden (bijvoorbeeld stroom). Dan volgen de woorden met sch(r)-, waarbij de sch- als geheel wordt ingeprent. Benadrukt wordt dat je altijd sch- schrijft als je sg- hoort. Hierna volgen de woorden met klankzuivere medeklinkercombinaties op het eind (bijvoorbeeld winst) en pas daarna de medeklinkercombinaties aan het eind waarbij een tussenklank gehoord wordt (bijvoorbeeld helpt).

2. De ng en nk worden door de leerlingen vaak als één klank opgevat. De sleutelwoorden ring en bank worden daarom als ondersteuning aangeboden.

3. Bij het aanleren van de letter f biedt de methode de leerlingen extra visuele en auditieve steunpunten. Deze letter wordt de fietspomp-letter genoemd en daarbij wordt een afbeelding van een fietspomp getoond.

   De v krijgt ook een naam en een afbeelding met uitleg; de vliegende vogel-letter.

4. De letter s wordt geïntroduceerd als de 'slang-letter': de slang sist sssssssss.
   De letter z krijgt de naam: zaag-letter. In een afbeelding van een zaag zien de leerlingen dat de tanden een z vormen.

Tot slot wordt voor de v en de z nog de hulpregel gegeven, dat deze letters nooit aan het eind van een woord kunnen staan.

De leerlingen leren in de oriëntatiefase ook de betekenis van de gebruikte woorden. In de oefeningen en instructie wordt hieraan extra aandacht besteed. Je kunt de leerlingen de woorden in context laten gebruiken, bijvoorbeeld in een zin.

Optimaliseren
Het gaat hierbij om het verinnerlijken, verkorten, automatiseren en generaliseren van de elementaire spellinghandeling.

Bij het verinnerlijken leren de leerlingen om niet meer hardop auditief te analyseren, maar om dit fluisterend voor zichzelf of in het hoofd (dus niet hoorbaar) te doen.

Het verkorten wordt onder andere geoefend door middel van wisselrijtjes en rijmoefeningen, waarbij de medeklinkercombinatie als één geheel gezien kan worden (analogie).

Automatiseren van de vaardigheid vindt plaats door een beperkt aantal woorden steeds weer opnieuw aan te bieden, zodat de leerlingen een goed auditief, visueel en schrijfmotorisch beeld van een woord in hun hoofden hebben ingeprent.

Aan het generaliseren wordt gewerkt door leerlingen zelf woorden te laten bedenken, woorden in zinsverband te laten gebruiken, of een verhaal af te laten maken.

Het is belangrijk om veel aandacht te besteden aan oefeningen die ervoor zorgen dat de leerlingen de geleerde vaardigheid in verschillende situaties kunnen toepassen. Hiermee bereid je de leerlingen erop voor dat ook buiten de spellinglessen aandacht aan de schrijfwijze van woorden wordt besteed.

Isoleren, discrimineren en integreren
Naast het oriënteren en optimaliseren wordt aandacht besteed aan het isoleren, discrimineren en integreren. Voor de toelichting op deze begrippen kun je hoofdstuk 3 van de Algemene Inleiding lezen.

Op niveau 3 wordt bij elke spellingcategorie eerst een beperkt aantal woorden met een bepaald kenmerk geïsoleerd aangeboden. Daarna volgt een aantal woorden die uitsluitend een ander kenmerk bevatten. Pas daarna worden woorden met deze twee kenmerken door elkaar heen aangeboden.

Voor de leerprincipes 'controleren' en 'motiveren' kun je verder lezen in de Algemene Inleiding.

3.3. Werkvormen

De handleiding
In deze handleiding vind je de instructies bij de oefeningen in het werkboek. De instructies bevatten onder andere: het bespreken van de betekenis van nieuwe woorden, een uitgebreide oriëntatie op een nieuw probleem, leiding geven aan auditieve oefeningen, het vooraf bespreken van de oefeningen uit het werkboek en het nabespreken van de gemaakte oefeningen.

Zowel de instructies als de auditieve oefeningen zijn in de methode *Spelling in de lift adaptief* erg belangrijk. Deze sluiten aan op de leerstof, of ze bereiden de volgende oefeningen in het werkboek voor.

Regelmatig worden dictees afgenomen, geanalyseerd en nabesproken. Naast woorddictees worden op niveau 3 ook zinnendictees afgenomen om te kijken of de geleerde woorden in deze situaties ook goed geschreven worden.

Het werkboek
Het oefenen van nieuwe medeklinkercombinaties gaat in een min of meer vaste volgorde: eerst visuele discriminatie en inprentingsoefeningen, daarna volgen oefeningen in auditieve discriminatie en auditieve analyse, tot slot oefeningen met het invullen van hele woorden in zinnen of in een verhaaltje, en oefeningen met het invullen van letters in woorden.

Door woorden steeds opnieuw te laten schrijven, wordt het schrijfmotorische woordbeeld geautomatiseerd. Naast deze grafisch-fonologische informatie, wordt er ook aandacht besteed aan semantische en syntactische functies. Aan de hand van plaatjes of eenvoudige zinnen wordt duidelijk gemaakt wat de betekenis van de woorden is en op welke wijze deze gebruikt worden. In deze methode staat de instructie centraal, het werkboek is niet bedoeld als zelfstandig oefenmateriaal. Het is van belang dat je controleert of de leerlingen de bedoeling van de opdracht hebben begrepen.

De oefeningen zijn voorgestructureerd om (te veel) fouten in de nog niet behandelde spellingcategorieën te voorkomen. Ook het zelf schrijven van zinnetjes door de leerlingen komt aan bod. Hierdoor is er ruimte voor de creativiteit van de leerlingen gelaten. Want spelen met spelling en taal is leuk!

3.4 Aanwijzingen per bladzijde, algemeen

De doelenkaart
De doelenkaart (op de binnenkant van de kaft) geeft aan welke onderdelen de leerling in het werkboek gaat doen en kan op twee manieren ingezet worden:

- **Voorafgaand aan het oefenen.**
  Bespreek samen met de leerling welke spellingcategorieën hij al beheerst en welke spellingcategorieën hij nog lastig vindt: kortom, met welke spellingcategorieën gaat de leerling de komende tijd oefenen.
- **Na afloop van het oefenen of na afloop van een dictee.**
  Evalueer het oefenproces met de leerling. Bespreek na in hoeverre de leerling de spellingcategorieën nu beheerst.

Instructie
Tijdens de instructie worden de doelstelling, het te hanteren materiaal en de introductievorm vermeld.

Auditieve oefeningen
De instructie en de woorden die worden aangeboden zijn omschreven. Auditieve analyse-oefeningen kunnen het best visueel ondersteund worden. Dit kan bijvoorbeeld door middel van structuurstroken of structuurvakken.

Gezamenlijke oefeningen
Deze oefeningen kunnen samen met een groepje leerlingen gedaan worden.

dictee

Dictees
Deze dictees zijn in de handleiding te vinden onder respectievelijk paragraaf 4.1 en 4.2.

Betekenis van woorden
Het is belangrijk dat de leerlingen de betekenis van de behandelde woorden kennen. Controleer dit regelmatig door de leerlingen bijvoorbeeld zinnen met de woorden te laten maken.

Zinnen maken
De oefeningen waarbij leerlingen zelf zinnen moeten maken, zijn erg belangrijk. Let erop dat ze toepassen wat ze geleerd hebben. Behalve de behandelde woorden van niveau 3, moeten ook de woorden van niveau 1 en 2 goed geschreven worden. Leerlingen die daartoe in staat zijn, kunnen hoofdletters en leestekens gebruiken.

Creativiteit
Het is goed om de creativiteit van de leerlingen aan te moedigen. Bij de oefeningen is er lang niet altijd sprake van één correct antwoord; soms zijn er alternatieven. Reken het vooral niet fout als een leerling een ander woord invult dat wel in de oefening past. Als dit het geval is, geef de leerling dan een compliment voor zijn originaliteit. Speels omgaan met taal en spelling is leuk en moet zeker aangemoedigd worden!

3.5 Aanwijzingen per bladzijde, specifiek

1 Combinaties van drie of meer medeklinkers

Bladzijde 4
Instructie

Doel: De leerling oriënteert zich op combinaties van drie medeklinkers (spr- en str-) aan het begin van klankzuivere woorden.

Introductie: Noem de volgende woorden: struik, sproet, straf. Vraag de leerling wat de eerste drie letters van elk woord zijn en schrijf die op het bord. Trek samen de conclusie dat in woorden dus ook drie medeklinkers aan het begin kunnen staan en dat je altijd goed moet luisteren om erachter te komen welke dat zijn. Je kunt voor meer voorbeeldwoorden de woordenlijst bekijken.

Controleer steeds of de leerling de betekenis van de woorden kent.

Auditieve oefening
Wat is het spr- of str- woord?

spits – sprits
straf – staf
stip – strip
stoom – stroom
spuit – spruit
straat – staat
sproet – spoed
staal – straal

Bladzijde 7
Deze bladzijde wordt afgesloten met een controledictee.
De controledictees zijn opgenomen in paragraaf 4.1.

Bladzijde 8
Instructie

Doel:De leerling leert: 'Je hoort sg aan het begin van het woord, je schrijft sch.'

Introductie: Schrijf de volgende woorden op het bord: schuur, schrift, schaap. Laat de woorden oplezen. Vraag de leerling wat hij vooraan hoort en hoe je dat schrijft. Laat hem de sch in het woord onderstrepen.

Nadat alle drie de woorden aan bod gekomen zijn, wordt achter het rijtje sch- gezet en daarachter een tekening van het sleutelwoord schaap. Vraag vervolgens of de leerling nog meer woorden met sch- kent en laat hiervan de eenlettergrepige, klankzuivere woorden opschrijven. Wijs de leerling op de afbeelding van het schaap in het werkboek. Het sleutelwoord schaap is een geheugensteuntje.

Auditieve oefening
Bedenk een rijmwoord met sch-:

staal – vuur – wip – groen – zeef – aap – sik – kool – tuin – dop – kort

Bladzijde 9
Oefening 3
De oefeningen waarbij leerling zelf zinnen moet maken zijn erg belangrijk. Let goed op dat hij toepast wat hij al geleerd heeft.

Bladzijde 11
Deze bladzijde wordt afgesloten met een controledictee. Dit dictee is te vinden in paragraaf 4.1.

Bladzijde 12
Instructie

Doel: De leerling oriënteert zich op combinaties van drie of meer medeklinkers achteraan bij klankzuivere woorden.

Introductie: Noem het woord: kerst.
Vraag welke drie letters aan het eind staan en laat die opschrijven. Zodra de goede letters zijn geschreven, kan het woord worden afgemaakt. Concludeer dat dus ook aan het eind van het woord meer dan twee medeklinkers achter elkaar kunnen staan. Je kunt verder oefenen met de woorden: dienst, schaatst.

Oefening 4
Het maken van zinnen is erg belangrijk.
Let goed op of de leerling toepast wat hij net geleerd heeft. Kijk ook of hij de woorden van niveau 1 en 2 wel juist schrijft. Bekijk ook of de leerling hoofdletters en leestekens gebruikt.

Auditieve oefening
Welk woord blijft over als je een klank weg laat?

kerst – t
kunst – n

films – s
dienst – s
zelfs – s
werkt – t
korst – s
schaatst – t

Bladzijde 15
Deze bladzijde wordt afgesloten met een controledictee.
Dit dictee is te vinden in paragraaf 4.1.

Bladzijde 16
Op deze bladzijde worden nieuwe combinaties van drie of meer medeklinkers aan het eind van het woord geïntroduceerd. Let erop of de leerling de betekenis van de woorden kent.

Bladzijde 17
Geef vooral veel aandacht aan oefening 2, waarbij het gaat om het toepassen van het geleerde in zinnen.

Bladzijde 18
Deze bladzijde wordt afgesloten met een controledictee.
Dit dictee is te vinden in paragraaf 4.1.

Bladzijde 19
Auditieve oefening
Welk woord rijmt op:

harkt – borst – minst – merkt – dunst – laatst – dorst – oogst

Bladzijde 20
Onderdeel 1 'Combinaties van drie of meer medeklinkers' wordt hier afgesloten met een einddictee.
De einddictees zijn opgenomen in paragraaf 4.2.

2 ng – nk

Bladzijde 22

Instructie

Doel: De leerling oriënteert zich op de ng, waarbij ring als sleutelwoord dient.

Introductie: Schrijf het woord 'ring' groot op en onderstreep de -ng. Wijs de leerling op het plaatje van de ring in het werkboek. Benadruk dat als hij ng aan het eind van een woord hoort, hij ng schrijft net als bij ring.
De ng is één klank die auditief niet uit elkaar gehaald kan worden. Het sleutelwoord ring is een geheugensteuntje.
Vraag de leerling of hij woorden met -ng kent. Die kunnen eventueel ook opgeschreven worden.

Auditieve oefening
Lees de woorden op. Laat de leerling de ogen sluiten en de vinger opsteken als hij een ring-woord hoort, een woord met ng op het eind:

aap – boer – gang – reus – pan – eng – zing – dier – ton – kaas – man – wang – jong – fijn – kring – goud – zon – tong – straf – streng – kar – lang – mat – ding

Bladzijde 24

Deze bladzijde wordt afgesloten met een controledictee.
Dit dictee is te vinden in paragraaf 4.1.

Bladzijde 25

Hier begint de introductie van de woorden met nk. Deze klank wordt als één geheel aangeboden en wordt niet uit elkaar gehaald.

Je kunt het sleutelwoord bank als geheugensteuntje aanbieden. Schrijf het woord op het bord, onderstreep de laatste twee letters en benadruk de uitspraak.

Auditieve oefening
Lees de woorden voor en laat de vinger opsteken bij een bank-woord, een woord met -nk:
boom – pink – kast – plank – denk – bak – wieg – dak – hoed – dank – vuur – balk – stank – mak – krant – vink – vonk – wolk – van – dorp – slank – drink – fiets – zak – zink

Bladzijde 27

Oefening 3

Let op de juiste vervoeging van het werkwoord. Dit vinden veel leerlingen lastig.

Deze bladzijde wordt afgesloten met een controledictee.
Dit dictee is te vinden in paragraaf 4.1.

Bladzijde 28

Op deze bladzijde worden de woorden met ng of nk voor het eerst door elkaar aangeboden.

Blijf erop letten dat de leerling deze combinaties als één klank blijft opvatten. Verwijs waar het nodig is naar de sleutelwoorden ring en bank.

Auditieve oefening

Lees de woorden voor en laat de vinger opsteken als hij een woord met -ng hoort:

zon – jong – bank – pan – lang – drink – zing – min – pen – breng – wenk – slank – wang – flink – ton – zingt – denkt – rent – schenkt – brengt – langs

Bladzijde 29

Oefening 2

Let op of de zinnen goed geformuleerd zijn en of met name de ng- en nk-woorden juist gespeld zijn. Beloon de creatieve oplossingen.

Auditieve oefening

Laat steeds het woord noemen dat niet rijmt:

wang – man – bang
dank – slank – stang
vonk – zon – bron
spin – min – pink
kan – vang – man
jong – tong – honk
ding – tin – ring
denk – wenk – streng
dan – bang – lang
flink – pink – zing

Vooral als achter de ng-klank een t komt, kan verwarring met de combinatie nkt optreden. Laat in zo'n geval de woorden horen zonder t er achter, bijvoorbeeld: schenkt – zingt / schenk – zing.

Deze bladzijde wordt afgesloten met een controledictee.
Dit dictee is te vinden in paragraaf 4.1.

Bladzijde 30
Onderdeel 2 'ng – nk' wordt hier afgesloten met een einddictee.
Dit dictee is opgenomen in paragraaf 4.2.

3 f - v

Bladzijde 32
Instructie

Doel: De leerling leert de klank en de schrijfwijze van de letter f.

Introductie: Op bladzijde 32 worden de woorden met f aan het begin van het woord geïntroduceerd.
De hoofdregel is: 'Je schrijft het woord zoals je het hoort.' Als steun kun je de leerling de afbeelding van een fietspomp laten zien, waarin een f staat geschreven. De f heet in deze methode ook wel de fietspompletter.
Illustreer dit met behulp van een aantal woorden uit de woordenlijst.

Oefening 1
Het is belangrijk om te controleren of de leerling weet wat de woorden betekenen. Een mogelijkheid hiertoe is bijvoorbeeld om je hem met elk woord een zin te laten maken.
De leerling moet een duidelijke f laten horen bij het lezen van de woorden.

Auditieve oefening
Lees de woorden per regel langzaam op en laat bij elk woord met een f een vinger opsteken:

aap – boor – deur – fles – fruit – taart – noot – leuk
bel – huis – kleur – feest – lucht – dier – fris – tien
mond – keur – doek – film – heer – raap – reus – rond
kring – prins – dik – fiets – plint – loop – zing – warm
dun – zucht – kaart – flink – fel – druk – melk – plek
worm – bus – schaap – fee – leek – roos – knie – bal
boom – zee – sneeuw – fors – hek – toon – werk – wolk
mens – boos – stad – fijn – man – kaart – wind – bloem
trap – stal – slang – fout – tijd – lip – Frank – ring
kaas – paard – kar – feit – blij – goud – spijt – plaat

Bladzijde 33
Op deze bladzijde worden de woorden met een f aan het eind geïntroduceerd.

Bladzijde 34
De leerling leert dat er ook woorden bestaan waarin na de f nog één of meer letters komen, in bijvoorbeeld herfst.

Deze bladzijde wordt afgesloten met een controledictee.
Dit dictee is te vinden in paragraaf 4.1.

Bladzijde 35
Instructie

Doel: De leerling leert de klank en de schrijfwijze van de letter v.

Introductie: Geef aan dat de leerling nu woorden met een v gaat leren. De hoofdregel is ook nu: 'Je schrijft het woord zoals je het hoort.' De afbeelding van een vliegende vogel met daarin een v is een geheugensteuntje want de letter v wordt de vliegende vogelletter genoemd. Illustreer dit met behulp van een aantal woorden uit de woordenlijst.
Je kunt wijzen op de stemloze f en de stemhebbende v. Bij het uitspreken van de v doen de stembanden mee, maar bij de f niet. Bij de v voel je dus trilling, wanneer je je hand onder je kin (mondbodem) houdt, maar bij de f niet.

Auditieve oefening
Noem telkens een woord met een f en een v (overdreven uitspreken) en vraag welk woord met een v begint. Schrijf die woorden op en laat er een zin mee maken. Je kunt hiervoor de woordenlijst gebruiken.

Bladzijde 37
Deze bladzijde wordt afgesloten met een controledictee.
Dit dictee is te vinden in paragraaf 4.1.

Bladzijde 38
Op deze bladzijde worden voor het eerst woorden met een f of een v door elkaar aangeboden.

Auditieve oefening
Bespreek dat als je goed luistert je kunt horen of je de fietspompletter of de vliegende vogelletter schrijft. Laat de vinger opsteken bij woorden met een f, de fietspompletter: vaas – fles – fris – vol.
Je kunt voor meer woorden de woordenlijst bekijken.

Oefening 3
Bij het maken van zinnen ontstaan wellicht originele exemplaren. Let op het aanmoedigen van de creativiteit!

Bladzijde 39
Op deze bladzijde wordt een hulpregel aangeboden die luidt: 'Achteraan een woord kan alleen een f staan, dus nooit een v.'

Auditieve oefening
Lees afwisselend woorden voor met een f voor- of achteraan en woorden met een v. Laat de leerling vertellen welke letter hij hoort. Je kunt hiervoor de woordenlijst gebruiken.

Deze bladzijde wordt afgesloten met een controledictee.
Dit dictee is te vinden in paragraaf 4.1.

Bladzijde 41
Onderdeel 3 'f – v' wordt hier afgesloten met een einddictee.
Dit dictee is opgenomen in paragraaf 4.2.

4 s – z

Bladzijde 44

Instructie

Doel: De leerling leert de klank en de schrijfwijze van de letter s.

Introductie: Op deze bladzijde worden woorden met een s aangeleerd. De hoofdregel is: 'Je schrijft het woord zoals je het hoort.' De afbeelding van een slang in de vorm van een s is een geheugensteuntje want de letter s wordt de slangletter genoemd. Het sissen van een slang doet ook aan de s denken. Illustreer dit met behulp van een aantal woorden uit de woordenlijst.

Auditieve oefening
Vraag de leerling de ogen te sluiten en de vinger op te steken als hij een woord met de slangletter s hoort:
koe – soep – raam – som – leeg – piep – stuk – slang – leuk – kok – pet – boek – slap – slim – slot – bal – gek – stap – bloem – stem

Oefening 1
Laat bij het lezen van het verhaaltje de leerling goed letten op de scherpe s-klank.

Bladzijde 45
Oefening 2
Het is van belang om duidelijk te maken dat woorden verschillende betekenissen kunnen hebben. Oefeningen waarin zinnen worden gemaakt zijn belangrijk, zodat de leerling ziet dat spelling ook in spontane taal wordt toegepast. Zodra de leerling zinnen kan schrijven, kun je gaan letten op het gebruik van hoofdletters en punten.

Bladzijde 46
Auditieve oefening
Laat de leerling zoveel mogelijk woorden bedenken met: st-, sl- en spr-.

Deze bladzijde wordt afgesloten met een controledictee.
Dit dictee is te vinden in paragraaf 4.1.

Bladzijde 47
Instructie

Doel: De leerling leert de klank en schrijfwijze van de letter z.

Introductie: Op deze bladzijde worden woorden met een z aangeleerd. De afbeelding van een zaag is een geheugensteuntje. De tanden van de zaag vormen steeds de letter z. Daarom wordt de letter z de zaagletter genoemd. Illustreer dit met behulp van een aantal woorden uit de woordenlijst. Eventueel kun je er ook nog op wijzen dat de s stemloos is en de z stemhebbend.

Auditieve oefening
Laat zelf woorden bedenken die met de zaagletter z beginnen. Schrijf een aantal op. Geef hierbij als hulpregel dat een z nooit aan het eind van een woord kan voorkomen.

Bladzijde 48
Oefening 1
Deze oefening is vooral bedoeld om woordbeelden in te oefenen.

Bladzijde 49
Deze bladzijde wordt afgesloten met een controledictee.
Dit dictee is te vinden in paragraaf 4.1.

Bladzijde 50

Auditieve oefening

De leerling geeft aan of hij de slangletter of de zaagletter hoort in de volgende woorden:

stuur – zweet – streng – strand – zwaar – zoon – zee – straf – straat – zorg – stok – stil – zuur – stem – zout – stoel – slot – zand – zin – zoek

Bladzijde 51

Deze bladzijde wordt afgesloten met een controledictee.
Dit dictee is te vinden in paragraaf 4.1.

Bladzijde 52

Auditieve oefening

Bied voorwerpen of afbeeldingen aan met een s of z. Laat de leerling de woorden uitspreken en bepalen of hij een s of z hoort:

som – zaag – zakmes – stoel – zes – zwembroek – spel – ster – stok – zwaan – zon – zeilboot

Bladzijde 53

De volgende hulpregel wordt aangeboden: 'Aan het eind van een woord kan nooit een z staan.'

Auditieve oefening

Laat bij de volgende woorden aangeven of de leerling een slangletter of zaagletter hoort en waar hij deze hoort:

zoek – peen – zus – mens
kaas – stap – spreek – zwemt
steen – zelf – muts – soms
zaag – slim – zee – zes

Onderdeel 4 's – z' wordt hier afgesloten met een einddictee.
Dit dictee is opgenomen in paragraaf 4.2.

4 Dictees

4.1 Controledictees

Dictees bij 1 Combinaties van drie of meer medeklinkers

Controledictee na bladzijde 7

	Schrijf op:
1. Aan deze struik groeien bessen.	struik
2. Ik heb een sproet op mijn neus.	sproet
3. De hond loopt op straat.	straat
4. Dat is lekkere stroop.	stroop
5. Ik lees graag een strip.	strip
6. Waarom heb jij een strik om?	strik
7. Ik spreek je niet tegen.	spreek
8. Lust jij deze sprits?	sprits
9. Ik kom straks even langs.	straks
10. De stroom is uitgevallen.	stroom

Controledictee na bladzijde 11

Schrijf de hele zin op:

1. Ik schrijf in mijn schrift.
2. Het schaap schrikt van het schot.
3. De schaar is scherp.
4. In die straat staat mijn school.
5. De schuur heeft een schuin dak.

Controledictee na bladzijde 15

	Schrijf op:
1. Met kerst lag er sneeuw.	kerst
2. Deze toren is het hoogst.	hoogst
3. Hij botst tegen mij aan.	botst
4. Ik heb twee knikkers winst.	winst
5. In mijn bord zit een barst.	barst
6. Wie is het grootst?	grootst
7. De arts heeft een lange dienst.	dienst
8. Ik heb dorst.	dorst
9. Hij schaatst op de vijver.	schaatst
10. Na de zomer komt de herfst.	herfst

Controledictee na bladzijde 18

	Schrijf op:
1. Welke films vind jij goed?	films
2. Die jongen werkt erg hard.	werkt
3. De boer melkt de koeien.	melkt
4. Geef mij de helft van je knikkers.	helft
5. Zij durft dat niet.	durft
6. Hij hurkt om de poes te kunnen aaien.	hurkt
7. De arts kwam toen ik ziek was.	arts
8. Zij merkt er niets van.	merkt
9. De omroeper was zijn tekst kwijt.	tekst
10. Mijn moeder koopt kaas op de markt.	markt

Dictees bij 2 ng – nk

Controledictee na bladzijde 24

	Schrijf op:
1. Ik vind dat een eng verhaal.	eng
2. Hang je jas maar in de gang.	gang
3. Opa is niet zo jong meer.	jong
4. Zij heeft lang haar.	lang
5. We staan in een kring.	kring
6. Hij rolt de slang op.	slang
7. Mijn jas hangt aan de kapstok.	hangt
8. Hij loopt langs de weg.	langs
9. Ik spring heel hoog.	spring
10. De postbode brengt de brieven rond.	brengt

Controledictee na bladzijde 27

Schrijf de hele zin op:

1. Henk zit op de bank.
2. Hij denkt dat die drank stinkt.
3. Die plank viel op mijn pink.
4. Zij drinkt een glas melk.
5. Ank is heel slank.

Controledictee na bladzijde 29

		Schrijf op:
1.	Wat stinkt het hier!	stinkt
2.	Zij verloor haar ring.	ring
3.	Er klonk een luide schreeuw.	klonk
4.	Kom je morgen even langs?	langs
5.	Hij nam een grote sprong.	sprong
6.	Wat drinkt die jongen veel melk.	drinkt
7.	Je kleinste vinger heet pink.	pink
8.	Wie is er het langst?	langst
9.	We hebben een nieuwe bank.	bank
10.	Mijn zus hangt de was op.	hangt

Dictees bij 3 f – v

Controledictee na bladzijde 34

		Schrijf op:
1.	Een fiets heeft twee wielen.	fiets
2.	Geef mij die fles eens aan.	fles
3.	De klok slaat twaalf uur.	twaalf
4.	Na tien komt elf.	elf
5.	Na de zomer komt de herfst.	herfst
6.	Zij schrijft met rechts.	schrijft
7.	Het blijft maar regenen.	blijft
8.	Vond je dat een leuke film?	film
9.	Hij werkte flink door.	flink
10.	Er sloeg een golf over het kleine bootje.	golf

Controledictee na bladzijde 37

	Schrijf op:
1. De dief viel op de vloer.	vloer
2. Twee en twee is vier.	vier
3. Waarom vraag je dat?	vraag
4. De vogel vliegt.	vliegt
5. Op zondag ben je vrij.	vrij
6. Toen sloeg de vlam in de pan.	vlam
7. Pas op, de verf is nog nat!	verf
8. Houd het touw goed vast.	vast
9. Waarom hangt de vlag uit?	vlag
10. Die noot klinkt vals.	vals

Controledictee na bladzijde 39

	Schrijf op:
1. Ik vind de vakantie het fijnst.	fijnst
2. De boer voert de varkens.	voert
3. Geef mij nog een druif.	druif
4. Het regent flink!	flink
5. Vandaag ving ik niets.	ving
6. De bedelaar vraagt om geld.	vraagt
7. De fles is nog half vol.	half
8. Schrijf het maar in je schrift.	schrift
9. Ik heb een groen vest.	vest
10. Mijn sokken zijn het vuilst.	vuilst

Dictees bij 4 s – z

Controledictee na bladzijde 46

Schrijf de hele zin op:

1. De stoel is stuk.
2. De sint heeft een staf.
3. Er steekt een storm op.
4. Die sloot is maar smal.
5. De koe staat op stal.

Controledictee na bladzijde 49

Schrijf de hele zin op:

1. Zijn zoon is erg ziek.
2. Dat zal ik zelf wel zien.
3. Die zwaan is niet wit maar zwart.
4. Ik zoek een zaag

Controledictee na bladzijde 51

	Schrijf op:
1. Zij is nooit ziek.	zij
2. Iedereen zweeg.	zweeg
3. Die aap is het slimst.	slimst
4. Zelfs de juf heeft graag vakantie.	zelfs
5. Wie lust er een sprits?	sprits
6. De zoom is uit mijn rok.	zoom
7. Van die dieren is de beer het sterkst.	sterkst
8. Naast ons huis staat een boom.	naast
9. Wat is die tas zwaar!	zwaar
10. Zij spaart voor een brommer.	spaart

4.2 Einddictees

Einddictee bij 1 Combinaties van drie of meer medeklinkers

(na bladzijde 20)

	Schrijf op:
1. Het touw is strak gespannen.	strak
2. Hij fietst naar huis.	fietst
3. Ik eet boerenkool met worst.	worst
4. Streep dat woord maar door.	streep
5. Ik koop bloemen op de markt.	markt
6. De deur van de schuur staat open.	schuur
7. De schil van een appel is groen.	schil
8. Een ander woord voor dokter is arts.	arts
9. Ik krijg nooit straf.	straf
10. Ik krijg alweer het minst.	minst
11. Ons huis heeft een schuin dak.	schuin
12. Hij werkt tot diep in de nacht.	werkt
13. Jij bent altijd het laatst.	laatst
14. Ik sprak hem gisteren nog.	sprak
15. Dat merkt niemand.	merkt
16. Ik schaats op het ijs.	schaats
17. Ik snijd de korst van mijn brood.	korst
18. Ik draai de schroef goed vast.	schroef
19. Ik vind jou het liefst!	liefst
20. Sproet is een lieve hond.	sproet

Einddictee bij 2 ng – nk

(na bladzijde 30)

	Schrijf op:
1. Er zit een stang op mijn fiets.	stang
2. Je hebt flink je best gedaan.	flink
3. Ik denk dat ik de wedstrijd win.	denk
4. Moeder koopt een stronk andijvie.	stronk
5. Dank je wel.	dank
6. Hij steekt zijn tong uit.	tong
7. Wat is dat voor ding?	ding
8. De viool heeft een mooie klank.	klank
9. De pap zit al lang in de pan.	lang
10. Ik ben niet bang.	bang
11. Onze juf is niet streng.	streng
12. Wat klinkt dat vals.	klinkt
13. De timmerman zaagt een plank.	plank
14. Je denkt niet goed na.	denkt
15. Hij springt van zijn fiets.	springt
16. Zij schenkt melk in het glas.	schenkt
17. Mijn wang is dik.	wang
18. Hij brengt mij even naar huis.	brengt
19. Wie schrijft er links?	links
20. Hij schreeuwt van angst.	angst

Einddictee bij 3 f – v

(na bladzijde 41)

	Schrijf op:
1. Fijn, dat je nog even blijft.	fijn – blijft
2. Ga je te voet of met de fiets?	voet – fiets
3. Ik geef een feest.	geef – feest
4. Een duif vliegt heel ver.	duif – vliegt
5. Die brief staat vol mooie woorden.	brief – vol
6. Vier is de helft van acht.	vier – helft
7. Zij speelt vaak op de fluit.	vaak – fluit
8. Die vis is nog heel vers.	vis – vers
9. De juf is vroeg op school.	juf – vroeg
10. Vraag toch niet zo veel!	vraag – veel

Einddictee bij 4 s – z

(na bladzijde 53)

	Schrijf op:
1. Ik kom straks.	straks
2. Wie zorgt er voor de koffie?	zorgt
3. Doe jij het zelf even?	zelf
4. Heb jij geen spijt?	spijt
5. Ik krijg nooit straf.	straf
6. Zij is erg ziek geweest.	ziek
7. De auto stopt voor de deur.	stopt
8. Dat zal ik doen.	zal
9. Twee keer drie is zes.	zes
10. Ik eet soep uit een soepkop.	soep
11. Wat zoekt hij?	zoekt
12. Citroenen zijn zuur.	zuur
13. Zij koopt een zak drop.	zak
14. Zij speelt met de bal.	speelt
15. Wit is niet zwart.	zwart
16. Het schip vaart op zee.	zee
17. Een beer is sterk.	sterk
18. Wie zegt dat ?	zegt
19. Hij loopt op de stoep.	stoep
20. Met wie spreek ik?	spreek

5 Woordenlijsten

Woordenlijst 1 Combinaties van drie of meer medeklinkers

drie medeklinkers vooraan

sch-
schaal
schaap
schaar
schaats
schat
scheef
schelp
schep
scherm
scherp
schiet
schil
schip
schoen
schok
school
schoon
schoot
schop
schort
schot
schots
schreef
schrift
schrijf
schrijft
schrik
schrikt
schroef
schrok
schuil
schuilt
schuim
schuin
schuur

spr-
sprak
spreek
spreekt
sprits
sproet
spruit

str-
straat
straf
strak
straks
streek
streep
strijk
strijkt
strik
strip
stroom
stroop
strop
struik

drie medeklinkers achteraan

arts
barst
borst
botst
danst
dienst
dorst
dunst
durft
fietst
films
grootst
helft
helpt
herfst
hoogst
hurkt
kerst
komst
korst
kortst
kunst
laagst
liefst
markt
melkt
merkt
minst
morst
oogst
schaatst
tekst
wenst
werkt
winst
worst

Woordenlijst 2 ng – nk

ng
bang
breng
ding
eng
gang
hang
hing
jong
kring
lang
ring
slang
spring
sprong
stang
streng
tang
tong
wang

nk
bank
dank
denk
drank
drink
dronk
flink
klank
klink
klonk
link
pink
plank
schenk
schonk
slank
stank
stink
stonk
stronk
vink

nk + medeklinker(s)

dankt
denkt
drinkt
inkt
klinkt
links
schenkt
stinkt

ng + medeklinker(s)

angst
bangst
brengt
engst
hangt
jongst
langs
langst
springt
strengst

Woordenlijst 3 f – v

f aan het begin

fee
feest
fel
fiets
fietst
fijn
film
filmt
fit
fles
flink
floot
fluit
fors
friet
fris
fruit

f aan het eind

af
bleef
blijf
boef
bof
braaf
brief
dief
dof
doof
draf
dreef
druif
drijf
duif
durf
elf
erf
gaf
geef
golf
graaf
grof
half
hoef
hof
juf
kalf
leef
lief
lijf
lof
neef
of
proef
scheef
schreef
schroef
schrijf
schuif
slurf
staf
stijf
stof
straf
twaalf
wolf

f + medeklinker(s) aan het eind

blaft
blijft
boft
drijft
durft
geeft
graaft
heeft
helft
herfst
hoeft
leeft
liefst
lift
proeft
schrift
schrijft
schroeft
schuift
stift
stoft
straft

v aan het begin

vaag
vaak
vaar
vaart
vaas
vak
val
vals
valt
van
vang
vangt
vast
vat
vee
veeg
veegt
veel
vel
vent
ver
verf
verft
vers
verst
vest
vet
viel
vier
viert
vies
vijf
ving
vink
vis
vist
vlag
vlak
vlam
vlees
vlek
vlieg
vliegt
vloer
vloog
vloot
vlot
vlug
voel
voelt
voer
voert
voet
vol
volg
volgt
volk
vonk
vork
vorm
vormt
vorst
vos
vraag
vraagt
vrij
vroeg
vuil
vuilst
vuist
vul
vult
vuur

Woordenlijst 4 s – z

s aan het begin

sint	sluit	speelt	stam	stof
slaap	slurf	spel	stank	stoft
slaapt	smaak	spijt	stapt	stok
slaat	smaakt	spin	start	stomp
slag	smal	spint	steek	stompt
slak	smalst	spons	steekt	stop
slang	snel	sport	steel	stopt
slank	snelst	spot	steelt	storm
slap	snoep	sprak	steen	straat
slee	snoot	spreek	stem	straf
sliep	snuit	spreekt	ster	strak
slik	soep	sprong	sterk	straks
slikt	sok	staal	sterkst	streng
slim	som	staart	stier	strengst
slimst	soms	staat	stijf	stuk
sloeg	spaar	staf	stil	stuur
sloot	spaart	stak	stoel	stuurt
slot	speel	stal	stoep	

s aan het eind

als	glas	kus	poets	vlees
arts	gras	laars	pols	vos
baas	grens	langs	poos	wals
bes	grijs	lees	prijs	was
bloes	haas	les	prins	wens
boos	hals	links	reus	wijs
bos	heks	los	rits	
broers	heus	luis	roos	
buis	huis	lus	rots	
bus	iets	mens	rups	
dans	ijs	mes	schaats	
das	is	mis	schots	
doos	jas	muis	soms	
dwaas	kaars	mus	spits	
dwars	kaas	muts	spons	
eens	kans	neus	sprits	
fiets	kers	nies	straks	
films	keus	niets	tas	
fles	kies	ons	toets	
fors	klas	paars	trots	
fris	kluis	pas	vaas	
gans	klus	plaats	vals	
gas	krans	plas	vers	
gips	kras	plus	vies	
glans	kruis	poes	vis	

s + medeklinker(s) aan het eind

angst	gesp	kwast	oost	vast
barst	grootst	laagst	past	verst
beest	haast	laatst	post	vest
best	herfst	langst	rasp	vorst
blaast	hoest	last	rest	vuilst
borst	hoogst	leest	rijst	vuist
botst	jongst	liefst	roest	wast
danst	juist	lijst	rust	wenst
dienst	kast	lust	schaatst	wesp
dikst	kiest	mast	slimst	west
dorst	kist	meest	smalst	wijst
dunst	komst	mest	snelst	winst
feest	korst	mist	sterkst	woest
fietst	kortst	naast	strengst	worst
fijnst	kunst	nest	tekst	
gast	kust	oogst	test	

z aan het begin

zaag	zeep	zijn	zoet	zwak
zaak	zeg	zin	zon	zwart
zaal	zegt	zing	zong	zweeg
zag	zelf	zingt	zoom	zweet
zak	zelfs	zink	zoon	zwem
zal	zes	zinkt	zorg	zwijg
zalf	zet	zit	zorgt	zwijgt
zalm	zie	zoek	zus	zwom
zat	ziek	zoekt	zuur	
zee	ziet	zoen	zwaan	
zeef	zij	zoent	zwaar	

Spelling in de lift adaptief

handleiding niveau 4

aai – ooi – oei
eer – oor – eur
d – t
ei – ij

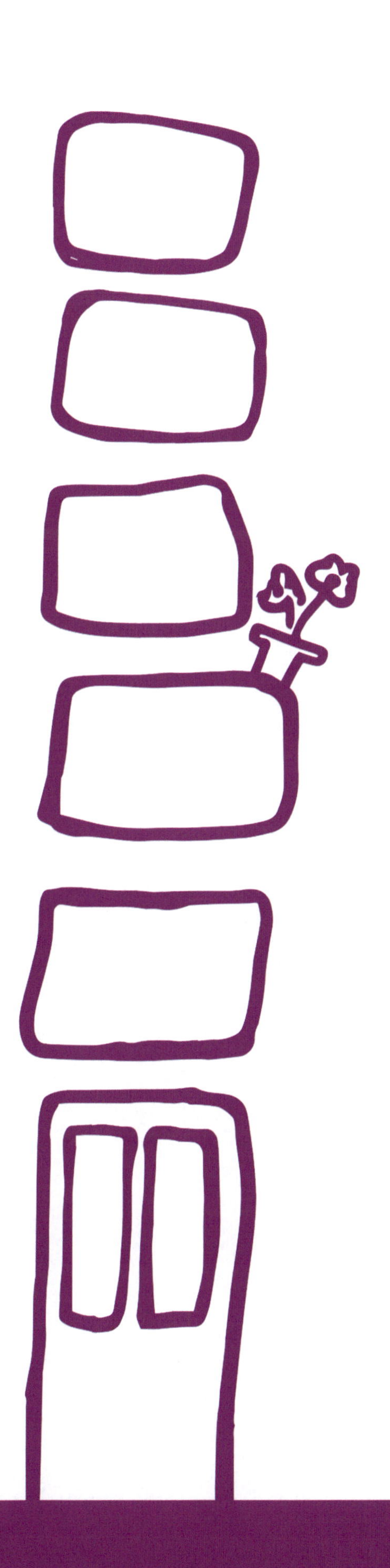

Inhoud

1 Doelstellingen

1.1 Algemene doelstellingen

Het werkboek niveau 4 is een onderdeel van de methode *Spelling in de lift adaptief*. Met deze methode leren leerlingen de schrijfwijze van veelvoorkomende Nederlandse woorden. Het is van belang dat leerlingen de woorden die ze leren, niet alleen goed schrijven in de spellinglessen, maar dat ze die kennis ook gaan gebruiken in hun spontane schriftelijke taalgebruik. Hiervoor zijn speciale oefeningen opgenomen. Voor een verdere toelichting van de algemene doelstellingen kun je de Algemene Inleiding raadplegen.

1.2 Doelstellingen van niveau 4

Op dit niveau wordt de spelling aangeleerd van veelvoorkomende woorden die bestaan uit één klank groep en in één van de volgende spellingcategorieën vallen:

- aai – ooi – oei (bijvoorbeeld: zwaai, mooi, groei);
- eer – oor – eur (bijvoorbeeld: meer, boor, deur);
- d – t (bijvoorbeeld: hand, nest);
- ei – ij (bijvoorbeeld: klein, rijk).

2 Opbouw

2.1 Instaptoets

Om de beginsituatie van de leerling vast te stellen, wordt in de digitale omgeving gestart met een instaptoets.

Deze instaptoets is passend bij de didactische leeftijd van de leerling en de periode van een jaar terug: er worden enkel spellingcategorieën getoetst waar de leerling op dat moment in zijn leerproces aan toe is of is geweest.

De instaptoets duurt ongeveer 40 tot 60 minuten. Het advies is om de tijd van de instaptoets te verspreiden over verschillende momenten op een dag of in een week. Zo minimaliseer je eventuele onzekerheid of frustratie. De instaptoets gaat automatisch verder waar de leerling gebleven is.

De resultaten van de leerling worden na het afronden van de instaptoets in het resultatenscherm van de leerkracht getoond. Hierop kun je precies zien welke spellingcategorieën de leerling al goed beheerst en op welke spellingcategorieën nog meer geoefend moet worden. Ook kun je het niveau van klankherkenning inzien. Het systeem zet, op basis van de resultaten, vervolgens automatisch oefenstof klaar.

2.2 Digitaal verwerken

Tijdens het digitaal verwerken kun je in het resultatenscherm de voortgang van de leerling inzien. Wanneer een leerling uitvalt op een spellingcategorie wordt in het resultatenscherm verwezen naar deze categorie binnen de handleiding per niveau van *Spelling in de lift adaptief.* De leerling heeft dan baat bij instructie, begeleide inoefening en verwerking die gestuurd wordt door de leerkracht.

Aan de klankherkenning en het klankonderscheid hangt geen 'goed' of 'fout' niveau. Het doel hiervan is om de snelheid van de verwerking van klank-tekenkoppeling te vergroten. Vooruitgang is daarbij het streven.

2.3 Instructie en verwerken op papier

IIn het resultatenscherm zie je op welke spellingcategorieën van niveau 4 de leerling uitvalt. Ga samen met de leerling aan de slag met de desbetreffende spellingcategorieën.

Het is dus zeker niet zo dat de leerling alle opdrachten uit het werkboekje van niveau 4 moet maken. Het mag natuurlijk wel, want extra oefening kan nooit kwaad.

In deze handleiding staan per bladzijde van het werkboek instructies en aanwijzingen bij de opdrachten. Daarnaast vind je bij verschillende bladzijden auditieve oefeningen die je samen met de leerling kunt doen. In hoofdstuk 3 vind je hoe deze zijn aangegeven, in zowel de handleiding, als in het werkboek.

2.4 Evaluatie

Tussen de verschillende oefeningen door zijn controledictees voorhanden om na te gaan waar de leerling zich op dat moment in zijn leerproces bevindt. Aan het eind van iedere spellingcategorie vind je een einddictee. Dit kun je naast het controledictee en de gemaakte opgaven leggen om de voortgang van de leerling inzichtelijk te maken.

Zowel aan het controledictee, als aan het einddictee hangen geen normeringen.

De voortgang van de leerling wordt nog duidelijker zichtbaar door hem, na het oefenen op papier, weer digitaal te laten oefenen. In het resultatenscherm kun je zien hoe de leerling nu scoort op de spellingcategorieën.

3 Didactiek

3.1 Leerinhouden

In het werkboek vind je de volgende categorieën:

1 aai – ooi – oei

woorden met aai (blz. 4 en 5)
woorden met ooi of aai (blz. 6 en 7)
woorden met oei, ooi of aai (blz. 8 t/m 10)

2 eer – oor – eur

woorden met eer (blz. 14 t/m 17)
woorden met oor (blz. 18)
woorden met oor of eer (blz. 19 t/m 22)
woorden met eur, oor of eer (blz. 23 t/m 26)

3 d – t

introductie verlengingsregel door middel van een lied woorden met t aan het eind (blz. 28)
woorden met t aan het eind (blz. 29 t/m 31)
woorden met d aan het eind (blz. 32 t/m 35)
woorden met t of d aan het eind (blz. 36 t/m 38)
woorden met t of d aan het eind waarop de verlengingsregel niet van toepassing is (blz. 39)

4 ei – ij

introductie en inprenting door middel van het ei-verhaal (blz. 42 t/m 45)
woorden met ei (blz. 46 t/m 52)
woorden met ij (blz. 53 en 54)
woorden met ei of ij (blz. 55 t/m 59)

3.2 Leerprincipes

Voor een algemene toelichting op de verschillende leerprincipes kun je hoofdstuk 3 van de Algemene Inleiding lezen. Hieronder wordt besproken hoe deze leerprincipes op niveau 4 plaatsvinden.

Oriënteren
De woorden van niveau 4 zijn niet uitsluitend met behulp van de hoofdregel van de Nederlandse spelling (Je schrijft het woord zoals je het hoort.) aan te leren. Wel is het in de oriëntatiefase op dit niveau belangrijk dat de leerlingen goed naar de woorden luisteren.

Bij het aanbieden van de spellingcategorieën is een volgorde van gemakkelijk naar moeilijk aangehouden:

1 De drietekenklanken aai, ooi, oei kunnen het best als één geheel ingeprent worden. Als hulpregel geldt dat aan het eind van een woord nooit een 'j' kan staan. Bovendien schrijf je na de aa, oo, of oe een 'i' als je een 'j' hoort.

2 Bij het aanleren van eer, oor, eur, noemen we de 'r' de plaagletter. De leerlingen leren dat de ee, oo en eu onder invloed van de 'r' anders gaan klinken. Als aanvulling op de hoofdregel geldt hier: 'Luister goed en denk aan de plaagletter.'

3 Bij de woorden met een 'd' of een 't' aan het eind wordt de volgende hoofdregel aangeleerd:

'Wanneer je aan het eind van een woord een 't' hoort, maak je het woord langer om te weten of je een 't' of een 'd' moet schrijven.'

Deze hoofdregel wordt in het werkboek duidelijk gemaakt met behulp van een lied op bladzijde 28: 'een d of een t'.

Bij het langer maken wordt, wanneer dit mogelijk is, het woord in het meervoud gezet (wond – wonden). Lukt dat niet, dan wordt er een bijvoeglijk naamwoord van gemaakt (goed – goede).

Dan blijven woorden over die niet langer gemaakt kunnen worden, zoals: niet, het, tot, fruit.Daarom wordt de volgende hulpregel aangeboden:
'Sommige woorden kun je niet goed langer maken om te horen of je een 't' of een 'd' schrijft. Die woorden schrijf je altijd met een t, behalve zand, geld , grond en grind.'

Als extra ondersteuning leren de leerlingen de volgende zin: *Het geld lag op de grond tussen het zand en het grind.*

4 Voor het aanleren van woorden met 'ei' of 'ij' zijn geen regels te geven. Daarom is ervoor gekozen om het aan te leren in een zinvol verband. Dit gebeurt door middel van het inprenten van het zogenaamde 'ei-verhaal'. De woorden die niet in het 'ei-verhaal' voorkomen, worden met een ij geschreven. Het leren van het ei-verhaal

wordt ondersteund door afbeeldingen. Het memoriseren wordt gemakkelijker gemaakt doordat het verhaal zoveel mogelijk op rijm is gezet.

De leerlingen leren in de oriëntatiefase ook de betekenis van de gebruikte woorden. In de oefeningen en instructie wordt hieraan extra aandacht besteed. Je kunt de leerlingen de woorden in context laten gebruiken, bijvoorbeeld in een zin.

Optimaliseren
Achtereenvolgens gaat het hierbij om het verinnerlijken, verkorten, automatiseren en generaliseren.

Bij het verinnerlijken leren de leerlingen om niet meer hardop auditief te analyseren, maar om dit fluisterend voor zichzelf of in het hoofd (dus niet hoorbaar) te doen.

Het verkorten wordt onder meer geoefend door wisselrijtjes en rijmoefeningen.

Automatiseren van de vaardigheid vindt plaats door een beperkt aantal woorden steeds weer opnieuw aan te bieden, zodat de leerlingen een goed auditief, visueel en schrijfmotorisch beeld van een woord in hun hoofden hebben ingeprent.

Aan het generaliseren wordt gewerkt door leerlingen zelf woorden te laten bedenken, woorden in zinsverband te laten gebruiken of een verhaal af te laten maken. Ook het laten bedenken en schrijven van samengestelde woorden is een vorm van generaliseren.

Het is belangrijk om veel aandacht te besteden aan oefeningen die ervoor zorgen dat de leerlingen de vaardigheid in verschillende situaties kunnen toepassen. Hiermee bereid je de leerlingen erop voor dat ook buiten de spellinglessen aandacht aan de schrijfwijze van woorden wordt besteed.

Isoleren, discrimineren en integreren
Naast het oriënteren en optimaliseren wordt aandacht besteed aan het isoleren, discrimineren en integreren. Voor de toelichting op deze begrippen kun je hoofdstuk 3 van de Algemene Inleiding lezen.

Op niveau 4 wordt bij elke spellingcategorie eerst een beperkt aantal woorden met een bepaald kenmerk geïsoleerd aangeboden, bijvoorbeeld woorden met een 't' aan het eind. Daarna volgen een aantal woorden die uitsluitend een ander kenmerk bevatten, in het genoemde voorbeeld 'd' aan het eind. Pas daarna worden woorden met de ene (eind -t) of het andere (eind -d) kenmerk door elkaar heen aangeboden. De leerlingen leren ook steeds hoe ze de opgedane kennis zelf kunnen gebruiken, onder meer bij het maken van samengestelde woorden.

Voor de leerprincipes 'controleren' en 'motiveren' kun je verder lezen in de Algemene Inleiding.

3.3. Werkvormen

De handleiding
In deze handleiding vind je de instructies bij de oefeningen in het werkboek. De instructies bevatten onder andere: het bespreken van de betekenis van nieuwe woorden, een uitgebreide oriëntatie op een nieuwe categorie, het leiding geven aan auditieve oefeningen, het inprenten van het lied 'een d of een t' en het ei-verhaal, het vooraf bespreken van de oefeningen uit het werkboek, het nabespreken van de gemaakte oefeningen.

De auditieve oefeningen zijn in de methode *Spelling in de lift adaptief* erg belangrijk. Deze sluiten aan op de leerstof, of ze bereiden de volgende oefeningen in het werkboek voor. Instructie speelt hierbij een belangrijke rol.

Regelmatig worden dictees afgenomen, geanalyseerd en nabesproken. Naast woorddictees worden op niveau 4 ook zinnendictees afgenomen om te kijken of de geleerde woorden in deze situaties ook goed geschreven worden

Het werkboek
Het oefenen van nieuwe spellingcategorieën gebeurt onder andere door auditieve en visuele inprenting, het invullen van woorden bij plaatjes of in zinnen. Daarna volgen discriminatieoefeningen en oefeningen waar de leerlingen de opgedane kennis zelf gaan gebruiken.

Door woorden steeds opnieuw te laten schrijven, wordt het schrijfmotorische woordbeeld geautomatiseerd. Naast deze grafisch-fonologische informatie, wordt er ook aandacht besteed aan semantische en syntactische functies. Aan de hand van plaatjes of eenvoudige zinnen wordt duidelijk gemaakt wat de betekenis van de woorden is en op welke wijze deze gebruikt worden. In deze methode staat de instructie centraal, het werkboek is niet bedoeld als zelfstandig oefenmateriaal. Het is van belang dat je controleert of de leerlingen de bedoeling van de opdracht hebben begrepen.

3.4 Aanwijzingen per bladzijde, algemeen

De doelenkaart
De doelenkaart (op de binnenkant van de kaft) geeft aan welke onderdelen de leerling in het werkboek gaat doen en kan op twee manieren ingezet worden:

- **Voorafgaand aan het oefenen.**
  Bespreek samen met de leerling welke spellingcategorieën hij al beheerst en welke spellingcategorieën hij nog lastig vindt: kortom, met welke spellingcategorieën gaat de leerling de komende tijd oefenen.
- **Na afloop van het oefenen of na afloop van een dictee.**
  Evalueer het oefenproces met de leerling. Bespreek na in hoeverre de leerling de spellingcategorieën nu beheerst.

Instructie
Tijdens de instructie worden de doelstelling, het te hanteren materiaal en de introductievorm vermeld.

Auditieve oefeningen
De instructie en de woorden die worden aangeboden zijn omschreven. Deze oefeningen kunnen met één of meerdere leerlingen gedaan worden.

Gezamenlijke oefeningen
Deze oefeningen kunnen samen met een groepje leerlingen gedaan worden.

dictee

Dictees
Deze dictees zijn in de handleiding te vinden onder respectievelijk paragraaf 4.1 en 4.2.

Betekenis van woorden
Het is belangrijk dat de leerlingen de betekenis van de behandelde woorden kennen. Controleer dit regelmatig door de leerlingen bijvoorbeeld zinnen met de woorden te laten maken.

Zinnen maken
De oefeningen waarbij leerlingen zelf zinnen moeten maken, zijn erg belangrijk. Let erop dat ze toepassen wat ze geleerd hebben. Behalve de behandelde woorden van niveau 4, moeten ook de woorden van niveau 1 t/m 3 goed geschreven worden.

Creativiteit
Het is goed om de creativiteit van de leerlingen aan te moedigen. Bij de oefeningen is er lang niet altijd sprake van één correct antwoord; soms zijn er alternatieven. Reken het vooral niet fout als een leerling een ander woord invult dat wel in de oefening past. Als dit het geval is, geef de leerling dan een compliment voor zijn originaliteit. Speels omgaan met taal en spelling is leuk en moet zeker aangemoedigd worden!

3.5 Aanwijzingen per bladzijde, specifiek

1 aai – ooi – oei

Bladzijde 4
Instructie

Doel: De leerling leert: 'je hoort aaj, je schrijft aai'.

Introductie: Schrijf op het bord: aai – taai – haai – kraait.

Laat steeds een woord hardop lezen en onderstreep daarna aai. Vraag nog eens hoe dat uitgesproken wordt en geef aan dat je aaj hoort en dat aai altijd met i aan het eind geschreven wordt. De drietekenklank aai leer je dus als één geheel aan.

Als hulpregel kan geleerd worden dat aan het eind van een woord nooit een j geschreven wordt. Bovendien geldt:

als je na de aa in een woord een j hoort, schrijf je aai.

Vraag nadat de vier woorden besproken zijn of de leerling nog meer woorden met aai kent en schrijf die eventueel onder het rijtje.

Auditieve oefening
Steek je hand op bij een aai-woord:
fraai – vraag – haan – haai – zwaan – maait – zwaait – maan – naait – taai – aan – aai

Bladzijde 5
Oefening 3
Herhaal nog eens dat na de aa een i geschreven wordt als je een j hoort. Verder kan het discrimineren tussen ij en aai moeilijk zijn. Laat de leerling goed luisteren naar het verschil tussen de twee klanken.

Na oefening 3 wordt het eerste controledictee afgenomen.
De controledictees zijn opgenomen in paragraaf 4.1.

Bladzijde 6
De introductie van de woorden met ooi vindt plaats. Leer ooi als één klank aan. Je kunt als hulpregel aanbieden dat aan het eind van een woord nooit een j geschreven wordt.

Omdat er weinig woorden met ooi zijn, worden op deze bladzijde de woorden met aai direct herhaald.

Auditieve oefening
Maak er een aai- of ooi-woord van:
goot – zwaan – kraan – noot – proost – doos – taak – haas

Bladzijde 7
Deze bladzijde wordt afgesloten met een controledictee.
Dit dictee is te vinden in paragraaf 4.1.

Bladzijde 8
Omdat er weinig woorden met oei zijn, valt de introductie hiervan samen met een herhaling van de woorden met aai of ooi. Leer ook de oei als één klank aan en herhaal nog eens dat je na de oe (aa, oo) een i schrijft, als je een j hoort.

Ook kun je weer de hulpregel herhalen dat aan het eind van een woord nooit een j staat.

Auditieve oefening
Verzin als leerkracht eerst zelf een woord met aai, ooi of oei.
Laat daarna de leerling woorden met aai, ooi of oei verzinnen.

Bladzijde 9
Deze bladzijde wordt afgesloten met een controledictee.
Dit dictee is te vinden in paragraaf 4.1.

Bladzijde 11
Oefening 2
Het is belangrijk dat de leerling de woorden zelf goed uitspreekt.
Schenk hier extra aandacht aan.

Onderdeel 1 'aai – ooi – oei' wordt hier afgesloten met een einddictee.
De einddictees zijn opgenomen in paragraaf 4.2.

2 eer – oor – eur

Bladzijde 14

Instructie

Doel: De leerling leert dat de ee onder invloed van de (plaagletter) r anders gaat klinken.

Introductie: Schrijf op het bord: been – beer.
Lees deze woorden langzaam voor.

Onderstreep in beide woorden de ee en vraag of die hetzelfde klinken. Zodra de leerling zegt dat ze verschillend klinken, bevestig je dat. Geef aan dat dat de schuld is van de r en dat deze daarom de plaagletter heet.

Noem daarna nog enkele woordparen, benadruk dat goed geluisterd moet worden en schrijf de woorden in rijtjes op het bord, bijvoorbeeld: mees – meer, speen – speer.

Oefening 1

Laat goed horen hoe de ee onder invloed van de plaagletter r verandert van klank.

Bladzijde 15

Auditieve oefening

Maak van de woorden plaagletterwoorden door de laatste letter te veranderen:
kees – lees – neef – been – veel – week – meel – zeem – peen – speen

Bladzijde 16

In het werkboek worden voor het leren discrimineren alleen woorden met ee en eer gebruikt, omdat woorden met ir in het Nederlands nauwelijks voorkomen.

Bladzijde 17

Oefening 1

Er is meer dan één mogelijkheid.
Moedig hier vooral creatieve oplossingen aan!

Auditieve oefening

In de auditieve oefening leert de leerling te discrimineren tussen de klanken ee en i.

Schrijf alleen de plaagletterwoorden die je hoort op:
peer – big – heer – keel – pit – meer – mees – beer – hier – keer – mist – veer – lip – weer – vist – speer – wit – leer – veer – spin – ver – veer

Deze bladzijde wordt afgesloten met een controledictee.
Dit dictee is te vinden in paragraaf 4.1.

Bladzijde 18
In een verhaal worden de woorden met oor geïntroduceerd. Herhaal het begrip plaagletter. Herhaal dat de klank van de oo onder invloed van de plaagletter r verandert.

Auditieve oefening
In welk woord hoor je de plaagletter? Steek je vinger op:
boot – door – boos – wolf – door – poort – groot – loop – kop – oor – soort – moord – poot – rots – woord – blok – koord – spoor – mond – rond – hoorn – koor – rook

Oefening 3
Laat goed horen hoe de oo van klank verandert onder invloed van de plaagletter r.

Bladzijde 19
Op deze bladzijde komen de woorden met eer erbij.

Bladzijde 20
Oefening 1
Laat de leerling vooral naar creatieve oplossingen zoeken.

Bladzijde 21
Op deze bladzijde leert de leerling discrimineren tussen or en oor. Herhaal het onderscheid tussen de lange oo en de korte o eerst in woorden waarin de plaagletter r niet voorkomt, dus bijvoorbeeld: boos – bos, doos – dos.

Auditieve oefening
Welke van de twee is het plaagletterwoord?

sport – spoor	stort – stoort	bord – boord
boor – bord	woord – word	door – dorst
korst – koorts	koord – kort	korf – koor
dor – door	vork – voor	poort – port

Oefening 3
Hier komt ook het klankverschil tussen de ee in eer en de i aan bod.

Bladzijde 22

Oefening 2

Laat zien hoeveel verschillende zinnen je met twee dezelfde woorden kunt maken. Let op hoofdletters en punten, wanneer de leerling dit geleerd heeft.

Deze bladzijde wordt afgesloten met een controledictee.
Dit dictee is te vinden in paragraaf 4.1.

Bladzijde 23

Hier worden naast woorden met oor of eer voor het eerst woorden met eur aangeboden. De eu is de laatste klank die last heeft van de plaagletter r. Laat horen hoe de klank van de eu in een woord zonder r (bijvoorbeeld keus) verschilt van die in een woord met een r achter de eu (bijvoorbeeld deur).

Oefening 1

Laat de klankverschillen tussen de eu met de plaagletter r en de eu zonder plaagletter goed horen.

Auditieve oefening

Steek je hand op bij een plaagletterwoord:
deur – vlees – bast – beurt – boort – was – wol – bek – beer – koor – geur – veer – geel – scheur – schip

Bladzijde 24

Deze bladzijde wordt afgesloten met een controledictee.
Dit dictee is te vinden in paragraaf 4.1.

Bladzijde 25

Auditieve oefening

Welke van deze twee woorden is het plaagletterwoord?
Schrijf de plaagletterwoorden op:

kuur – kleur	poort – port
boort – bord	ver – veer
heer – hert	duur – deur
beurt – buurt	kort – koor

Oefening 3

De leerling discrimineert tussen eur/uur, oor/or en eur/ur.

Bladzijde 26

Onderdeel 2 'eer – oor – eur' wordt hier afgesloten met een einddictee. Dit dictee is opgenomen in paragraaf 4.2.

3 d – t

Bladzijde 28

Instructie

Doel: De leerling leert de hoofdregel dat je een woord dat eindigt op de klank t langer moet maken om te weten of je t of d moet schrijven.

Introductie van de hoofdregel vindt plaats door middel van een lied.

Introductie: Zing of speel het lied samen.

Bespreek hoe je de woorden langer kunt maken. Bij het langer maken wordt het woord zo mogelijk in het meervoud gezet. Lukt dat niet dan wordt er een bijvoeglijk naamwoord van gemaakt. Dus: kat – katten, wit – witte, pret – prettig, hond – honden, goed – goede, moed – moedig.

Schrijf steeds het woord met d of t aan het eind op het bord en onderstreep de laatste letter.

Bladzijde 29

Eerst worden woorden met een t aan het eind aangeleerd.

Auditieve oefening

Lees het onderstaande verhaal voor. Bij elk woord dat eindigt op de klank t geeft de leerling een afgesproken teken en vervolgens maakt hij dit woord langer.

Mijn nicht was gisteren jarig. 's Middags was er feest bij haar. Ook ik was haar gast. Haar huis is in een straat vlakbij de markt. Mijn nicht droeg een lint in haar staart. Haar broer speelde nog een stuk op zijn fluit. Er was veel post voor haar gekomen, ook een kaart van mij. We hebben veel spelletjes in de buurt gedaan. Daarna hebben we friet gegeten. Na afloop was er van de taart ook weinig meer over.

Bladzijde 31

Auditieve oefening

Laat de onderstaande woorden verlengen. Laat woorden eindigend op een t opschrijven.

fluit – pot – brood – bord – voet – kast – hand – hoofd

Deze bladzijde wordt afgesloten met een controledictee.
Dit dictee is te vinden in paragraaf 4.1.

Bladzijde 32
Aan het begin van de bladzijde wordt de hoofdregel nogmaals herhaald. Vanaf deze bladzijde worden de woorden met d op het eind aangeboden.

Auditieve oefening
Bespreek de regel uit het lied nog eens. Lees daarna de onderstaande zinnen op en laat het ontbrekende woord met een t-klank op het eind invullen en daarna langer maken. De leerling kiest tussen d of t. Schrijf daarna deze woorden op.

'S Nachts slaap ik in mijn ...
De bakker bakt een ...
Ik naai met naald en ...
Woedend balde hij zijn ...
Ik krijg van de slager altijd een stuk ...
Er lagen allerlei schelpen op het ...
De hond ligt warm in zijn ...

Bladzijde 33
Auditieve oefening
Het komt voor dat de leerling vaak zelf niet aanvoelt of een meervoud of bijvoeglijk naamwoord wel of niet goed klinkt: is het honden of honten, harte of harde?

Oefen daarom met woorden uit de woordenlijsten (zie hoofdstuk 5) vooral met de 'moeilijke' woorden, bijvoorbeeld: bont, eerst, kort, eind, rond. Laat telkens langer maken:

bonte, eerste, korte enzovoort.

Laat de leerling een zin met het woord bedenken. Daarna geeft hij aan welke letter aan het eind komt.

Bladzijde 35
Oefening 2
Wijs de leerling op de juiste richting bij het invullen.

Deze bladzijde wordt afgesloten met een controledictee.
Dit dictee is te vinden in paragraaf 4.1.

Bladzijde 36
Deze bladzijde begint met een herhaling van de regel. Vanaf deze bladzijde worden de t- en d- woorden door elkaar aangeboden.

Auditieve oefening
Bied woorden uit de woordenlijst (hoofdstuk 5) aan. Laat eerst de woorden langer maken. Bij een t- woord kun je afspreken de duim omhoog te steken en bij een d- woord omlaag.

Bladzijde 37
De bladzijde wordt afgesloten met een controledictee.
Dit dictee is te vinden in paragraaf 4.1.

Bladzijde 39
Zing het lied nog eens en laat de d – t-regel nog eens verwoorden. Vertel dat er ook uitzonderingen zijn op de regel en bied de hulpregel aan die bovenaan deze bladzijde in het werkboek staat.

Onderdeel 3 'd – t' wordt hier afgesloten met een einddictee.
Het einddictee is opgenomen in paragraaf 4.2.

4 ei – ij

Bladzijde 42 en 43
Instructie

Doel: De leerling maakt kennis met ei-woorden door middel van een verhaal.

Introductie: Leg uit dat het ei-verhaal een hulpmiddel is om te onthouden welke woorden je met ei schrijft.

Schrijf de ei-woorden uit het verhaal nog eens op het bord, onderstreep de ei. Sluit af door in een tekening van een ei nog eens met grote letters ei te schrijven.

Bladzijde 44 en 45
Op deze bladzijden wordt aandacht besteed aan het inprenten van de ei-woorden.

Lees het verhaal nog eens voor, maar laat nu de leerling de goede ei-woorden noemen.

Doe dit op twee manieren:

1 Lees de eerste zin helemaal voor (ook het ei-woord) en lees de tweede zin gedeeltelijk, waarna de leerling het ei-woord noemt.

2 Lees de zinnen, maar laat alle ei-woorden door de leerling benoemen.

Tot slot worden de ei-woorden door de leerling ingevuld. Wanneer nodig mag het ei-verhaal nog eens geraadpleegd worden.

Bladzijde 46
Op de bladzijden 46 t/m 52 worden de ei-woorden verder ingeprent door afwisselende oefeningen. Bij een aantal oefeningen is een duidelijk verband met het ei-verhaal, bij andere oefeningen wordt het verhaal wat meer losgelaten.

Bij twijfel moet de leerling altijd op het ei-verhaal terug kunnen vallen, door het bijvoorbeeld nog eens na te kijken of enkele zinnen op te zeggen.

Bladzijde 50
Oefening 4
Moedig de creativiteit aan.

Bladzijde 52
Oefening 1
Zelf zinnen maken is erg belangrijk. Behalve de ei-woorden moeten ook woorden, die behandeld zijn op niveau 1 t/m 3, goed geschreven worden .

De bladzijde wordt afgesloten met een controledictee.
Dit dictee is te vinden in paragraaf 4.1.

Bladzijde 53
Instructie

Doel: De leerling leert: je hoort ei of ij, je schrijft ij als het woord niet in het ei verhaal staat.

Introductie: Er zijn veel woorden waarin de ei of ij voorkomt. Bespreek dat hij heeft geleerd bij welke woorden er een ei geschreven moet worden. Geef aan dat nu woorden opgeschreven worden die je met de ij schrijft.
Noem steeds een woord met een ij uit de woordenlijst van hoofdstuk 5 en vraag of het in het ei- verhaal staat. Schrijf daarna het woord op en laat het op een blaadje schrijven.

Bladzijde 54
De bladzijde wordt afgesloten met een controledictee.
Dit dictee is te vinden in paragraaf 4.1.

Bladzijde 55
Instructie

Doel: De leerling leert dat als je ei – ij hoort, het woord met ei of ij geschreven moet worden.

Materiaal: Plaatjes of voorwerpen , die met een ei of ij geschreven moeten worden. Bijvoorbeeld: ijs – lijst – lijm – pijl – pijp – prijs – vijf – bijl en trein – ei – geit – teil – prei – zeil – dweil – kei.

Introductie: Geef aan dat je zo een voorwerp of een plaatje laat zien. Wanneer het woord met een ij wordt geschreven, dan gaat de leerling staan, schrijf je het met een ei, dan blijft hij zitten. Als variatie kunnen de woorden in een ijsje of ei op het bord geschreven worden.

Bladzijde 56
Oefening 2
Hier wordt aandacht besteed aan het probleem van de woorden die je zowel met ei als ij kunt schrijven, bijvoorbeeld wij en wei. De leerling leert om goed op de betekenis van het woord te letten.

Bladzijde 57
Oefening 3
Er wordt aandacht besteed aan werkwoorden met ij of ei.

Na oefening 3 volgt een controledictee.
Dit dictee is opgenomen in paragraaf 4.1.

Bladzijde 59
Onderdeel 4 'ei – ij' wordt hier afgesloten met een einddictee.
Dit dictee is opgenomen in paragraaf 4.2.

4 Dictees

4.1 Controledictees

Dictees bij 1 aai – ooi – oei

Controledictee na bladzijde 5

	Schrijf op:
1. Dat is niet zo fraai.	fraai
2. Hij draait zich om.	draait
3. Een haai is een grote vis.	haai
4. Zij zwaait naar ons.	zwaait
5. De haan kraait.	kraait
6. Moeder naait een broek voor mij.	naait
7. Ik aai de hond over zijn kop.	aai
8. Er waait een harde wind.	waait
9. De boer maait het gras.	maait
10. Dictees maken vind ik saai.	saai

Controledictee na bladzijde 7

	Schrijf op:
1. Dat heb ik nog nooit gehoord.	nooit
2. Zie je die zwarte kraai?	kraai
3. In die rok zit een plooi.	plooi
4. Heb je wel eens een haai gezien?	haai
5. De sneeuw smelt weg door de dooi.	dooi
6. Gooi die bal maar naar mij.	gooi
7. Dat is een mooi boek.	mooi
8. Hij draait zich snel om.	draait
9. Morgen maai ik het gras.	maai
10. Paarden eten hooi.	hooi

Controledictee na bladzijde 9

	Schrijf op:
1. De bomen staan in bloei.	bloei
2. Het vlees is erg taai.	taai
3. De koe loeit heel hard.	loeit
4. Ik zal het nooit meer doen.	nooit
5. Er zit een zwarte kraai in de boom.	kraai
6. Wie knoeit met de limonade?	knoeit
7. Oei, als dat maar goed afloopt.	oei
8. De ober krijgt soms fooi.	fooi
9. Een haai zwemt in zee.	haai
10. Hij stoeit met zijn vriendje.	stoeit

Dictees bij 2 eer – oor – eur

Controledictee na bladzijde 17

	Schrijf op:
1. Wat een rare peer!	peer
2. De man keert zich om.	keert
3. In dat meer kun je goed vissen.	meer
4. De trein gaat als een speer.	speer
5. Het weer is vandaag niet zo best.	weer
6. Met een lift kun je op en neer.	neer
7. Een veer van een pauw is groen met blauw.	veer
8. Een hoge hoed hoort bij een heer.	heer
9. Voor morgen leert Thijs de tafel van tien.	leert
10. Vind je dat een hele eer?	eer

Controledictee na bladzijde 22

	Schrijf op:
1. Hij blies twee keer op zijn hoorn.	hoorn
2. Wat is dat voor een soort beer ?	beer
3. Je hoort met je oren.	hoort
4. Het koor zong een lied.	koor
5. Zij eet een peer.	peer
6. De koets kon niet door de poort.	poort
7. Ik hoor het geluid van een boor.	boor
8. Zorg dat je de les niet meer stoort.	stoort
9. De tas is van leer.	leer
10. Herken jij het spoor van een hert ?	spoor

Controledictee na bladzijde 24

	Schrijf op:
1. In de dierentuin kun je de beer zien.	beer
2. Doe de deur dicht!	deur
3. Het koor zingt heel mooi.	koor
4. Hij scheurt het papier door.	scheurt
5. Mijn vader scheert zich elke morgen.	scheert
6. Zij ligt met hoge koorts op bed.	koorts
7. Wie is er aan de beurt ?	beurt
8. De kleur van haar bloes is rood.	kleur
9. Ik ben blij je weer te zien.	weer
10. Wat hoor ik daar voor geluid?	hoor

Dictees bij 3 d – t

Controledictee na bladzijde 31

Schrijf de hele zin op:

1. De klant is net weg.
2. Mijn gast heeft zwart haar.
3. Ik pak een stuk taart uit de kast.
4. Als je in de sloot valt, ben je nat.
5. Zie je de kat in de goot?

Controledictee na bladzijde 35

	Schrijf op:
1. Deze man heeft een baard.	baard
2. Mijn zus is kwaad op mij.	kwaad
3. Mijn vriend komt op het feest.	vriend
4. Wij gaan morgen naar het strand.	strand
5. Het huis staat in brand.	brand
6. Mijn tand zit los.	tand
7. De eend zwemt in de sloot.	eend
8. Wat zie jij rood!	rood
9. Die jongen is blind.	blind
10. Ik ben bang voor de hond.	hond

Controledictee na bladzijde 37

	Schrijf op:
1. Ik krijg altijd de schuld.	schuld
2. Ik teken met krijt op de stoep.	krijt
3. 's Avonds steken wij de haard aan.	haard
4. Zet de plant maar in het raam.	plant
5. Wie zit er naast jou?	naast
6. De schuur staat in brand.	brand
7. Rust maar eens goed uit.	rust
8. Ik wist niet dat je kwaad werd!	kwaad
9. De bruid had een mooie jurk aan.	bruid
10. Er zit een sproet midden op haar neus.	sproet

Dictees bij 4 ei – ij

Controledictee na bladzijde 52

		Schrijf op:
1.	Raisa is in mei jarig .	mei
2.	De trein stopt op het volgende station.	trein
3.	Ik maak een poppetje van klei.	klei
4.	Ik vind dat een leuke meid.	meid
5.	Dunja zei dat Bas het heeft gedaan.	zei
6.	Ik eet een klein koekje.	klein
7.	Op het plein spuit een fontein.	plein
8.	Voor ons huis staat een grote eik.	eik
9.	Het zeil van de boot was gescheurd.	zeil
10.	Je moet die dweil goed uitwringen.	dweil

Controledictee na bladzijde 54

		Schrijf op:
1.	Het spijt me, ik zal het nooit meer doen.	spijt
2.	Mijn opa rookt een pijp.	pijp
3.	Ik schrijf in mijn schrift.	schrijf
4.	De banaan is nog niet rijp.	rijp
5.	Wil je een glas wijn?	wijn
6.	Hij hakt de boom om met een bijl.	bijl
7.	Wie heeft de strijd gewonnen?	strijd
8.	De zon schijnt al de hele dag.	schijnt
9.	De tijd vliegt voorbij.	tijd
10.	Wie zwijgt, stemt toe.	zwijgt

Controledictee na bladzijde 57

Schrijf de hele zin op:

1. Mijn koe loopt in de wei langs de dijk.
2. Ik ben stijf van de reis.
3. De kei ligt al heel lang op de hei.
4. Ik eet prei met rijst.
5. Ik ben mijn geit kwijt.

4.2 Einddictees

Einddictee bij 1 aai – ooi – oei

(na bladzijde 11)

	Schrijf op:
1. Die plant bloeit in de zomer.	bloeit
2. Vader draait een schroef vast.	draait
3. In de herfst waait het vaak.	waait
4. Knoei niet zo in je schrift!	knoei
5. Zij gooit de steen ver weg.	gooit
6. De wind loeit om het huis.	loeit
7. Ik geef de ober een fooi.	fooi
8. Ik groei sneller dan mijn broer.	groei
9. Klaas Vaak strooit zand in de ogen.	strooit
10. Met een grote zwaai zet hij haar op de grond.	zwaai
11. Het vlees is taai.	taai
12. De vogel zit in de kooi.	kooi
13. De tuinman sproeit de tuin.	sproeit
14. Zij roeit naar de kant.	roeit
15. Hij stoeit met zijn moeder.	stoeit
16. De leeuw grijpt zijn prooi.	prooi
17. De haan kraait.	kraait
18. Het ijs dooit langzaam.	dooit
19. Hij aait de hond.	aait
20. Oei, wat een harde wind.	oei

Einddictee bij 2 eer – oor – eur

(na bladzijde 26)

	Schrijf op:
1. De kleur van mijn haar is bruin.	kleur
2. Ik heb meer dan jij.	meer
3. Wat een lekkere geur is dat!	geur
4. Dit boek is voor jou.	voor
5. Wie is er aan de beurt?	beurt
6. Au, dat doet zeer!	zeer
7. Wie klopt er op de deur?	deur
8. Loop eens door.	door
9. Er zit een scheur in het behang.	scheur
10. Als je zo zeurt, krijg je niets.	zeurt
11. Hij keert zich om.	keert
12. Hij krabt aan zijn oor.	oor
13. Zij boort een gat in de muur.	boort
14. Hij leert de tafel van 6.	leert
15. Het kind kleurt een plaat.	kleurt
16. Het is mooi weer.	weer
17. Ik wacht bij de poort.	poort
18. De beer is los.	beer
19. Welke soort bloemen koop je?	soort
20. De meester scheurt een bladzijde uit mijn schrift.	scheurt

Einddictee bij 3 d – t

(na bladzijde 39)

Schrijf de hele zin op:

1. Het boord van mijn jas is zwart.
2. Mijn vriend heeft een hoed op zijn hoofd.
3. Met een spriet in mijn mond lig ik in de tent.
4. Ik val op de grond met mijn neus in het zand.
5. Ik schrijf een woord op het bord.
6. Dat kind is heel groot.
7. Ik haal de worst uit de kast.

Einddictee bij 4 ei – ij

(na bladzijde 59)

	Schrijf op:
1. De baby gaat ook mee op reis.	reis
2. Mijn trui is te klein geworden.	klein
3. Wij gaan meestal met de bus.	wij
4. Ik brei graag bij de televisie.	brei
5. Je moet aan het eind uitstappen.	eind
6. Het meisje zei 'dag' tegen de jongen.	zei
7. Zet je je naam ook even op de lijst?	lijst
8. De prijs is een auto.	prijs
9. Ga eens in de rij staan.	rij
10. Wij gaan op reis met de trein.	trein
11. Ik schrijf jou een brief.	schrijf
12. De koeien lopen weer in de wei.	wei
13. Ik strijk de was als zij bijna droog is.	strijk
14. De lucht is grijs.	grijs
15. Zij is vandaag naar de dokter.	zij
16. De geit zit vast aan de paal.	geit
17. Ik vergeet de tijd helemaal.	tijd
18. In mei ben ik jarig.	mei
19. Er staat een fontein op het plein.	plein
20. Morgen ben ik vrij.	vrij

5 Woordenlijsten

Woordenlijst 1 aai – ooi – oei

aai
aai
aait
draai
draait
fraai
haai
kraai
kraait
maai
maait
naai
naait
saai
taai
waait
zaai
zaait
zwaai
zwaait

ooi
dooi
dooit
fooi
gooi
gooit
hooi
hooit
kooi
mooi
nooit
plooi
strooi
strooit

oei
bloei
bloeit
foei
groei
groeit
knoei
knoeit
loeit
oei
roei
roeit
sproei
sproeit
stoei
stoeit
woei

Woordenlijst 2 eer – oor – eur

eer
beer
eer
eerst
heer
keer
keert
leer
leert
meer
neer
peer
scheer
scheert
speer
veer
weer
zeer

oor
boor
boort
door
hoor
hoorn
hoort
koor
koorts
oor
poort
soort
spoor
stoor
stoort
voor

eur
beurt
deur
geur
kleur
kleurt
scheur
scheurt
zeur
zeurt

Woordenlijst 3 d – t

d aan het eind

baard
bad
band
bed
beeld
blad
blind
bloed
blond
boord
bord
brand
breed
brood
bruid
daad
dood

draad
eend
geld
glad
goed
graad
grind
grond
haard
hand
hard
held
hemd
hoed
hond
hoofd
huid

jeugd
kind
kleed
kwaad
land
lid
lied
lood
luid
maand
mand
moed
mond
moord
naald
noord
paard

pad
pond
raad
rand
rond
rood
rund
schild
schuld
spoed
stad
stand
strand
strijd
tand
tijd
veld

vloed
vreemd
vriend
waard
wild
wind
wond
woord
wijd
zaad
zand
zuid
zwaard

t aan het eind

beest
beet
best
beurt
bloot
bont
boot
buurt
dat
dienst
dikst
dit
dorst
dunst
eerst
feest
fluit
friet
fruit
gast
gat
goot
groet
groot
grootst
grot
haast

hart
helft
herfst
hert
het
hoogst
hut
juist
kaart
kant
kast
kat
kist
klant
korst
kort
krant
krijt
kunst
kust
kwast
kwijt
laagst
laat
last
lat
liefst

lijst
lint
list
maart
maat
markt
mat
meest
mest
met
minst
mist
munt
naakt
naast
nat
nest
net
niet
nooit
noot
oost
pet
plaat
plant
plat
poort

poot
post
pot
pret
punt
put
rat
rest
riet
rijst
rit
ruit
rust
schat
schot
schrift
sloot
slot
soort
spijt
sport
spriet
sproet
staart
start
stift
straat

taart
tent
tot
uit
vaart
vast
vent
vet
vilt
vloot
vlot
voet
vorst
vuist
want
wat
west
wit
woest
worst
zet
zoet
zwart

Woordenlijst 4 ei – ij

ei
brei
breit
dweil
dweilt
ei
eik
eind
feit
geit
hei
kei
klei
klein
kleinst
mei
meid
plein
prei
reis
reist
teil
trein
wei
zei
zeil
zeilt

ij
bij
bijl
bijt
blij
blijf
blijft
blijk
blijkt
dij
dijk
drijf
drijft
fijn
glij
glijd
grijp
grijpt
grijs
hij
hijg
hijgt
ijs
jij
kijk
kijkt
knijp
knijpt
krijg
krijgt
krijt
kwijt
lijf
lijk
lijkt
lijm
lijn
lijst
mij
mijn
pijl
pijn
pijp
prijs
prijst
rij
rijd
rijk
rijm
rijmt
rijp
rijst
schijf
schijn
schijnt
schrijf
schrijft
slijm
slijp
slijpt
spijt
stijf
stijg
stijgt
strijd
strijk
strijkt
tijd
vijf
vrij
wij
wijk
wijn
wijs
wijst
zij
zijn
zwijg
zwijgt

Spelling in de lift adaptief

handleiding niveau 5

ch(t)
au – ou
uw – eeuw – ieuw
klankgroepen – luistervink

Inhoud

1 Doelstellingen

1.1 Algemene doelstellingen

Het werkboek niveau 5 is een onderdeel van de methode *Spelling in de lift adaptief*. Met deze methode leren leerlingen de schrijfwijze van veelvoorkomende Nederlandse woorden. Het is van belang dat leerlingen de woorden die ze leren niet alleen goed schrijven in de spellinglessen, maar dat ze die kennis ook gaan gebruiken in hun spontane schriftelijke taalgebruik. Hiervoor zijn speciale oefeningen opgenomen. Voor een verdere toelichting van de algemene doelstellingen kun je de Algemene Inleiding raadplegen.

1.2 Doelstellingen van niveau 5

Op dit niveau wordt de spelling aangeleerd van vaak voorkomende woorden die bestaan uit één klankgroep en in één van de volgende spellingcategorieën vallen:

- ch(t) (bijvoorbeeld: acht);
- au – ou (bijvoorbeeld: pauw, vrouw);
- uw – eeuw – ieuw (bijvoorbeeld: sluw, sneeuw, nieuw).

Het laatste onderdeel van dit niveau behandelt vaak voorkomende woorden die bestaan uit twee beklemtoonde klankgroepen:

- met betekenis (bijvoorbeeld: loopplank);
- zonder betekenis (bijvoorbeeld: fontein).

Bij dit onderdeel wordt het eerste gedeelte van het schema voor luistervink – klinkerdief – letterzetter (open en gesloten lettergreep) geïntroduceerd.

2 Opbouw

2.1 Instaptoets

Om de beginsituatie van de leerling vast te stellen, wordt in de digitale omgeving gestart met een instaptoets.

Deze instaptoets is passend bij de didactische leeftijd van de leerling en de periode van een jaar terug: er worden enkel spellingcategorieën getoetst waar de leerling op dat moment in zijn leerproces aan toe is of is geweest.

De instaptoets duurt ongeveer 40 tot 60 minuten. Het advies is om de tijd van de instaptoets te verspreiden over verschillende momenten op een dag of in een week. Zo minimaliseer je eventuele onzekerheid of frustratie. De instaptoets gaat automatisch verder waar de leerling gebleven is.

De resultaten van de leerling worden na het afronden van de instaptoets in het resultatenscherm van de leerkracht getoond. Hierop kun je precies zien welke spellingcategorieën de leerling al goed beheerst en op welke spellingcategorieën nog meer geoefend moet worden. Ook kun je het niveau van klankherkenning inzien. Het systeem zet, op basis van de resultaten, vervolgens automatisch oefenstof klaar.

2.2 Digitaal verwerken

Tijdens het digitaal verwerken kun je in het resultatenscherm de voortgang van de leerling inzien. Wanneer een leerling uitvalt op een spellingcategorie wordt in het resultatenscherm verwezen naar deze categorie binnen de handleiding per niveau van *Spelling in de lift adaptief*. De leerling heeft dan baat bij instructie, begeleide inoefening en verwerking die gestuurd wordt door de leerkracht.
Aan de klankherkenning en het klankonderscheid hangt geen 'goed' of 'fout' niveau. Het doel hiervan is om de snelheid van de verwerking van klank-tekenkoppeling te vergroten. Vooruitgang is daarbij het streven.

2.3 Instructie en verwerken op papier

In het resultatenscherm zie je op welke spellingcategorieën van niveau 5 de leerling uitvalt. Ga samen met de leerling aan de slag met de desbetreffende spellingcategorieën.

Het is dus zeker niet zo dat de leerling alle opdrachten uit het werkboekje van niveau 5 moet maken. Het mag natuurlijk wel, want extra oefening kan nooit kwaad.

In deze handleiding staan per bladzijde van het werkboek instructies en aanwijzingen bij de opdrachten. Daarnaast vind je bij verschillende bladzijden auditieve oefeningen die je samen met de leerling kunt doen. In hoofdstuk 3 vind je hoe deze zijn aangegeven, in zowel de handleiding, als in het werkboek.

2.4 Evaluatie

Tussen de verschillende oefeningen door, zijn controledictees voorhanden om na te gaan waar de leerling zich op dat moment in zijn leerproces bevindt. Aan het eind van iedere spellingcategorie vind je een einddictee. Dit kun je naast het controledictee en de gemaakte opgaven leggen om de voortgang van de leerling inzichtelijk te maken.

Zowel aan het controledictee, als aan het einddictee hangen geen normeringen.

De voortgang van de leerling wordt nog duidelijker zichtbaar door hem, na het oefenen op papier, weer digitaal te laten oefenen. In het resultatenscherm kun je zien hoe de leerling nu scoort op de spellingcategorieën.

3 Didactiek

3.1 Leerinhouden

In het werkboek vind je de volgende categorieën:

1 ch(t)

woorden met ch	(blz. 4 en 5)
woorden met cht	(blz. 6 t/m 8)
woorden met cht en gt	(blz. 9 en 10)
woorden met ch(t) en g(t)	(blz. 11 t/m 14)

2 au – ou

au-verhaal	(blz. 16 t/m 20)
woorden met au(w)	(blz. 21 en 22)
woorden met ou(w)	(blz. 23 en 24)
woorden met au en ou	(blz. 25 t/m 27)

3 uw – eeuw – ieuw

woorden met uw	(blz. 30 en 31)
woorden met eeuw	(blz. 32 en 33)
woorden met ieuw	(blz. 34)
woorden met uw, eeuw, ieuw	(blz. 35 t/m 37)

4 klankgroepen – luistervink

begrip klankgroep toegepast op twee betekenisvolle klankgroepen	(blz. 40 t/m 43)
begrippen medeklinker en tweetekenklank	(blz. 44 t/m 47)
schema van de luistervink	(blz. 48 t/m 53)

3 Didactiek

N.B. De aangeboden woorden zijn voor leerlingen bekende woorden of woorden die in het Nederlands veel voorkomen. De lijst van deze woorden vind je in hoofdstuk 5.

Woorden met spellingproblemen die pas op een hoger niveau behandeld worden (bijvoorbeeld: ie = i) worden nog niet aangeleerd. Deze komen niet in de dictees voor.

Werkwoordsvormen komen alleen aan de orde wanneer deze vallen onder de categorie veelgebruikte woorden. Het vervoegen van werkwoorden komt niet aan bod.

3.2 Leerprincipes

Voor een algemene toelichting op de verschillende leerprincipes kun je hoofdstuk 3 van de Algemene Inleiding lezen.Hieronder wordt besproken hoe deze leerprincipes op niveau 5 plaatsvinden.

Oriënteren

De woorden van niveau 5 zijn niet enkel met behulp van de hoofdregel van de Nederlandse spelling (Je schrijft het woord zoals je het hoort.) aan te leren. Wel is het in de oriëntatiefase op dit niveau belangrijk dat de leerlingen goed naar de woorden luisteren. Deze oriëntatie vindt op verschillende manieren plaats.

Bij de woorden met ch(t) aan het eind wordt de volgende hoofdregel aangeleerd:

'Hoor je na een korte klank 'gt', dan schrijf je 'cht', behalve bij: hij ligt, hij legt, hij zegt.'

Bij het hanteren van deze regel maken de leerlingen onderscheid tussen korte en lange klanken.

Herhaal de klanklengte en visuele lengte van korte en lange klanken: Korte klanken hoor je kort en ze zien er kort uit. Lange klanken hoor je lang en ze zien er lang uit.

Luister en kijk maar:

- korte klanken: a, e, i, o, u

- lange klanken: aa, ee, oo, uu.

De woorden die op ch eindigen worden door middel van het verhaal 'Wat een pech!' visueel ingeprent.

Voor het aanleren van woorden met au of ou zijn geen regels te vinden.

Bied deze woorden daarom aan in een zinvol verband. Dit kun je doen door het inprenten van het 'au-verhaal'. De woorden die niet in het 'au-verhaal' voorkomen, worden met ou geschreven. Het leren van het 'au-verhaal' wordt ondersteund door afbeeldingen. Het memoriseren wordt gemakkelijker gemaakt doordat het verhaal zoveel mogelijk op rijm is gezet.

Naast het kiezen tussen au of ou beoordelen de leerlingen ook of na de au of ou een w geschreven moet worden. De hulpregels die hiervoor worden aangeboden zijn:

'Komt het woord in het 'au-verhaal' voor en hoor je aan het eind au, dan schrijf je auw.'

'Komt het woord niet in het 'au-verhaal' voor en hoor je aan het eind ou, dan schrijf je altijd ouw, behalve bij kou, nou, zou, hou, wou, jou.'

Het bezittelijk voornaamwoord 'jouw' is een uitzondering. Het verschil tussen 'jou' en 'jouw' is alleen uit te leggen aan de hand van grammaticale regels, waar nog niet alle leerlingen aan toe zullen zijn. Dit wordt op een later moment in deze methode behandeld.

De combinaties uw – eeuw – ieuw moeten als één geheel ingeprent worden. Als hulpregel leer je de leerlingen dat voor een w aan het eind van een woord altijd een u geschreven wordt.

Voor de woorden die in het deel 'klankgroepen – luistervink' behandeld worden, gelden de regels die op niveau 1 t/m 5 zijn behandeld. In dit niveau gaat het om tweelettergrepige samengestelde woorden (dus van twee klankgroepen) die bestaan uit:

a) twee woorden met elk een eigen betekenis.

Het is belangrijk dat de leerlingen worden georiënteerd op deze betekenisvolle woorddelen. Bijvoorbeeld: loopplank bestaat uit de woorden 'loop' en 'plank'.
Om de woorden goed te kunnen schrijven, analyseren de leerlingen dus eerst het woord in twee betekenisvolle woorden (klankgroepen). Daarna stellen ze per woord (klankgroep) vast tot welke spellingcategorie het woord behoort en welke spellingregel dan geldt.

Bij de betekenisvolle klankgroepen wordt het volgende houvast geboden:

'Ken ik de stukjes in het woord?'

'Zeggen de losse stukjes mij iets over het hele woord?'

'Zo ja, dan moet ik deze stukjes schrijven, zoals ik dat eerder geleerd heb.'

Bijvoorbeeld bij een woord als roeiboot.

'Ken ik de stukjes in dit woord?'

Ja! Namelijk 'roei' en 'boot'. 'Roei' is een woord met de drietekenklank 'oei' (na een 'oe' schrijf je een 'i' als je een 'j' hoort).

'Boot' valt onder de d – t regel; meervoud is 'boten' dus 'boot' schrijf ik met een 't' aan het eind.

b) tweelettergrepige woorden waarvan de klankgroepen (lettergrepen) ieder afzonderlijk geen betekenis hebben (bijvoorbeeld: fontein; leerling) en waarvan de eerste klankgroep (lettergreep) eindigt op een medeklinker of tweetekenklank.

Bij dit onderdeel gaat het vooral om het leren toepassen van de regel van de luistervink met behulp van het schema. De volgende begrippen krijgen in dit onderdeel aandacht: klinker, medeklinker en tweetekenklank.

Het begrip luistervink wordt visueel ondersteund door dit logo.

Het is een voorwaarde dat de leerlingen de woorden op de juiste wijze in klankgroepen kunnen verdelen. Ze leren om de samengestelde woorden op de juiste plaats doormidden te 'breken'. Als steun bij het onderscheiden van de klankgroepen kunnen tijdens het uitspreken ervan handgebaren gemaakt worden. Maak deze gebaren van links naar rechts, in de leesrichting. Let erop dat als je met je gezicht naar de leerlingen staat, je de gebaren juist van rechts naar links maakt.

Bij auditief moeilijke woorden met twee betekenisvolle klankgroepen (zoals bijvoorbeeld 'grasspriet', is het belangrijk te vertellen dat de twee delen elk een betekenis hebben: 'grasspriet' en niet 'gra-spriet' of 'gras-priet').

Woorden waarin bepaalde combinaties van letters voorkomen die samen een overgangsklank vormen, kunnen lastig zijn. Het gaat op dit niveau vooral om de woorden waarin de volgende klanken voorkomen:

- de tweetekenklanken ng en nk
- de drietekenklanken aai, ooi, oei, ouw, auw.
- de viertekenklanken eeuw, ieuw.

Leerlingen kunnen zonder aparte afspraken deze woorden op een verkeerde wijze in klankgroepen verdelen. Namelijk: 'sneeuwen' in 'snee' en 'wen', 'zaaien' in 'zaa' en 'jen' en 'vangen' in 'va' en 'ngen'.

Wanneer deze woorden niet goed in klankgroepen verdeeld zijn, kunnen verkeerde regels toegepast worden, bijvoorbeeld de regels van klinkerdief of letterzetter (niveau 6). Dan ontstaan fouten als 'snewen', 'zajen', 'vanngen'.

Het is goed om de afspraak te maken dat de leerlingen bij dit soort woorden de twee-, drie-, of viertekenklanken heel laten. De klankgroep houdt hier pas op na de twee-, drie-, of viertekenklank: sneeuw-en, zaai-en, bank-en.

Op de eerste klankgroep met eigen betekenis kunnen de leerlingen nu de regels van de niveaus 1 t/m 5 toepassen.

De leerlingen leren in de oriëntatiefase ook de betekenis van de gebruikte woorden. In de oefeningen en instructie wordt hieraan extra aandacht besteed. Je kunt de leerlingen de woorden in context laten gebruiken, bijvoorbeeld in een zin.

Optimaliseren
Achtereenvolgens gaat het hierbij om het verinnerlijken, verkorten, automatiseren en generaliseren.

Bij het verinnerlijken gaat het erom dat de leerlingen een woord niet meer hardop hoeven te analyseren, of de spellingregel hardop te zeggen, maar dat ze dit fluisterend voor zichzelf of in zichzelf doen.

Het verkorten wordt onder meer geoefend door wisselrijtjes en rijmoefeningen.

Automatiseren kun je oefenen door een beperkt aantal woorden steeds opnieuw aan te bieden. Het doel hiervan is om te komen tot een goed auditief, visueel en schrijfmotorisch woordbeeld.

Aan het generaliseren wordt gewerkt door leerlingen zelf woorden te laten bedenken, woorden in zinsverband te laten gebruiken, een verhaal af te laten maken enzovoort. Ook het laten maken van samengestelde woorden is een vorm van generaliseren. Het is belangrijk om veel aandacht te besteden aan oefeningen die ervoor zorgen dat de leerlingen de geleerde vaardigheid in verschillende situaties kunnen toepassen. Hiermee bereid je ze erop voor dat ook buiten de spellinglessen aandacht aan de schrijfwijze van woorden wordt besteed.

Isoleren, discrimineren en integreren
Naast het oriënteren en optimaliseren wordt aandacht besteed aan het isoleren, discrimineren en integreren. Voor de toelichting op deze begrippen kun je hoofdstuk 3 van de Algemene Inleiding lezen.

Op niveau 5 worden bij elke spellingcategorie eerst een klein aantal woorden met een bepaalde moeilijkheid geïsoleerd aangeboden, bijvoorbeeld woorden met 'uw'. Daarna volgen woorden die uitsluitend een andere moeilijkheid, in het genoemde voorbeeld 'eeuw' bevatten. Pas daarna worden woorden met de verschillende moeilijkheden door elkaar heen aangeboden.

Voor de leerprincipes 'controleren' en 'motiveren' kun je verder lezen in de Algemene Inleiding.

3.3 Werkvormen

De handleiding
In deze handleiding vind je de instructies bij de oefeningen in het werkboek. De instructies bevatten onder andere: het bespreken van de betekenis van nieuwe woorden, een uitgebreide oriëntatie op een nieuw probleem, leiding geven aan auditieve oefeningen, het aanleren van de ch(t)-regel en het leren toepassen van het eerste deel van het schema: 'luistervink – klinkerdief – letterzetter', het voorbespreken van de oefeningen uit het werkboek en het nabespreken van de gemaakte oefeningen.

De auditieve oefeningen zijn in de methode *Spelling in de lift adaptief* erg belangrijk. Deze sluiten aan op de leerstof of ze bereiden de volgende oefeningen in het werkboek voor.

Regelmatig worden dictees afgenomen, geanalyseerd en nabesproken. Naast woorddictees worden op niveau 5 ook zinnendictees afgenomen om te kijken of de geleerde woorden in deze situaties ook goed geschreven worden.

Het werkboek
Het oefenen van nieuwe spellingcategorieën gebeurt onder andere door auditieve en visuele inprenting, of bijvoorbeeld het invullen van woorden bij plaatjes of in zinnen. Daarna volgen discriminatieoefeningen en oefeningen waarbij de leerlingen de opgedane kennis zelf gaan gebruiken.

In de methode wordt meer dan één informatiekanaal ingeschakeld. Er zijn naast auditieve oefeningen ook opdrachten waarbij het accent meer op het visuele aspect ligt. Door woorden steeds opnieuw te laten schrijven, wordt het schrijfmotorische woordbeeld geautomatiseerd. Naast deze grafisch-fonologische informatie wordt er ook aandacht besteed aan semantische en syntactische functies. Aan de hand van plaatjes of eenvoudige zinnen wordt duidelijk gemaakt wat de betekenis van de woorden is en op welke wijze ze gebruikt worden.

In deze methode staat de instructie centraal, het werkboek is niet bedoeld als zelfstandig oefenmateriaal. Het is van belang dat je controleert of de leerlingen de bedoeling van de opdracht hebben begrepen en of de leerlingen de betekenis van alle woorden kennen.

3.4 Aanwijzingen per bladzijde, algemeen

De doelenkaart

De doelenkaart (op de binnenkant van de kaft) geeft aan welke onderdelen de leerling in het werkboek gaat doen en kan op twee manieren ingezet worden:

- **Voorafgaand aan het oefenen.**
  Bespreek samen met de leerling welke spellingcategorieën hij al beheerst en welke spellingcategorieën hij nog lastig vindt: kortom, met welke spellingcategorieën gaat de leerling de komende tijd oefenen.
- **Na afloop van het oefenen of na afloop van een dictee.**
  Evalueer het oefenproces met de leerling. Bespreek na in hoeverre de leerling de spellingcategorieën nu beheerst.

Instructie

Tijdens de instructie worden de doelstelling, het te hanteren materiaal en de introductievorm vermeld.

Auditieve oefeningen

De instructie en de woorden die worden aangeboden zijn omschreven. Deze oefeningen kunnen met één of meerdere leerlingen gedaan worden.

Gezamenlijke oefeningen

Deze oefeningen kunnen samen met een groepje leerlingen gedaan worden.

dictee

Dictees

Deze dictees zijn in de handleiding te vinden onder respectievelijk paragraaf 4.1 en 4.2.

Schema van de luistervink

Dit schema (een gedeelte van het volledige schema: luistervink – klinkerdief – letterzetter) is achter in deze handleiding te vinden. Het schema is tevens achterin het werkboekje te vinden.

Betekenis van woorden

Het is belangrijk dat de leerlingen de betekenis van de behandelde woorden kennen. Controleer dit regelmatig door de leerlingen bijvoorbeeld zinnen met de woorden te laten maken.

Zinnen maken

De oefeningen waarbij leerlingen zelf zinnen moeten maken zijn erg belangrijk. Let erop dat ze toepassen wat ze geleerd hebben. Behalve de behandelde woorden van niveau 5 moeten ook de woorden van niveau 1 t/m 4 goed geschreven worden.

Creativiteit
Het is goed om de creativiteit van de leerlingen aan te moedigen. Bij de oefeningen is lang niet altijd sprake van één correct antwoord; soms zijn er alternatieven. Reken het vooral niet fout als een leerling een ander woord invult dat wel in de oefening past. Als dit het geval is, geef de leerling dan een compliment voor zijn originaliteit! Speels omgaan met taal en spelling is leuk en moet zeker aangemoedigd worden!

3.5 Aanwijzingen per bladzijde, specifiek

1 ch(t)

Bladzijde 4
Instructie

Doel: De leerling leert dat de g-klank soms als ch geschreven wordt.

Materiaal: Het verhaal 'Wat een pech!' op bladzijde 4 van het werkboek.

Introductie:
Lees het verhaal 'Wat een pech!' hardop voor en laat de leerling meelezen. Vraag hem welke woorden met 'ch' in het verhaal voorkomen. Schrijf ze op het bord en laat nogmaals horen dat 'ch' klinkt als 'g'.

Veeg de woorden uit en laat de leerling ze uit zijn hoofd noemen. Schrijf ze nog eens op.

Laat de leerling het verhaal daarna hardop voorlezen.

Bladzijde 6
Instructie

Doel: De leerling oefent met korte klanken en lange klanken.

Introductie: Vraag de leerling de letters van het alfabet op te noemen (werkboek is gesloten). Schrijf de letters in de goede volgorde op het bord. Gebruik daarna de instructie bovenaan bladzijde 6 van het werkboek. Als de korte en lange klanken behandeld zijn, kan de onderstaande oefening behandeld worden.

Van een korte klank een lange klank maken of omgekeerd, zodat er een nieuw woord ontstaat.

Voorbeelden:

korte klank	*lange klank*
schol	school
mat	maat
pot	poot
spel	speel
ton	toon
stel	steel
rok	rook
dor	door
mag	maag
slap	slaap
met	meet

Auditieve oefening
Hoor je een lange of een korte klank?
haan – pet – rug – been – pit – paal – hoofd – krant – blok – geel – dorst – zuur – vol – rups – schrift – bel – straf – boon – jurk – hoog – film – mens – plaats – bank

Bladzijde 7
Op deze bladzijde wordt gestart met de combinatie cht. Het aantal woorden met cht is aanzienlijk groter dan met ch. Daarom is inprenting door middel van een verhaal niet raadzaam. Gelukkig is hier wel een regel te geven. Deze luidt: 'Hoor je na een korte klank 'gt', dan schrijf je 'cht', behalve bij: hij ligt, hij legt, hij zegt.

Voorwaarde voor het aanbieden van deze regel is dat de leerling weet wat korte klanken (a, e, i, o, u) zijn.

In de auditieve oefening wordt hier extra aandacht aan besteed.

Auditieve oefening
Doe je ogen dicht en steek je vinger op als je een woord met een korte klank hoort:
boek – gras – bleek – plaats – groet – brug – prins – fluit – knap – loopt – trui – stil – zwart – neus – vlieg – sterk – graaf – dorp – slik – kruipt – breekt – druk – bloem – vlucht – berg – slaap – kwart

Bladzijde 8
Oefening 3
Deze oefening biedt een goede mogelijkheid om bij de leerling na te gaan of hij ook weet wat de woorden betekenen.

Na oefening 3 wordt het controledictee afgenomen.
De controledictees zijn opgenomen in paragraaf 4.1.

Bladzijde 9
Op bladzijde 9 en 10 worden woorden met gt en cht geoefend.

Auditieve oefening
Schrijf je het woord met gt of met cht?

Schrijf de woorden op het bord. Wijs op de korte klanken.

draagt – vocht – wacht – spuugt – buigt – zucht – klaagt – nicht – zaagt – dacht – droogt – veegt – macht – lucht – vliegt – vraagt – vracht

Wijs er na afloop op dat na een lange klank of tweetekenklank steeds gt komt.

Oefening 1
Herhaal zo nodig het begrip 'korte klank'.

Bladzijde 10
Auditieve oefening
Hoeveel cht-woorden weet je die beginnen met: k (bijvoorbeeld kocht), z (bijvoorbeeld zacht) en v (bijvoorbeeld vecht)?

Hoeveel gt-woorden weet je die beginnen met w, z, v?

Laat de leerling deze woorden opschrijven. Maak de leerling steeds attent op de korte, lange of tweetekenklank.

Deze bladzijde wordt afgesloten met een controledictee.
Dit dictee is te vinden in paragraaf 4.1.

Bladzijde 11
Op deze en de volgende bladzijden worden woorden met g, ch, gt en cht door elkaar geoefend.

Bespreek nogmaals de regels bovenaan de bladzijde.

Auditieve oefening
Schrijf je het woord met g, ch, gt of cht?
zegt – pech – zucht – ligt – droog – jacht – och – weeg
Laat de leerling vertellen waarom je het zo schrijft.

Bladzijde 12
Deze bladzijde wordt afgesloten met een controledictee.
Dit dictee is te vinden in paragraaf 4.1.

Bladzijde 13
Gezamenlijke oefening
Vraag de leerlingen om zoveel mogelijk woorden met ch, cht, g of gt te bedenken en op een blaadje te schrijven.

Bladzijde 14
Oefening 1
Het is erg belangrijk dat de leerling let op de betekenis van de in te vullen woorden. Wijs erop dat sommige woorden precies hetzelfde kunnen klinken, maar toch verschillend geschreven worden en daardoor ook in betekenis verschillen.

Bijvoorbeeld: ligt – licht, lag – lach.

Onderdeel 1 'ch(t)' wordt hier afgesloten met een einddictee.
De einddictees zijn opgenomen in paragraaf 4.2.

2 au – ou

Bladzijde 16 en 17
Instructie

Doel: De leerling leert au-woorden.

Materiaal: Het 'au-verhaal' op rijm op bladzijde 16 en 17 van het werkboek.

Introductie: Op bladzijde 16 en 17 van het werkboek staat een verhaal met au-woorden. Schrijf deze woorden op het bord. Bespreek dat er geen regel bestaat wanneer je een woord met au of ou schrijft. Daarom is het belangrijk dat je au-woorden heel vaak leest en zo gemakkelijker kunt onthouden welke woorden met au worden geschreven. Lees het verhaal samen.

Bladzijde 18 t/m 20
Op deze bladzijden worden de woorden met au op verschillende manieren ingeprent.

Help de leerling om het verhaal te onthouden. Belangrijk hierbij is het regelmatig samen opzeggen van de rijmregels. Daarna kun je het verhaal nog eens voorlezen, waarbij de leerling de goede au-woorden mondeling aanvult. Vervolgens lees je het verhaal met de au-woorden afgedekt. De leerling probeert ze in te vullen. Tot slot worden de lege hokjes op de bladzijden 18 en 19 door de leerling ingevuld. Als hij het woord niet weet, mag hij nog even terugkijken op bladzijde 16 en 17.

Bladzijde 21
Halverwege de bladzijde wordt de hulpregel met betrekking tot au-auw aan de orde gesteld:

'Je hoort au aan het eind van een woord, je schrijft altijd auw.' Het gaat hier uiteraard alleen om woorden uit het au-verhaal.

Bladzijde 22
Deze bladzijde wordt afgesloten met een controledictee.
Dit dictee is te vinden in paragraaf 4.1.

Bladzijde 23
Bovenaan wordt de hulpregel au of ou gegeven: 'Woorden met een au – ou-klank die niet in het au-verhaal voorkomen, schrijf je met ou.'

Geef aan dat de leerling let op de w aan het eind van het woord: 'Je hoort ou aan het eind van een woord, je schrijft altijd ouw, behalve bij: kou, nou, zou, hou, wou, jou.'

Het woordje 'jouw' als bezittelijk voornaamwoord is apart. Hieraan kun je extra aandacht besteden door dit woord te koppelen aan een zelfstandig naamwoord. Doe dit door middel van een analogierijtje: jouw huis, dus ook jouw oog, jouw tas.

Bladzijde 24
Oefening 1
In het stripverhaal worden de zes uitzonderingen op de ouw-regel geoefend.

De rest van de bladzijde wordt besteed aan oefeningen met ou- en ouw-woorden door elkaar.

Deze bladzijde wordt afgesloten met een controledictee.
Dit dictee is te vinden in paragraaf 4.1.

Bladzijde 25
Vanaf deze bladzijde worden de au- en ou-woorden door elkaar aangeboden. Eerst frist de leerling het geheugen op met de invuloefening van het au-verhaal bovenaan de bladzijde.

Gezamenlijke oefening
De leerlingen doorlopen onder jouw begeleiding telkens de volgende vijf stappen om te kunnen bepalen of de woorden met een au of ou geschreven moeten worden:

1. Hoort het woord in het 'au-verhaal' thuis?
2. Zo ja, dan schrijf ik het woord met auw.
3. Hoort het woord niet in het 'au-verhaal', dan schrijf ik het met ou.
4. Ik schrijf het woord met ouw, behalve bij: hou, nou, zou, jou, wou en kou.
5. Maar, denk aan de w bij: jouw huis!

Schrijf deze stappen op het bord. Bied de volgende woorden aan:
hout – rauw - grauw – fout – zout – zou – gauw – kou – saus – jouw – snauw – kous – blauw – vouw – oud – vrouw – hou.

Na een aantal woorden met behulp van deze stappen te hebben geïdentificeerd, veeg je een stap weg (laat wel het nummer staan).
Veeg na de oefening telkens de volgende stap weg. Laat de leerlingen steeds de uitgeveegde stappen zelf verwoorden.

Bladzijde 26
Deze bladzijde wordt afgesloten met een controledictee.
Dit dictee is te vinden in paragraaf 4.1.

Bladzijde 27
Onderdeel 2 'au – ou' wordt hier afgesloten met een einddictee.
De dictee is opgenomen in paragraaf 4.2.

3 uw – eeuw – ieuw

Bladzijde 30
Instructie

Doel: De leerling leert dat voor een w aan het eind van een woord altijd een u geschreven wordt.

Introductie: Schrijf de lettercombinatie 'uw' groot op het bord. Spreek de combinatie duidelijk uit en laat de leerling goed naar de uw-klank luisteren. Laat de leerling de klank hardop nazeggen en wijs daarbij naar de lettercombinatie op het bord.

Selecteer een aantal woorden uit de woordenlijst in hoofdstuk 5 met en zonder uw-klank.

Spreek de woorden uit en vraag de leerling of de uw-klank erin voorkomt. Zo ja, schrijf deze woorden op het bord. Bespreek ook de betekenis van de woorden.

Op bladzijde 30 van het werkboek worden de woorden met 'uw' nogmaals visueel en auditief aangeboden.

Auditieve oefening
Steek je hand op wanneer je een woord hoort dat op 'uw' eindigt:
duw – vuur – scheur – schuw – rul – uw – guur – nu – schuur – ruw – duur – sluw

Bladzijde 31

Deze bladzijde wordt afgesloten met een controledictee.
Dit dictee is te vinden in paragraaf 4.1.

Bladzijde 32

Op deze bladzijde worden voor het eerst woorden met eeuw aangeboden. De combinatie 'eeuw' wordt als geheel ingeprent. Belangrijk is dat de leerling goed naar de klank luistert. Daarnaast kun je wijzen op het feit dat voor een w aan het eind van een woord altijd een u geschreven wordt. Behandel ook de betekenis van deze woorden.

Instructie
De combinatie 'eeuw' kan samen met de 'uw' (instructie blz. 30) geïntroduceerd worden. Hierbij kunnen de volgende woorden geselecteerd en besproken worden:
eeuw – leeuw – spreeuw – speel – meel – meeuw – geel – geeuw – schreeuw – sneeuw.

Bladzijde 33

Naast de introductie van de eeuw-woorden worden op deze bladzijde de woorden met 'uw' herhaald.

Auditieve oefening
Zeg telkens welk woord niet in het rijtje hoort en waarom niet:

leeuw – keel – heel
spreeuw – veel – geeuw
deel – steel – meeuw
geel – sneeuw – meel
uw – eeuw – spreeuw

Deze bladzijde wordt afgesloten met een controledictee.
Dit dictee is te vinden in paragraaf 4.1.

Bladzijde 34
Op deze bladzijde vindt een herhaling plaats van de woorden met eeuw en een introductie van de woorden met ieuw. Ook de combinatie ieuw wordt in zijn geheel aangeleerd met als extra hulpregel dat voor een w aan het eind van een woord altijd een u geschreven wordt.
Op deze bladzijde worden ook woorden aangeboden waarin na de w nog een letter volgt.

Als dit tot spellingfouten leidt, is het misschien goed om de leerling als tussenstap te herinneren aan het woord zonder de letter erachter, dus bijvoorbeeld: nieuws - nieuw.

Goed luisteren is ook hier weer belangrijk!

Instructie

Doel: De leerling leert hoe woorden met ieuw geschreven worden.

Introductie: Schrijf op het bord: kieuw nieuw nieuws

Wijs de leerling erop dat ook bij ieuw altijd voor de w een u komt.

Bied vervolgens de volgende woorden aan en laat de leerling zijn hand opsteken bij de woorden met ieuw.

De woorden zijn:
nieuw – meeuw – spreeuw – kieuw – geeuw – nieuws – leeuw

Bladzijde 35
Auditieve oefening
Welke klanken hoor je in de volgende woorden?

(De combinaties uw, eeuw, ieuw worden als één geheel uitgesproken)
nieuw – wiel – meeuw – sluw – meel – kieuw – kiel – spreeuw – nieuws – hiel – scheel – muur – duw

Deze bladzijde wordt afgesloten met een controledictee.
Dit dictee is te vinden in paragraaf 4.1.

Bladzijde 37
Onderdeel 3 'uw – eeuw – ieuw' wordt hier afgesloten met een einddictee.
De dictee is opgenomen in paragraaf 4.2.

4 klankgroepen – luistervink

Bladzijde 40
Instructie

Doel: De leerling maakt kennis met het begrip 'klankgroep'.

Introductie:
Schrijf op het bord:
huis dier
nacht dienst

Bespreek dat de leerling eerder heeft geleerd dat je van twee kleine woorden één woord kunt maken. Schrijf achter de woorden op het bord: huisdier, nachtdienst. Geef aan dat wanneer je goed naar deze lange woorden luistert, je de twee kleine woorden hoort. In langere woorden kunnen dus verschillende stukjes zitten. Die stukjes heten klankgroepen.

Welke klankgroepen zitten in:
voetbal – strafwerk

Auditieve oefening
In langere woorden hoor je verschillende stukjes. In vliegreis hoor je vlieg en reis, in stadhuis stad en huis. Die stukjes noemen we klankgroepen. Welke twee klankgroepen hoor je in de volgende woorden?

ijskast – stofdoek – rugzak – oorbel – strafwerk – schoolkrant – fietspomp – buurvrouw – speelplaats – viltstift – nachtdienst – lastpost

Bladzijde 41
Instructie

Doel: De leerling maakt kennis met het eerste gedeelte van het schema van de luistervink.

Introductie: Vraag welke twee klankgroepen te horen zijn in het woord 'broodmes'. De twee losse klankgroepen zijn eigenlijk woorden die ieder een betekenis hebben. Vraag hoe je van die twee klankgroepen een tekening kunt maken. Vraag welke spellingregel gebruikt wordt bij het eerste woord.

Introduceer het schema bovenaan bladzijde 41.

Laat daarna de leerling de woorden in klankgroepen verdelen en opschrijven. Bespreek wat lastig kan zijn en onderstreep dit met een kleur.
achtbaan – sneeuwpop – lichtblauw – brandweer – blokfluit – draaideur – breinaald

Auditieve oefening

Moeilijke woorden om te verdelen in klankgroepen zijn woorden met twee dezelfde medeklinkers in het midden, zoals stamppot, slaapplaats.
In deze oefening wordt aan deze woorden extra aandacht besteed door:
a. de betekenis van beide klankgroepen te benadrukken.
b. het verdelen in klankgroepen visueel te ondersteunen.

Schrijf de volgende woorden op het bord:

brooddeeg – slaapplaats – plaaggeest – melkkan– stamppot – strooppot – drukknop – fluittoon – kaasschaaf – grasspriet – loopplank – vuurrood – muisstil – boottocht – toppunt – taalles

Laat de leerling het woord voorlezen, in klankgroepen verdelen en een streepje zetten tussen de klankgroepen. Vraag daarna of de leerling met elk woord een zin maakt:

bijvoorbeeld:
brooddeeg – brood/deeg – ik maak brooddeeg

Bij het nabespreken van oefeningen met dit soort woorden is het belangrijk visueel te ondersteunen.

Bladzijde 42

Auditieve oefening

Laat de leerling het schema bovenaan bladzijde 41 voor zich nemen. Laat de volgende woorden in klankgroepen verdelen, terwijl hardop de stappen van het schema worden doorgenomen.

Laat daarna steeds een woord op het bord schrijven. De woorden zijn:

meimaand – strijkplank – zeurkous – zoutpot – schiettent – kleurkrijt – kaarslicht – sneeuwwit – stamppot

Bladzijde 43

Deze bladzijde wordt afgesloten met een controledictee.
Dit dictee is te vinden in paragraaf 4.1.

Bladzijde 44
Behandel de begrippen klinker en medeklinker. Het is belangrijk dat de leerling deze begrippen kent, net zoals de begrippen korte en lange klank en tweetekenklank, voordat je de regels van de luistervink, klinkerdief en letterzetter gaat behandelen.

De ij is een apart geval, omdat deze in de spellingmethode tot de tweetekenklanken gerekend wordt.

Instructie

Doel: De begrippen medeklinker en klinker (opnieuw) onder de aandacht brengen.

Introductie: Laat het alfabet opzeggen en schrijf mee. Geef aan dat in het alfabet zowel klinkers als medeklinkers staan. Zet samen met de leerling een streep onder de klinkers. Bespreek vervolgens wat de medeklinkers zijn. Besteed kort aandacht aan de ij als apart geval, laat daarna bladzijde 44 van het werkboek maken.

Auditieve oefening
Hoor je aan het eind van de eerste klankgroep een medeklinker, ja of nee?

blokfluit – breiwerk – stopverf – zakdoek – rijtuig – eiland – grasveld – glijbaan – opnieuw – broekzak – meimaand

Bladzijde 45
Auditieve oefening
Welke medeklinker hoor je aan het eind van de eerste klankgroep?

melkboer – rolschaats – uitslag – gifslang – voorhoofd – feestzaal – taalfout – klokhuis – fietstas – veerboot – schuilplaats – optocht – wachtwoord – jaszak – leerboek

Bladzijde 46
Instructie

Doel: De leerling maakt kennis met het begrip 'tweetekenklank'.

Introductie: Geef aan dat er naast klinkers en medeklinkers ook tweetekenklanken bestaan. Schrijf ze op het bord. Bespreek waarom deze tekens tweetekenklanken heten. Een tweetekenklank bestaat uit twee tekens, maar je spreekt ze uit als één klank. Dus 'oe' en niet o - e. Laat steeds de leerling de tweetekenklanken lezen.

In welk woord staat een tweetekenklank?

bus	–	buis	meid	–	met
stel	–	stoel	vis	–	vies
rijk	–	ruk	saus	–	zus
ruik	–	rek	ton	–	tuin

Auditieve oefening

Welke tweetekenklank hoor je in de eerste klankgroep?

woensdag – diefstal – duikbril – kleurdoos – prijsvraag – sauskom – reisgids – zoutpot – kruispunt – schiettent – neushoorn – broekzak

Bladzijde 47

Auditieve oefening

Luister wat er aan het eind staat van de eerste klankgroep. Benoem of dit een medeklinker of een tweetekenklank is.

augurk – kalkoen – fontein – niemand – leerling

Bladzijde 48

Op deze bladzijde ziet de leerling dat er woorden zijn die samengesteld zijn uit twee betekenisvolle stukken (klankgroepen) zoals bijvoorbeeld: lucht-reis, maar dat er ook woorden zijn, waarvan de klankgroepen afzonderlijk geen betekenis hebben, zoals bijvoorbeeld: gor-dijn.

Dit onderscheid is belangrijk om de juiste weg in het schema (van luistervink – klinkerdief – letterzetter) te vinden en zo tot een juiste schrijfwijze van die woorden te komen.

Voor woorden die bestaan uit betekenisvolle klankgroepen geldt dat de regels die eerder geleerd zijn, toegepast moeten worden. Bij klankgroepen zonder betekenis komen daar andere regels bij, namelijk die van de luistervink, de klinkerdief en de letterzetter.

Instructie

Doel: De leerling leert het verschil tussen klankgroepen met en zonder betekenis.

Introductie: Laat de leerling bladzijde 48 bekijken. Het schema wordt uitgebreid. Tot nu toe heeft de leerling lange woorden geschreven die bestaan uit twee klankgroepen die iets betekenen.

Bespreek dat hij nu ook woorden gaat leren schrijven waarvan niet allebei de klankgroepen betekenis hebben.

Schrijf op het bord:

2 klankgroepen met betekenis:	*2 klankgroepen zonder betekenis:*
brei - naald	kal - koen
zak - kam	au - gurk
drie - hoek	ont - bijt

Leg uit dat in het eerste rijtje zowel de eerste als de tweede klankgroep betekenis heeft en in het tweede rijtje niet. Geef de leerling daarna de volgende woorden en laat hem aangeven in welk rijtje de woorden thuishoren:

handschoen – strafwerk – eekhoorn – prinses – framboos – schuurdeur – vijftien – schoorsteen.

Oefening 1

Het is het beste om de woorden eerst auditief in klankgroepen te laten verdelen.

Auditieve oefening a

Luister goed naar de volgende woorden. Geef aan welke klankgroepen er zijn. In welke woorden hebben beide klankgroepen betekenis?

weiland – tuinman – gordijn – huisdeur – niemand – speelplaats – prinses – kerkklok – prijsvraag – fornuis – zakdoek – taalles – framboos – vuurrood – zeepdoos – taartschep – soldaat – zoutpot

Laat de woorden steeds opschrijven, zodat het verdelen in klankgroepen van moeilijke woorden als 'kerkklok' visueel ondersteund wordt.

Auditieve oefening b

Geef aan in welk woord alle klankgroepen betekenis hebben.

antwoord
fluittoon
soldaat
muisstil
kerkklok
niemand
kalkoen
vuurrood
wenkbrauw
schiettent
grasspriet
fornuis

Bladzijde 49
Op deze bladzijde wordt een aantal nieuwe vakken van het schema behandeld.

Instructie

Doel: De leerling leert een deel van het schema van luistervink – klinkerdief – letterzetter toepassen.

Introductie: Geef aan dat de leerling aan de slag gaat met het schema luistervink – klinkerdief – letterzetter. Benoem dat hij met een aantal vakken al kennis heeft gemaakt op de vorige bladzijden.

Loop samen met de leerling het schema door tot aan de vakken medeklinker en tweetekenklank met behulp van onderstaande voorbeelden.

Begin met het woord: tuinman.
Verdeel het woord in klankgroepen: /tuin/ /man/

Hebben alle losse klankgroepen betekenis? ja

Vervolgens het woord: dinsdag.
Verdeel het woord in klankgroepen: /dins/ /dag/

Hebben alle losse klankgroepen betekenis? nee

Wat hoor je aan het eind van de eerste klankgroep? een medeklinker

Doe hetzelfde met:
eekhoorn – handdoek – marmot – niemand – strooppot

Auditieve oefening
Verdeel elk woord in klankgroepen en zeg daarna welke klank aan het einde van de eerste klankgroep staat.

niemand – marmot – portier – boeken – neuzen – kelner – liever – kleuter – stempel

Bladzijde 50
Op deze bladzijde wordt de regel van de luistervink geïntroduceerd.

Instructie

Doel: De leerling maakt kennis met de regel van de luistervink.

Introductie: Selecteer een aantal woorden uit woordenlijst 4 in hoofdstuk 5 en behandel deze woorden op dezelfde wijze als in de instructie bij bladzijde 49. Laat de leerling de woorden op het bord schrijven en de regel van de luistervink toepassen. De leerling moet goed luisteren om de woorden te kunnen schrijven, maar laat hem daarnaast ook aan de eerder geleerde regels denken. Voorbeeld: aardbei en niet aartbij.

Bladzijde 51
Deze bladzijde wordt afgesloten met een controledictee.
Dit dictee is te vinden in paragraaf 4.1.

Bladzijde 53
Auditieve oefening
Verdeel de woorden in klankgroepen.
Bij welke woorden geldt de regel van de luistervink en waarom?

konijn – fontein – scholen – karton – dinsdag – jager – vogel – niemand – iemand – ruzie

Onderdeel 4 'klankgroepen – luistervink ' wordt hier afgesloten met een einddictee. De dictee is opgenomen in paragraaf 4.2.

4 Dictees

4.1 Controledictees

Dictees bij 1 ch(t)

Controledictee na bladzijde 8

	Schrijf op:
1. Het was al nacht toen ze thuiskwamen.	nacht
2. Doe het raam eens dicht!	dicht
3. Lach eens voor de foto!	lach
4. Met een zucht legde hij het boek weg.	zucht
5. Och, wat een leuke hond is dat!	och
6. Rob vecht met Rick om de bal.	vecht
7. Hoog in de lucht zie ik een zweefvliegtuig.	lucht
8. Wat stelt zij zich aan met dat wondje!	zich
9. Er wacht iemand op mij.	wacht
10. Deze vrucht smaakt heerlijk.	vrucht

Controledictee na bladzijde 10

	Schrijf op:
1. Hij zegt het voor.	zegt
2. Dacht je echt dat ik je zou verraden?	dacht
3. De man zocht naar zijn portemonnee.	zocht
4. Als je daar naar rechts gaat, zie je de bushalte.	rechts
5. Wat goed dat je dat vraagt!	vraagt
6. In de zomer wordt het al vroeg licht.	licht
7. De postbode bracht een pakje.	bracht
8. Hij buigt voor het publiek.	buigt
9. Het is echt waar, wat ik je vertel!	echt
10. De kip legt een ei.	legt

Controledictee na bladzijde 12

	Schrijf op:
1. Wat heb jij een pech!	pech
2. Hij zaagt de plank door.	zaagt
3. Niet recht, maar krom.	recht
4. Het meisje had een lange vlecht.	vlecht
5. Ligt hij al in bed?	ligt
6. Toch ga ik op reis.	toch
7. Drink je glas eens leeg.	leeg
8. De lucht is blauw.	lucht
9. Hij springt in de gracht.	gracht
10. Wie niet waagt die niet wint.	waagt

Dictees bij 2 au – ou

Controledictee na bladzijde 22

Schrijf op:

1. Ik vind blauw een mooie kleur. — blauw
2. Kun je gauw voor mij een brood halen? — gauw
3. Doe niet zo flauw! — flauw
4. De paus draagt de mis op. — paus
5. Snauw jij wel eens tegen een ander kind? — snauw
6. Vlees kun je beter niet rauw eten. — rauw
7. Au! riep opa, toen Ben op z'n teen ging staan. — au
8. 's Morgens ligt er dauw op het gras. — dauw
9. Zijn gezicht zag grauw van moeheid. — grauw
10. De leeuwin gaf de welp een duwtje met haar klauw. — klauw

Controledictee na bladzijde 24

Schrijf de hele zin op:

1. Ik bouw een hut van hout.
2. Als ik jou was, zou ik maar naar bed gaan.
3. Het is wel koud in jouw huis!
4. Ik hou van zout op mijn ei.
5. Zijn vrouw heeft een hart van goud.

Controledictee na bladzijde 26

Schrijf op:

1. Er zit een fout in het breiwerk. — fout
2. Ik vind het niet erg dat mijn soep lauw is. — lauw
3. De saus smaakte heerlijk. — saus
4. Het hondje zat te rillen van de kou. — kou
5. Mijn laarzen zijn te nauw. — nauw
6. Je bent stout! zei Fatima tegen haar pop. — stout
7. Leg eens een knoop in dat touw. — touw
8. Ik wou dat ik kon vliegen. — wou
9. De pauw laat trots zijn veren zien. — pauw
10. Is dat jouw tas? — jouw

Dictees bij 3 uw – eeuw – ieuw

Controledictee na bladzijde 31

		Schrijf op:
1.	Bob duwt Said op zijn kar vooruit.	duwt
2.	Die jas is heel duur.	duur
3.	De egel is een schuw dier.	schuw
4.	Houd je stuur goed vast!	stuur
5.	Een vos is sluw.	sluw
6.	Door die duw viel ik haast van de trap.	duw
7.	Farida draait een krul in haar haar.	krul
8.	Mijn fiets staat in de schuur.	schuur
9.	Mag ik uw jas, mevrouw?	uw
10.	De stof voelt ruw aan.	ruw

Controledictee na bladzijde 33

Schrijf de hele zin op:

1. De meeuw gaf een schreeuw.
2. Het sneeuwt heel vaak.
3. De leeuw eet veel.
4. De spreeuw vloog naar een geel huis.
5. Mijn keel doet pijn door die geeuw.

Controledictee na bladzijde 35

		Schrijf op:
1.	Mijn oom leest mij het nieuws voor.	nieuws
2.	Die fiets is duur.	duur
3.	Een vos is heel sluw.	sluw
4.	Ik speel graag op straat.	speel
5.	De meeuw eet het brood op.	meeuw
6.	Een vis heeft een kieuw.	kieuw
7.	De juf geeuwt, want ze heeft slaap.	geeuwt
8.	Mijn jurk is net nieuw.	nieuw
9.	Mijn broer geeft mij een harde duw.	duw
10.	Ik geef een harde schreeuw.	schreeuw

Dictees bij 4 klankgroepen – luistervink

Controledictee na bladzijde 43

	Schrijf op:
1. Hij is een echte plaaggeest.	plaaggeest
2. Hij werd vuurrood van schrik.	vuurrood
3. Ik maak geen fouten in mijn taalles.	taalles
4. We zaten met z'n allen rond het kampvuur.	kampvuur
5. Tien en acht is achttien.	achttien
6. Ik heb altijd een zakkam bij me.	zakkam
7. Doe de kastdeur eens op slot.	kastdeur
8. De bakker kneedde het brooddeeg.	brooddeeg
9. Mijn vader heeft nachtdienst.	nachtdienst
10. Je handen zijn pikzwart.	pikzwart

Controledictee na bladzijde 51

	Schrijf op:
1. De boerin gaf ons een glas melk.	boerin
2. Een dolfijn is een vis.	dolfijn
3. Ik zie niemand.	niemand
4. Die doos is van karton.	karton
5. De prins en de prinses.	prinses
6. Wat is je leeftijd?	leeftijd
7. Op woensdag zijn we 's middags vrij.	woensdag
8. Zet jij die pan eens op het fornuis!	fornuis
9. We gleden van de glijbaan.	glijbaan
10. Een augurk is mij te zuur.	augurk

4.2 Einddictees

Einddictee bij 1 ch(t)

(na bladzijde 14)

	Schrijf op:
1. De toneelvoorstelling begint om acht uur.	acht
2. Wat is het slecht weer!	slecht
3. De auto stond met pech langs de weg.	pech
4. Mijn broer ligt al een tijd in het ziekenhuis.	ligt
5. Marijn plaagt haar zus met haar nieuwe vriend.	plaagt
6. Het konijn vlucht in zijn hol.	vlucht
7. Mijn zusje vecht vaak met mijn broertje.	vecht
8. In de gracht mag je niet zwemmen.	gracht
9. Is dat echt waar?	echt
10. Ik zal toch maar lid worden van die club.	toch
11. De auto had een zware vracht.	vracht
12. Hij scheert zich altijd met scheergel.	zich
13. Wat fijn dat je ook mocht komen!	mocht
14. De boom buigt door de storm.	buigt
15. Mijn nicht komt logeren.	nicht
16. Zij lacht veel te hard om die grap.	lacht
17. Men zegt dat hij weleens een kind gered heeft.	zegt
18. Doe het licht eens uit.	licht
19. Er zit een bocht in de weg.	bocht
20. Het tocht onder de deur door.	tocht

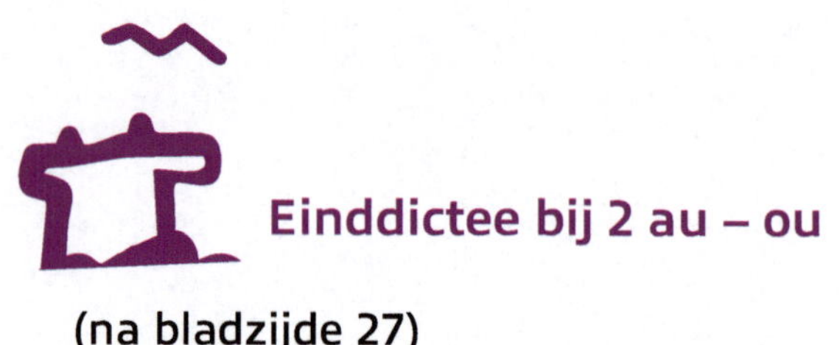

Einddictee bij 2 au – ou

(na bladzijde 27)

		Schrijf op:
1.	Ga eens gauw kijken wat er aan de hand is.	gauw
2.	De beer ving de vis met zijn klauw.	klauw
3.	Mijn vrouw is haast nooit thuis.	vrouw
4.	Opa is al heel oud.	oud
5.	Wist ik nou maar waar mijn bril is!	nou
6.	Ik vouw graag vliegtuigjes van papier.	vouw
7.	Wat zie jij grauw!	grauw
8.	Ik ben een kous kwijt.	kous
9.	Is dat jouw fiets?	jouw
10.	Rauw eten is niet altijd gezond.	rauw
11.	Mijn ketting is goud.	goud
12.	Je moet de lucht blauw kleuren.	blauw
13.	Er zit een gat in de mouw van mijn jas.	mouw
14.	Wat flauw dat je niet meedoet!	flauw
15.	Is die fietsmand van jou?	jou
16.	Au! riep de timmerman toen hij op zijn vinger sloeg.	au
17.	Ik doe wat zout in de rijst.	zout
18.	Ik trouw morgen met jou.	trouw
19.	Je ziet blauw van de kou.	kou
20.	Zou je in dit dictee een fout hebben gemaakt?	fout

Einddictee bij 3 uw – eeuw – ieuw

(na bladzijde 37)

	Schrijf op:
1. Het sneeuwt al dagen.	sneeuwt
2. Ik geeuw als ik slaap heb.	geeuw
3. Heb je het nieuws al gehoord?	nieuws
4. Er is een leeuw ontsnapt.	leeuw
5. Het is een schuw vogeltje.	schuw
6. Dat is ruw spel.	ruw
7. Jij zingt niet, jij schreeuwt!	schreeuwt
8. De hond duwt de deur open.	duwt
9. Boven het water vloog een meeuw.	meeuw
10. De spreeuw vliegt weg.	spreeuw
11. Een eeuw is 100 jaar.	eeuw
12. Er ligt een dik pak sneeuw op het dak.	sneeuw
13. Mag ik uw kaartje zien, mevrouw?	uw
14. Is die hoed nieuw?	nieuw
15. Die schilder leefde in de gouden eeuw.	eeuw
16. Een mens heeft geen kieuw.	kieuw
17. De boef is sluw.	sluw
18. Loes gaf Hassan een duw.	duw
19. Tim geeuwt omdat hij zich verveelt.	geeuwt
20. Toen Mustafa de muis zag, gaf hij een schreeuw.	schreeuw

Einddictee bij 4 klankgroepen – luistervink

(na bladzijde 53)

	Schrijf op:
1. Hij zakte bijna weg in het moeras.	moeras
2. Ik koop een tijdschrift.	tijdschrift
3. Komt de prinses met de koningin mee?	prinses
4. Ik houd niet van kaassaus.	kaassaus
5. Ik zit lekker op het balkon.	balkon
6. Zij kreeg een springtouw voor haar verjaardag.	springtouw
7. In die wijk staat alleen nieuwbouw.	nieuwbouw
8. De soldaat staat op wacht.	soldaat
9. Ik maak geen fouten in mijn taalles.	taalles
10. Ik wil een ei bij het ontbijt.	ontbijt
11. Hij snoept uit de strooppot.	strooppot
12. Hij is spoorloos verdwenen.	spoorloos
13. We eten bij kaarslicht.	kaarslicht
14. Bij die plaats is een heel mooi zandstrand.	zandstrand
15. Een marmot is een lief diertje.	marmot
16. Ik droog mij af met een handdoek.	handdoek
17. We eten een kalkoen.	kalkoen
18. Het vee staat in het weiland.	weiland
19. Wacht jij op iemand?	iemand
20. De fontein spuit water.	fontein

5 Woordenlijsten

Woordenlijst 1 ch(t)

ch	**cht**			
ach	acht	knecht	recht	vracht
lach	bocht	kocht	rechts	vrucht
och	bracht	kracht	slecht	wacht
pech	dacht	lacht	specht	zacht
toch	dicht	licht	tocht	zocht
zich	echt	lucht	vacht	zucht
	gracht	macht	vecht	
	jacht	mocht	vlecht	
	klacht	nacht	vlucht	
		nicht	vocht	

Woordenlijst 2 au – ou

au		**ou**		
au	mauw	bout	koud	vrouw
blauw	nauw	bouw	kous	wou
dauw	paus	bouwt	mouw	woud
flauw	pauw	fout	nou	zou
gauw	rauw	goud	oud	zout
grauw	saus	hou(d)	stout	
kauw	snauw	hout	touw	
kauwt	snauwt	jou	trouw	
klauw		jouw	trouwt	
lauw		kou	vouw	
			vouwt	

Woordenlijst 3 uw – eeuw – ieuw

uw	**eeuw**	**ieuw**
duw	eeuw	kieuw
duwt	geeuw	nieuw
ruw	geeuwt	nieuws
schuw	leeuw	
sluw	meeuw	
uw	schreeuw	
	schreeuwt	
	sneeuw	
	sneeuwt	
	spreeuw	

5 Woordenlijsten

Woordenlijst 4 klankgroepen – luistervink

Woorden met twee betekenisvolle klankgroepen.

aandacht
aanklacht
aanrecht
achtbaan
afschuw
altijd
blauwgroen
bouwland
bustocht
buurvrouw
daglicht
denkfout
dichtbij
dichtdoen
dichtgaan
echtpaar
fietstocht
foutloos
frisdrank
glimlach
goudvis
houtvlot
houtwerk
houtworm
huisman/vrouw
ijskoud
ijstaart
inhoud
inzicht
jachthond
kaarslicht
kniekous
krachtproef
lachbui
lachfilm
lamplicht
landbouw
leesfout
lichtblauw
lichtbruin
lichtgrijs
lichtgroen
lichtrood (etc.)
lichtpunt
lichtstraal
lijfwacht
luchtbel
luchtdicht
luchtmacht
luchtpost
luchtreis
luchtruim
luchtvaart
maanlicht
nachtdienst
nachthemd
nachtrust
nachtslot
nachttrein
nachtvorst
nieuwbouw
nieuwjaar
opdracht
opnieuw
optocht
oudjaar
pechlamp
rauwkost
rechtbank
rechtdoor
rechtsaf
rechtstreeks
rechtuit
sauskom
schouwburg
schuilplaats
slotgracht
sneeuwbal
sneeuwbui
sneeuwpop
sneeuwstorm
speurneus
speurtocht
springtouw
stokoud
stoplicht
taalfout
tochtstrip
toevlucht
trouwdag
trouwjurk
trouwpak
trouwring
tuinbouw
veerkracht
verflucht
vliegtocht
vluchtstrook
vluchtweg
vouwblad
vouwfiets
vrieskou
vrachtschip
vruchtbaar
vruchtboom
wachtgeld
wachtwoord
zeeleeuw
zeemeeuw
zeiljacht
zeiltocht
zeurkous
zichzelf
zoethout
zonlicht
zoutloos
zoutpot
zoutvat
zuidvrucht
zwaailicht

Woorden met twee betekenisvolle klankgroepen en twee gelijke medeklinkers in het midden.

achttien
boottocht
brooddeeg
drukknop
feesttaart
feesttent
fluittoon
grasspriet
handdoek
harttoon
kaassaus
kaasschaaf
kerkklok
loopplank
melkkan
muisstil
oppas
plaaggeest
schiettent
schrijffout
slaapplaats
sneeuwwit
stamppot
strooppot
taalles
toppunt
vannacht
voorraad
voorrang
voorruit
vuurrood
zakkam

Woorden waarvan de twee losse klankgroepen niet allebei een duidelijke betekenis hebben ten opzichte van het hele woord.

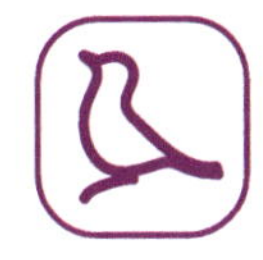

Luistervinkwoorden

aardbei
antwoord
augurk
balkon
boerin
boodschap
dertien
dinsdag
dolfijn
fontein
fornuis
framboos
gordijn
iemand
kalkoen
kantoor
kapstok
karton
koetsier
kompas
leiding
marmot
moeras
niemand
oerwoud
ontbijt
ontslag
onrecht
partij
portiek
portier
prinses
soldaat
toernooi
toezicht
uitzicht
woensdag

NB. Bij een aantal van deze woorden is er mogelijk wel sprake van een afgeleide betekenis volgens het etymologisch woordenboek.

Schema van de luistervink

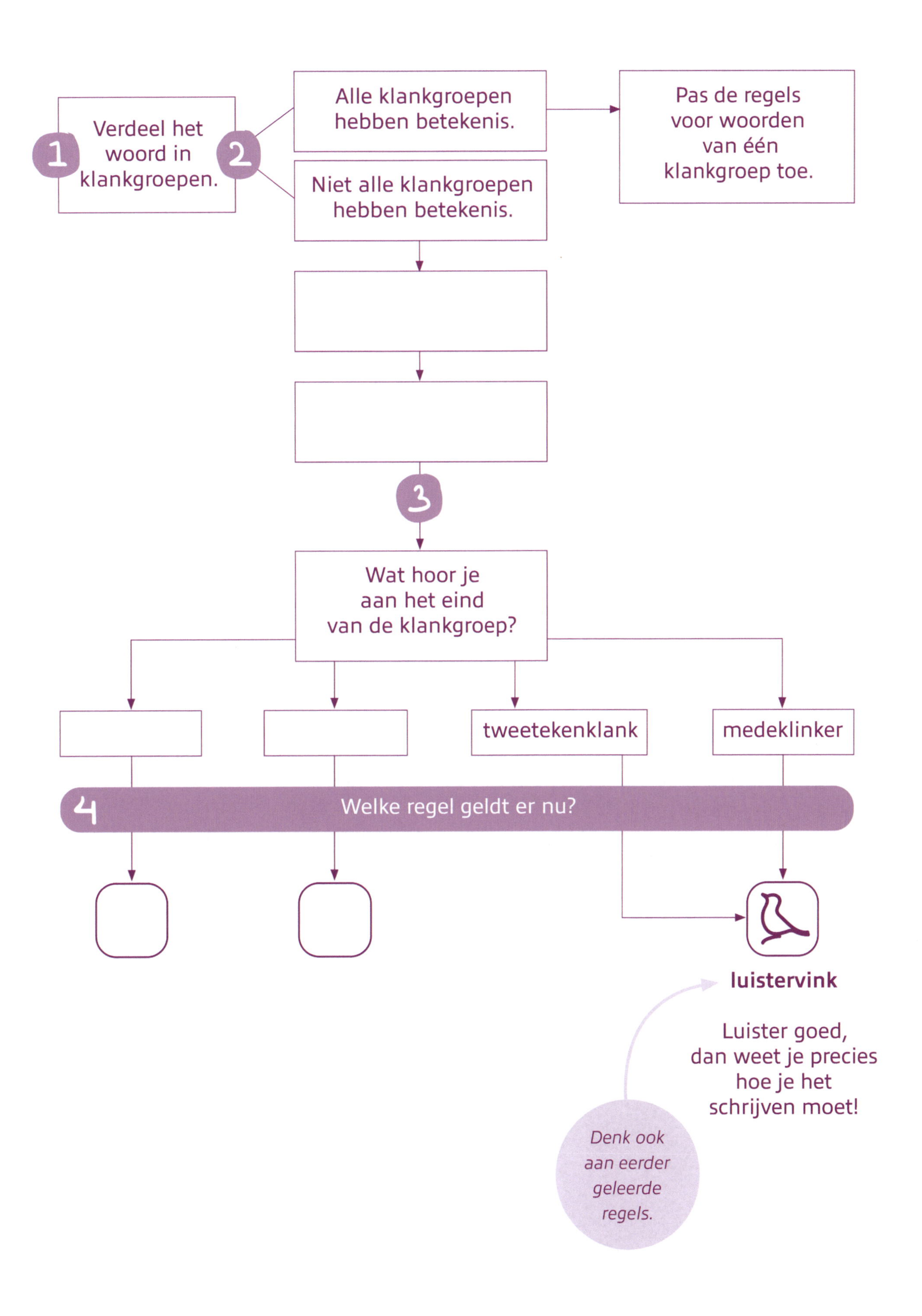

Bijlage

Spelling in de lift adaptief

handleiding niveau 6

kop- en staartstukken
klinkerdief 1
letterzetter 1

Inhoud

1 Doelstellingen

1.1 Algemene doelstellingen

Het werkboek niveau 6 is een onderdeel van de methode *Spelling in de lift adaptief*. Met deze methode leren leerlingen de schrijfwijze van veelvoorkomende Nederlandse woorden. Het is van belang dat leerlingen de woorden die ze leren, niet alleen goed schrijven in de spellinglessen, maar dat ze die kennis ook gaan gebruiken in hun spontane schriftelijke taalgebruik. Hiervoor zijn speciale oefeningen opgenomen. Voor een verdere toelichting van de algemene doelstellingen kun je de Algemene Inleiding raadplegen.

1.2 Doelstellingen van niveau 6

Aan het eind van het werkboek van niveau 6 wordt van de leerling verwacht dat hij:

- veelvoorkomende woorden bestaande uit twee klankgroepen, waarvan één klankgroep bestaat uit een kop- of staartstuk (be-, ge-, ver-, -e, -ig, -lijk), kan schrijven (bijvoorbeeld: verstand, keuken);

- de begrippen: klinker, medeklinker, lange en korte klank, tweetekenklank en klankgroep heeft leren kennen en gebruiken;

- veelvoorkomende woorden bestaande uit twee klankgroepen kan schrijven, met woorden waarvan de eerste klankgroep kan eindigen op:
  - een medeklinker (zoals gor-dijn) – luistervink;
  - een tweetekenklank (zoals keu-ken) – luistervink;
  - een lange klank (zoals ko-nijn) – klinkerdief;
  - een korte klank (zoals kna-ppe) – letterzetter.

1 Doelstellingen

2 Opbouw

2.1 Instaptoets

Om de beginsituatie van de leerling vast te stellen, wordt in de digitale omgeving gestart met een instaptoets.

Deze instaptoets is passend bij de didactische leeftijd van de leerling en de periode van een jaar terug: er worden enkel spellingcategorieën getoetst waar de leerling op dat moment in zijn leerproces aan toe is of is geweest.

De instaptoets duurt ongeveer 40 tot 60 minuten. Het advies is om de tijd van de instaptoets te verspreiden over verschillende momenten op een dag of in een week. Zo minimaliseer je eventuele onzekerheid of frustratie. De instaptoets gaat automatisch verder waar de leerling gebleven is.

De resultaten van de leerling worden na het afronden van de instaptoets in het resultatenscherm van de leerkracht getoond. Hierop kun je precies zien welke spellingcategorieën de leerling al goed beheerst en op welke spellingcategorieën nog meer geoefend moet worden. Ook kun je het niveau van klankherkenning inzien. Het systeem zet, op basis van de resultaten, vervolgens automatisch oefenstof klaar.

2.2 Digitaal verwerken

Tijdens het digitaal verwerken kun je in het resultatenscherm de voortgang van de leerling inzien. Wanneer een leerling uitvalt op een spellingcategorie wordt in het resultatenscherm verwezen naar deze categorie binnen de handleiding per niveau van *Spelling in de lift adaptief*. De leerling heeft dan baat bij instructie, begeleide inoefening en verwerking die gestuurd wordt door de leerkracht.

Aan de klankherkenning en het klankonderscheid hangt geen 'goed' of 'fout' niveau. Het doel hiervan is om de snelheid van de verwerking van klank-tekenkoppeling te vergroten. Vooruitgang is daarbij het streven.

2.3 Instructie en verwerken op papier

In het resultatenscherm zie je op welke spellingcategorieën van niveau 6 de leerling uitvalt. Ga samen met de leerling aan de slag met de desbetreffende spellingcategorieën.

Het is dus zeker niet zo dat de leerling alle opdrachten uit het werkboekje van niveau 6 moet maken. Het mag natuurlijk wel, want extra oefening kan nooit kwaad.

In deze handleiding staan per bladzijde van het werkboek instructies en aanwijzingen bij de opdrachten. Daarnaast vind je bij verschillende bladzijden auditieve oefeningen die je samen met de leerling kunt doen. In hoofdstuk 3 vind je hoe deze zijn aangegeven, in zowel de handleiding, als in het werkboek.

2.4 Evaluatie

Tussen de verschillende oefeningen door, zijn controledictees voorhanden om na te gaan waar de leerling zich op dat moment in zijn leerproces bevindt. Aan het eind van iedere spellingcategorie vind je een einddictee. Dit kun je naast het controledictee en de gemaakte opgaven leggen om de voortgang van de leerling inzichtelijk te maken.

Zowel aan het controledictee, als aan het einddictee hangen geen normeringen.

De voortgang van de leerling wordt nog duidelijker zichtbaar door hem, na het oefenen op papier, weer digitaal te laten oefenen. In het resultatenscherm kun je zien hoe de leerling nu scoort op de spellingcategorieën.

3 Didactiek

3.1 Leerinhouden

In het werkboek vind je de volgende categorieën:

1 Kop- en staartstukken
woorden met de kopstukken be-, ge-, ver- (blz. 4 t/m 6)
woorden met -e in het staartstuk (blz. 7 t/m 9)
woorden met -ig en -lijk in het staartstuk (blz. 10 en 11)
herhaling van alle kop- en staartstukken (blz. 12 t/m 16)

2 Klinkerdief 1
herhaling van klankgroepen/kop- en staartstukken (blz. 18 en 19)
toets (blz. 20 t/m 22)
herhaling van de regel van de luistervink (blz. 23 t/m 26)
introductie van de regel van de klinkerdief (blz. 27)

Deze regel wordt achtereenvolgens toegepast op woorden met:
a (blz. 28 en 29)
e (blz. 30 en 31)
o (blz. 32 en 33)
u (blz. 34)

a, e, o en u door elkaar en de uitzondering
met ee aan eind van het woord, bijvoorbeeld: twee (blz. 35 t/m 38)

3 Letterzetter 1
introductie van de regel van de letterzetter (blz. 40)
Deze regel wordt achtereenvolgens toegepast op woorden met:
a (blz. 41 en 42)
e (blz. 43 en 44)
i (blz. 45 en 46)
o (blz. 47 en 48)
u (blz. 49 en 50)

a, e, i, o en u door elkaar (blz. 51 t/m 53)

herhaling van de regels van luistervink, klinkerdief en letterzetter (blz. 54 t/m 56)

Daarna worden er allerlei oefeningen aangeboden waarbij de leerling
zelf beslist welke van de drie regels hij toepast.

Oefeningen met luistervink-, klinkerdief- en letterzetter-woorden
in zinnen, verhaaltjes en spelletjes. (blz. 57 t/m 60)

N.B. Bij dit werkboek hoort het schema van de luistervink – klinkerdief – letterzetter. Dit schema dient als leidraad bij het behandelen van de spellingregels. Het schema staat achterin het werkboek en achterin deze handleiding.

3.2 Leerprincipes

Voor een algemene toelichting op de verschillende leerprincipes kun je hoofdstuk 3 van de Algemene Inleiding lezen. Hieronder wordt besproken hoe deze leerprincipes op niveau 6 plaatsvinden.

Oriënteren
In het werkboek worden zowel klankzuivere als niet-klankzuivere woorden behandeld die uit twee klankgroepen bestaan. Bij deze woorden hebben de klankgroepen in sommige gevallen wel betekenis, maar in de meeste gevallen niet. Het is daarom belangrijk dat de leerlingen zich goed op de diverse problemen oriënteren. Daar kun je op de volgende manier bij helpen:

Kop- en staartstukken
Voordat het deel 'kop- en staartstukken' doorgewerkt wordt, moet eerst het deel 'klankgroepen' zijn behandeld (niveau 5). Mocht dit nog niet aan bod gekomen zijn, dan is het goed om alsnog het onderdeel klankgroepen – luistervink van niveau 5 te behandelen. In dit onderdeel vindt namelijk de introductie van begrippen (klankgroep, korte klank, lange klank en tweetekenklank) plaats als voorbereiding op de inhoud van niveau 6. Net zoals in het onderdeel 'klankgroepen' wordt in dit deel de term 'klankgroep' in plaats van 'lettergreep' gebruikt. Het begrip klankgroep is anders dan het begrip lettergreep. Wanneer je een woord visueel in stukken verdeelt, spreek je van lettergrepen. Bijvoorbeeld: bit - ter. Klankgroepen daarentegen ontstaan wanneer je een woord op het gehoor in stukken verdeelt: /bi/ /ter/. Klankgroepen en lettergrepen kunnen gelijk zijn, zoals in het woord speel - tuin.

Bij woorden waarin klankgroepen en lettergrepen niet hetzelfde zijn, zoals in 'bitter', kun je het woord beter niet visueel – in het schrift of op het bord – aanbieden om het in klankgroepen te laten verdelen. Als de leerling namelijk 'bitter' op het bord ziet staan, kan hij het woord verkeerd gaan verdelen, namelijk als bit - ter, wat uiteindelijk tot een verkeerd toepassen van de spellingregels zou kunnen leiden.

De woorden die in 'kop- en staartstukken' aangeleerd worden, zijn niet klankzuiver. Stap voor stap introduceer je diverse kop- en staartstukken bij de leerlingen. Na de introductie en de oriëntatie op de meest voorkomende woorden met kop- en staartstukken, gaan de leerlingen volgens het analogieprincipe werken bij woorden met identieke kop- of staartstukken. Het uiteindelijke doel is dat de leerlingen in hun hoofd een woordbeeld vormen van dit soort woorden. Je kunt na de introductie van deze woorden als houvast meegeven dat je bij deze kop- en staartstukken een /u/-klank hoort en zegt, maar dat je een e schrijft: 'Je hoort 'ug' en 'luk', je schrijft 'ig' en 'lijk' . Als extra ondersteuning worden in het werkboek kleine afbeeldingen getoond van muisjes met deze kop- en staartstukken.

Letterzetter 1

Om de leerlingen een goede oriëntatiebasis aan te bieden, begint de methode met een korte herhaling van de stof van niveau 5. De begrippen korte klank, lange klank, tweetekenklank en medeklinker worden nog een keer aangeboden. Je bespreekt het eind van de eerste klankgroep van een woord met de leerlingen. Daarna vraag je de leerlingen of klankgroepen nu wel of geen betekenis hebben. Tot slot geven ze aan of er kop- of staartstukken in het woord aanwezig zijn en hoe zij deze moeten schrijven. Door middel van de toets kun je nagaan of de leerlingen na deze herhaling deze begrippen ook werkelijk kennen. De leerlingen moeten deze formatieve toets voldoende maken voordat de spellingregels van 'klinkerdief' en 'letterzetter' geïntroduceerd worden. Kennis van deze begrippen is van belang voor de beheersing van deze spellingregels. Vaak blijkt dat de open en gesloten lettergrepen een struikelblok voor de leerlingen vormen. In deze handleiding is dit uitgewerkt met het accent op klankgroepen en in regels van luistervink, klinkerdief en letterzetter. Goed om te weten is dat de woorden die bij de onderdelen 'klinkerdief 1' en 'letterzetter 1' aangeleerd worden, niet klankzuiver zijn.

Enkele voorbeelden van niet klankzuivere woorden:
'drempel': de klankgroepen zijn /drem/ en /pel/. In 'pel' zit het staartstuk -e , de zogenaamde 'stomme e', waarbij je een u hoort, maar een e schrijft; dus niet klankzuiver.

'maken': de klankgroepen zijn /ma/ en /ken/. Bij 'ma' hoor je een lange aa, maar je schrijft maar één a. Bovendien zit er in de klankgroep 'ken' een staartstuk -e, waarbij je een u hoort, maar een e schrijft; dus beide klankgroepen zijn niet klankzuiver.

'latten': de klankgroepen zijn /la/ en /tten/. Bij 'tten' hoor je maar één t, en toch moet je twee t's schrijven. Daarnaast hoor je hier ook weer een u, terwijl je een e schrijft.

Omdat al deze soorten woorden niet klankzuiver zijn, moeten we de leerlingen leren:

a waarin deze woorden zich van elkaar onderscheiden en;
b welke spellingregels zij erop toe moeten passen.

Om de leerlingen deze regels gemakkelijk te laten onthouden, is als hulpmiddel gekozen voor de figuren van de luistervink, klinkerdief en letterzetter. Zij spelen elk een rol in het verhaal over het prinsesje Bernadette. Dit verhaal bied je aan om de leerlingen te motiveren en om ze te helpen bij het onthouden van de nieuwe spellingregels. Daarnaast hebben de leerlingen houvast aan het schema van de luistervink – klinkerdief – letterzetter, waarin bovenstaande stappen a en b uitgewerkt zijn.

De drie spellingregels die de leerlingen leren zijn:

1 De regel van de luistervink (herhaling)
Hoor je aan het eind van een klankgroep een medeklinker of een tweetekenklank, zeg dan: 'Luister goed, dan weet je precies hoe je het schrijven moet.'

Opmerkingen:

a) De regel van de luistervink mag in dit werkboek alleen op de eerste klankgroep van het woord toegepast worden.

b) De leerlingen bepalen bij elk woord of deze eerste klankgroep wel of geen betekenis heeft.

Want bij een woord als 'broodplank' hoor je aan het eind van de eerste klankgroep een 't', een medeklinker dus. Maar toch mag je niet de regel van de luistervink toepassen, omdat het woord 'brood' een eigen betekenis heeft. Daarom geldt hier de eerder geleerde regel met betrekking tot een d of t aan het eind van het woord.

c) De luistervinkregel is van belang om de leerlingen te helpen zich goed te oriënteren op de woorden die overblijven, zoals 'fornuis', 'gordijn', 'drempel' enzovoort. Met behulp van de luistervink voorkom je dat de leerlingen 'forrnuis', 'keukken' of 'gorddijn' gaan schrijven. Ze gaan dan met andere woorden de regel van de letterzetter 'overgeneraliseren'.

d) Geef bij de leerlingen aan goed op te letten of er een staartstuk in de laatste klankgroep van een woord zit. Bijvoorbeeld: -e, -ig, -lijk enzovoort. Het is mogelijk dat deze klankgroep een woord of een woorddeel is, waarop eerder geleerde regels toegepast moeten worden. Bijvoorbeeld: 'niemand' en 'dolfijn'. In de overige gevallen schrijf je de klankgroep zoals je deze hoort, bijvoorbeeld: bij 'fornuis' en 'prinses'. De praktijk wijst uit dat de leerlingen met het schrijven van deze tweede klankgroep over het algemeen weinig moeite hebben.

2 De regel van de klinkerdief

Hoor je aan het eind van een klankgroep een lange klank, zeg dan:
'Lange klanken hebben pech. Ik haal gewoon een letter weg.'

Opmerkingen:

a) Bij het aanleren van deze regel is bewust geen gebruik gemaakt van het begrip klemtoon of woordaccent.

b) Bekijk voor de juiste schrijfwijze van een klankgroep opmerking d onder de regel van de luistervink.

c) Er zijn woorden waarbij moeilijk te horen is of het om een lange of een korte klank gaat. Bijvoorbeeld: agent, matroos, banaan. Hiervoor is het lastig een regel te geven. Je zou bij dit soort woorden de lange klank 'overdreven' lang uit kunnen spreken. Op den duur gaat het visuele woordbeeld ondersteunend werken.

Nog een voorbeeld: toren, beren. Je kunt bij deze woorden aangeven dat dit -oor en -eer woorden zijn, waar de plaagletter de lange klanken anders laat klinken. Het blijven wel lange klanken, dus hier geldt de regel van de klinkerdief, en niet die van de letterzetter ('torren', 'birren').

3 De regel van de letterzetter
Hoor je aan het eind van een klankgroep een korte klank, zeg dan:
'Bij korte klanken zoals a, e, i, o en u zet ik twee medeklinkers, lekker puh!'

Opmerking:
Bekijk voor de juiste schrijfwijze van een klankgroep opmerking d onder de regel van de luistervink. Om deze regels goed te oefenen, is het aan te raden dat de leerlingen deze regelmatig uitspreken en toepassen. Ook in het werkboek worden de regels steeds herhaald.

Het verschil tussen klankgroepen en lettergrepen.
Zoals bij het onderdeel 'kop- en staartstukken' is besproken, betekenen de term klankgroep en lettergreep niet hetzelfde. Klankgroepen ontstaan namelijk als je een woord op het gehoor in stukken verdeelt. Als je een woord visueel in stukken deelt, spreek je over lettergrepen.

Voorbeeld: klankgroepen: /la/ /tten/ lettergrepen: lat - ten.

Lettergrepen kunnen open of gesloten zijn, klankgroepen niet.

- In het werkboek worden de leerlingen bij de oefeningen ook geholpen door ze het analogieprincipe aan te bieden. Er wordt gewerkt met voorbeeld- of kapstokwoorden:

  - bij de aanbieding van de klinkerdief-regel zijn dat: kater, egel, konijn en buren
  - bij de aanbieding van de letterzetter-regel zijn dat: knappe, gekke, dikke, domme en dunne.

Regelmatig mogen leerlingen rijmpjes afmaken of zoveel mogelijk rijmwoorden bij een bepaald woord bedenken. Ook leren de leerlingen om woorden in bepaalde categorieën onder te brengen. Bijvoorbeeld: -appe-, -alle- en -asse-.

Optimaliseren
Achtereenvolgens gaat het hierbij om het verinnerlijken, verkorten, automatiseren en generaliseren.

Het is de bedoeling dat de leerlingen steeds minder gebruik gaan maken van het schema en de kapstokwoorden, en dan na een tijdje de regels in het werkboek niet meer hoeven te bekijken. Door een beperkt aantal woorden steeds opnieuw aan te bieden, wordt de vaardigheid geautomatiseerd. Op deze manier leren de leerlingen een goed auditief, visueel en schrijfmotorisch woordbeeld.

Aan het generaliseren van de kennis wordt gewerkt door leerlingen zelf woorden te laten bedenken, woorden in zinsverband te laten gebruiken, een verhaal af te laten maken enzovoort. Besteed veel aandacht aan deze oefeningen, zodat de leerlingen de geleerde vaardigheden in verschillende (ook spontane) situaties leren toe te passen. Bij de 'klinkerdief' en 'letterzetter' passen de leerlingen vanaf bladzijde 54 de drie nieuwe spellingregels door elkaar toe bij het schrijven van zinnen en verhaaltjes.

Isoleren, discrimineren en integreren
Naast het oriënteren en optimaliseren wordt aandacht besteed aan het isoleren, discrimineren en integreren. Voor de toelichting op deze begrippen kun je hoofdstuk 3 van de Algemene Inleiding lezen.
In dit werkboek wordt eerst het leerprincipe van het isoleren toegepast. Op deze manier blijft het voor de leerlingen overzichtelijk. Eerst worden uitsluitend woorden met een lange klank aan het eind van de eerste klankgroep aangeleerd en daarna uitsluitend woorden met een korte klank aan het eind van de eerste klankgroep. Binnen elk onderdeel worden eerst woorden met a aangeboden, daarna met e enzovoort. Pas op de laatste bladzijde van elk onderdeel worden de klinkers door elkaar aangeboden.

In het laatste deel van het werkboek ligt de nadruk op de leerprincipes van het discrimineren en integreren. Hier worden woorden met een lange klank, korte klank, tweetekenklank of een medeklinker aan het eind van de eerste klankgroep door elkaar aangeboden.

Voor de leerprincipes 'controleren' en 'motiveren' kun je verder lezen in de Algemene Inleiding.

3.3. Werkvormen

De handleiding
In deze handleiding vind je de instructies bij de oefeningen in het werkboek. De instructies bevatten onder andere: het bespreken van de betekenis van nieuwe woorden, een uitgebreide oriëntatie op een nieuw probleem, leiding geven aan auditieve oefeningen, het vooraf bespreken van de oefeningen uit het werkboek en het nabespreken van de gemaakte oefeningen.
De auditieve oefeningen zijn in de methode *Spelling in de lift adaptief* erg belangrijk. Deze sluiten aan op de leerstof of ze bereiden de volgende oefeningen in het werkboek voor.

Regelmatig worden dictees afgenomen, geanalyseerd en nabesproken. Naast woorddictees worden op niveau 6 ook zinnendictees afgenomen om te kijken of de geleerde woorden in deze situaties ook goed geschreven worden.

Het werkboek
In deze spellingmethode worden auditieve en visuele oefeningen aangeboden. Schrijfmotorische woordbeelden worden bij leerlingen ingeprent door een beperkt aantal woorden steeds opnieuw te laten schrijven. Daarbij wordt, naast deze grafisch-fonologische informatie, ook aandacht besteed aan het semantische en syntactische aspect van de woorden. Door gebruik te maken van afbeeldingen of eenvoudige contextzinnen leren leerlingen de betekenis van de woorden. In de oefeningen staat vaak aangegeven hoe de leerlingen de woorden kunnen gebruiken. Vooral wanneer de woorden langer en abstracter worden, is het belangrijk om met de leerlingen te praten over de betekenis. Het gebruik van een woordenboek is een goede aanvulling. In deze methode staat de instructie centraal, het werkboek is niet bedoeld als zelfstandig oefenmateriaal. Het is van belang dat je controleert of de leerlingen de bedoeling van de opdracht hebben begrepen.

3.4 Aanwijzingen per bladzijde, algemeen

De doelenkaart
De doelenkaart (op de binnenkant van de kaft) geeft aan welke onderdelen de leerling in het werkboek gaat doen en kan op twee manieren ingezet worden:

- **Voorafgaand aan het oefenen.**
  Bespreek samen met de leerling welke spellingcategorieën hij al beheerst en welke spellingcategorieën hij nog lastig vindt: kortom, met welke spellingcategorieën gaat de leerling de komende tijd oefenen.

- **Na afloop van het oefenen of na afloop van een dictee.**
  Evalueer het oefenproces met de leerling. Bespreek na in hoeverre de leerling de spellingcategorieën nu beheerst.

Instructie
Tijdens de instructie worden de doelstelling, het te hanteren materiaal en de introductievorm vermeld.

Auditieve oefeningen
De instructie en de woorden die worden aangeboden zijn omschreven.
Deze oefeningen kunnen met één of meerdere leerlingen gedaan worden.

Gezamenlijke oefeningen
Deze oefeningen kunnen samen met een groepje leerlingen gedaan worden.

Dictees
Deze dictees zijn in de handleiding te vinden onder respectievelijk paragraaf 4.1 en 4.2.

Schema van de luistervink – klinkerdief – letterzetter
Dit schema is achter in deze handleiding te vinden.
Het schema is tevens te vinden achterin het werkboekje.

Betekenis van woorden
Het is belangrijk dat de leerlingen de betekenis van de behandelde woorden kennen. Controleer dit regelmatig door de leerlingen bijvoorbeeld zinnen met de woorden te laten maken.

Zinnen maken
De oefeningen waarbij leerlingen zelf zinnen moeten maken, zijn erg belangrijk. Let erop dat ze toepassen wat ze geleerd hebben. Behalve de behandelde woorden van niveau 6, moeten ook de woorden van niveau 1 t/m 5 goed geschreven worden.

Creativiteit
Het is goed om de creativiteit van de leerlingen aan te moedigen. Bij de oefeningen is er lang niet altijd sprake van één correct antwoord; soms zijn er alternatieven. Reken het vooral niet fout als een leerling een ander woord invult dat wel in de oefening past. Als dit het geval is, geef de leerling dan een compliment voor zijn originaliteit. Speels omgaan met taal en spelling is leuk en moet zeker aangemoedigd worden!

3.5 Aanwijzingen per bladzijde, specifiek

1 Kop- en staartstukken
Het gaat om woorden van twee klankgroepen, waarvan één klankgroep bestaat uit: be-, ge-, ver-, stomme -e (zoals in -en, -el, -er,–em, -erd, -end, -ens), -ig of -lijk.

Bladzijde 4
Instructie

Doel: De leerling leert over het begrip kopstuk (be-, ge-, ver-).
Introductie: Schrijf op het bord:

bedrijf
gezin
verkeer

Vraag om de woorden op te lezen. Wijs na het lezen van elk woord erop dat in het voorste stuk een 'e' staat, die je als 'u' uitspreekt. Vertel tot slot dat deze stukjes vooraan 'kopstukken' genoemd worden. Want net als bij de kop van dieren staan de stukjes vooraan (teken eventueel een dier op het bord om het te illustreren). Vraag aan de leerling of hij nog meer woorden kent die met be-, ge- of ver- beginnen.

Als houvast staat een afbeelding van muisje in het werkboek, waarbij de kopstukken be-, ge- en ver- getekend zijn. Er zijn ook klankgroepen met ver die aan het eind van het woord voorkomen, bijvoorbeeld in over of liever. In deze methode worden deze klankgroepen behandeld bij staartstukken met de stomme e .

Bladzijde 5
Instructie

Doel: De leerling maakt kennis met het uitgebreide schema van de luistervink – klinkerdief – letterzetter en leert werken met het deel van het schema 'kop- of staartstuk'.

Introductie: Herhaal het schema: luistervink – klinkerdief – letterzetter. Geef aan dat het schema nog niet helemaal compleet was. In dit werkboek gaat de leerling werken met het hele schema. Bespreek dat er een vak bij komt (wijs naar het vakje kop- of staartstuk). Geef het voorbeeld door een aantal woorden te geven en doorloop samen het schema.

'begin'
1. Verdeel het woord in klankgroepen: /be/ /gin/
2. Hebben alle klankgroepen betekenis? nee
3. Is er een kopstuk? ja /be/
4. Welke klankgroep blijft over? /gin/
5. Wat hoor je aan het eind van de klankgroep? gin (medeklinker)
6. Hoe schrijf je het woord? begin

Behandel de volgende woorden op dezelfde manier: verdriet – grasspriet – fornuis – geluk.

Auditieve oefening
Luister goed naar de volgende be-, ge- en ver- woorden. Verdeel ze in klankgroepen en houd op een blaadje bij, hoeveel be-, hoeveel ge- en hoeveel ver- woorden je gehoord hebt:

bezoek	geluid	beleefd	verdriet
verstand	verbaasd	genoeg	beroemd
bedrag	gesprek	verliefd	verlies
geheim	bedrijf	getal	gemeen

Bladzijde 6
Deze bladzijde wordt afgesloten met een controledictee.
De controledictees zijn opgenomen in paragraaf 4.1.

Bladzijde 7
Instructie

Doel: De leerling leert over het begrip staartstuk en de toepassing van het schema met betrekking tot staartstukken.

Introductie: Schrijf op het bord:
twaalfde
blauwe
buiten
morgen

Vraag om de woorden op te lezen. Wijs er na het lezen van elk woord op dat in het achterste stuk een 'e' staat, die je als 'u' uitspreekt. Net als bij kopstukken, heb je ook staartstukken, waarbij de 'e' als 'u' wordt uitgesproken. Geef aan dat deze stukjes 'staartstukken' worden genoemd, omdat ze achteraan

staan, zoals een staart bij dieren achteraan hangt. Loop daarna met de volgende woorden door het schema:
huilen
verdriet
sterke
getal

1. Verdeel het woord in klankgroepen: /hui/ /len/
2. Hebben alle klankgroepen betekenis? nee
3. Is er een kop- of staartstuk? ja ; /len/
4. Wat hoor je aan het eind van de eerste klankgroep? hui (tweetekenklank)
5. Hoe schrijf je het woord? huilen

Auditieve oefening
Laat de leerling zelf zoveel mogelijk woorden verzinnen met een staartstuk. Schrijf alleen die woorden op waarbij de eerste klankgroep op een tweetekenklank of medeklinker eindigt.

Bladzijde 8
Op deze bladzijde wordt nog een aantal woorden met staartstukken behandeld.

Bladzijde 9
Op deze bladzijde worden de woorden met de staartstukken -end, -ens en -erd behandeld.

Ook hier weer: 'je hoort een u, maar je schrijft een e.'

Auditieve oefening
Zet op het bord erd; ens; end. Laat de leerling een vinger opsteken wanneer hij een staartstuk hoort dat eindigt op: -erd, -ens, -end. Schrijf dan het woord op:

verdriet – honderd – geval – grasspriet – telkens – woedend – vuurrood –volgens – begin – ochtend – verliefd.

Auditieve oefening
Zet op het bord de volgende categorieën: el; em; er. Laat nu door de leerling de volgende woorden in klankgroepen verdelen en aangeven in welke categorie het woord thuishoort.

bliksem – winkels – spiegel – vleugel – heuvel – drempel – winter – meesters – ieder – stiekem – wortels – meubel – herder – vingers – ouders – suiker

Deze bladzijde wordt afgesloten met een controledictee.
Dit dictee is te vinden in paragraaf 4.1.

Bladzijde 10
Instructie

Doel: De leerling maakt kennis met de staartstukken -ig en -lijk.
Introductie: Schrijf op het bord: heerlijk aardig.

Vraag de woorden op te lezen. Wijs na het lezen van elk woord erop dat je hier de 'u' klank hoort, net als bij de andere staartstukken. 'Je hoort en zegt -ug en -luk, maar schrijft -ig en -lijk.'

Loop daarna met het volgende woord door het schema: lastig.
1. Verdeel het woord in klankgroepen: /moei/ /lijk/, /las/ /tig/.
2. Hebben alle klankgroepen betekenis? nee
3. Is er een kop- of staartstuk? ja; /ig/
4. Welke klankgroep blijft over? /las/
5. Wat hoor je aan het eind van de klankgroep? s (medeklinker)
6. Hoe schrijf je het woord? lastig

Bladzijde 11
Deze bladzijde wordt afgesloten met een controledictee.
Dit dictee is te vinden in paragraaf 4.1.

Bladzijde 14
Deze bladzijde wordt afgesloten met een controledictee.
Dit dictee is te vinden in paragraaf 4.1

Bladzijde 16
Onderdeel 1 'Kop-en staartstukken' wordt hier afgesloten met een einddictee. De einddictees zijn opgenomen in paragraaf 4.2.

2 Klinkerdief 1

Bladzijde 18
Instructie

Doel: De leerling herhaalt het verdelen van woorden in klankgroepen.
Introductie: Herhaal wat in voorgaande oefeningen besproken is:

a) woorden te verdelen in klankgroepen;
b) en goed naar de laatste klank van de klankgroep te luisteren;
c) deze te benoemen.

a) De enige manier waarop je een woord in klankgroepen kunt verdelen, is door er goed naar te luisteren. Je zegt bijvoorbeeld /ba/ /kker/ en niét bak - ker, je zegt /ber/ /gen/ en niet berg - en. Laat de leerling onderstaande woorden in klankgroepen verdelen, waar nodig met behulp van handgebaren.

b) Vraag de leerling bij elk woord, welke klank hij aan het eind van de klankgroep hoort.

c) Laat deze klank benoemen. Is het een korte of lange klank, een tweetekenklank of een medeklinker?

keu - ken	e - zel
ma - nnen	mut - sen
hoof - den	we - kker
bei - tel	kij - ken
bo - ter	ku - ssen
ko - ffer	bui - ten
bu - ren	bi - tter
kas - ten	pa - den
poe - der	be - ker
wol - ken	paar - den

Oefening 1
Hier vindt een herhaling plaats van de begrippen korte klank, lange klank, tweetekenklank en medeklinker. De leerling kan eventueel controleren of hij de oefening goed gedaan heeft met behulp van het treintje onderaan de bladzijde.

Oefening 2
Een aantal extra moeilijke woorden is opgenomen. Het is goed om na te gaan of de leerling deze woorden goed in klankgroepen kan verdelen:
kis - ten, dor - pen, kaar - sen, jur - ken

Verdeelt de leerling deze woorden op een andere manier, bijvoorbeeld ki - sten of kist - en, dan leidt dit in een later stadium tot spellingfouten, omdat dan de verkeerde spellingregels toegepast worden.

Herkent de leerling de betekenisvolle delen van deze woorden en zet hij dus op de goede plaats een streep? De leerling kleurt deze woorden, om aan te geven dat beide klankgroepen betekenis hebben.

Bladzijde 19

Als oefening 1 te moeilijk is, kun je als tussenstap (op het bord of op een apart vel papier) eerst de losse klankgroepen onder elkaar laten schrijven. Al proberend komt de leerling dan wellicht op de woorden, die daarna in het werkboek geschreven kunnen worden.

Auditieve oefening

Laat de leerling bij de volgende woorden aangeven of er kop- of staartstukken in het woord zijn, en zo ja, welke. Dit is niet bij alle woorden het geval.

be - droefd	le - pel
voor - deur	ge - meen
ta - fel	le - tter
aar - dig	o - ven
leef - tijd	be - vel
fou - ten	ver - driet
eer - lijk	ge - lijk
pre - ttig	sol - daat

Toets
Het is belangrijk dat de leerling de stof beheerst voordat de regels van de luistervink, klinkerdief en letterzetter worden aangeboden. Daarom is hier een toets ingelast.

Getoetst wordt of de leerling:
- klanken kan indelen in korte klanken, lange klanken, tweetekenklanken en medeklinkers;

- woorden in klankgroepen kan verdelen en kan aangeven welke klank zich aan het eind van de eerste klankgroep bevindt;

- kan aangeven of klankgroepen wel of geen betekenis hebben;

- kan bepalen of er kop- of staartstukken in een woord zitten, en zo ja, op welke plaats.

De leerling heeft zijn werkboek met toetsbladen (op blz. 20 tot en met 22) voor zich. Je stelt de toetsvragen en bespreekt waar nodig de oefenvoorbeelden.

Foutenanalyse
Bovenaan toetsblad 1 kan een overzicht gemaakt worden van de wijze waarop de leerling de toets heeft ingevuld. In dit tabelletje zijn de vragen per categorie gerangschikt:

k.kl. = korte klanken: vragen 1, 5, 11 en 15

l.kl. = lange klanken: vragen 2, 6, 8 en 14

2-tk.kl. = tweetekenklanken: vragen 3, 9 en 12

m.kl. = medeklinkers: vragen 4, 7, 10 en 13

kl.gr. = klankgroepen: vragen 16 en 17

k-s = kop- en staartstukken: vraag 18.

Je kunt in de tabel de fout gemaakte items aankruisen. Na het invullen wordt dan direct zichtbaar waar bij deze leerling de hiaten in de toetsstof zitten en op welk gebied hij extra hulp of herhaling nodig heeft. In de vragen 1 t/m 15 worden de begrippen korte klank, lange klank, tweetekenklank en medeklinker getoetst. Minstens 12 van deze 15 vragen moeten goed gemaakt worden.

Toetsvragen + beoordeling
1. Schrijf de vijf korte klanken in de hokjes.
   Vier korte klanken moeten goed zijn.

2. Schrijf de vier lange klanken op.
   Drie lange klanken moeten goed zijn.

3. Schrijf de tweetekenklanken op.
   Vier tweetekenklanken moeten goed zijn.

4. In je werkboek staat het woord 'fietsenwinkel'.
   Schrijf eens alle medeklinkers op. Hoeveel zijn het er?
   Het is niet erg wanneer de leerling niet alle medeklinkers uit dat woord heeft opgeschreven. Wel mag er hoogstens één klank fout of extra opgeschreven zijn.

5. Wat voor soort klank staat er in het midden van het woord 'dop'?
   Zet een streep onder het goede antwoord.

6. Kleur de plaatjes waar je een lange klank hoort.
   Minstens vier van de vijf items moeten goed zijn.

7. In je werkboek staat het woord 'werkplaats'. Kleur alle hokjes waar medeklinkers in staan. Tel ze daarna nog eens en vul het aantal in.
   Het is niet erg wanneer de leerling niet alle hokjes met medeklinkers gekleurd heeft. Wel mag er maar maximaal één hokje fout ingekleurd zijn, anders moet de vraag fout gerekend worden.

8. Wat voor soort klank hoor je in het midden van het woord 'zuur'?
   Zet een streep onder het goede antwoord.

9. Schrijf het woord 'huisdier'. Schrijf de tweeteken-klanken op die je in het woord hoort.
   De klanken ui en ie moeten goed opgeschreven zijn.

10. Kleur de plaatjes met een medeklinker vooraan.
    Minstens vier van de vijf items moeten goed zijn.

11. Schrijf het woord 'busrit'.
    Schrijf daarna de korte klanken op die je in het woord hoort.
    De gevraagde klanken moeten beiden goed opgeschreven zijn.

12. Kleur de plaatjes waar je een tweetekenklank hoort.
    Minstens vier van de vijf items moeten goed zijn.

Toets

13. Wat voor soort klank hoor je aan het eind van het woord 'stop'?
    Zet een streep onder het goede antwoord.

14. In het werkboek staat het woord 'straatsteen'. Kleur de hokjes met de lange klanken en schrijf ze er nog eens achter.
    De gevraagde klanken moeten beide goed opgeschreven zijn.

15. Kleur de plaatjes waarbij je een korte klank hoort.
    Minstens vier van de vijf items moeten goed zijn.

    Bij vraag 16 wordt onderzocht of de leerling een woord correct in klankgroepen kan verdelen, en of hij kan bepalen of deze klankgroepen wel of geen betekenis hebben.

    Bij vraag 17 wordt nagegaan of de leerling correct de laatste klank van de eerste klankgroep kan bepalen, en of hij deze klank goed kan benoemen.

16. Bij welke woorden hebben de losse klankgroepen geen betekenis?
    Kleur deze plaatjes.
    Minimaal acht van de tien items moeten goed zijn.

17. Je ziet een rijtje woorden in je werkboek.
    a Schrijf eens achter elk woord wat je aan het eind van de eerste klankgroep hoort.
    b Wat voor een klank is dat?
    Kleur nu het goede antwoord.

    Vul samen met de leerling het voorbeeldwoord 'framboos' in. De andere tien woordjes moet de leerling zelf doen.
    De leerling moet per woord de beide gevraagde zaken goed invullen. Van de tien woorden moet hij/zij er minstens acht goed analyseren.

18. In het werkboek zie je twintig woordjes in hokjes staan. Zet bij elk woord een streep tussen de klankgroepen. Kleur daarna de kop- of staartstukken.
    Bij vraag 18 wordt onderzocht of de leerling correct kop- of staartstukken in een woord kan onderscheiden. Het wordt goed gerekend als, of de hele klankgroep, of het desbetreffende kop- of staartstuk wordt gekleurd. Minstens zestien van de twintig items moeten goed ingevuld worden.

Bladzijde 23
Op de bladzijden 23 en 24 wordt een gedeelte van het verhaal verteld: 'Hoe Bernadette haar naam leerde schrijven'. Bewust is gekozen voor een meerlettergrepig woord, aan de hand waarvan achtereenvolgens de regels van luistervink, klinkerdief en letterzetter aan de orde gesteld kunnen worden:

Bij Ber-: 'Luister goed, dan weet je precies hoe je het schrijven moet.' (luistervink)

Bij -na- : 'Lange klanken hebben pech. Ik haal gewoon een letter weg.' (klinkerdief)

Bij -dette: 'Bij korte klanken zoals a, e, i, o en u zet ik twee medeklinkers, lekker puh!' (letterzetter)

Het verloop van het verhaal en de volgorde van de klankgroepen bij het woord Bernadette kunnen als een soort 'kapstok' gebruikt worden om de verschillende spellingregels aan op te 'hangen', en daardoor beter te kunnen onthouden. Deel 1 van het verhaal heeft betrekking op 'Ber': de luistervinkregel wordt nogmaals aangeboden. Lees het verhaal voor. Daarna kan de leerling een stukje voorlezen.

Bladzijde 25
Instructie

Doel: De leerling herhaalt de regel van de luistervink (zie ook niveau 5).

Materiaal: - schema van de luistervink – klinkerdief – letterzetter (eventueel de regels van de klinkerdief – letterzetter tijdelijk afplakken).

Introductie:
Herhaal de regel van de luistervink aan de hand van het schema. Na het samen lezen van de luistervink-regel in het werkboek kun je enkele woorden mondeling behandelen, bijvoorbeeld: gordijn, feestmuts, tafel, keuken, vuurrood en katten.

Bij elk woord worden de vier stappen van het schema doorlopen.

Voorbeeld:
gordijn

stap 1: Verdeel het woord in klankgroepen: /gor/ /dijn/.

stap 2: De losse klankgroepen gor en dijn hebben geen betekenis. Er zitten geen kop- of staartstukken in het woord. Ik houd dus de klankgroepen /gor/ en /dijn/ over.

stap 3: Het gaat hier om een woord van twee klankgroepen. Om hier te kunnen bepalen welke regel toegepast moet worden, moet de leerling alléén op het eind van de klankgroepen letten. Aan het eind van de eerste klankgroep hoor ik /r/. Dit is een medeklinker.

N.B. Dit schema geldt ook voor woorden van meer dan twee klankgroepen en moet dus flexibel gehanteerd worden.

stap 4: Welke regel geldt er nu? De regel van de luistervink. Maak het luistervinkgebaar – houd een hand achter het oor – en zeg de regel op: 'Luister goed, dan weet je precies hoe je het schrijven moet.'

Ik weet nu hoe ik /gor/ moet schrijven.

N.B. De klankgroep /dijn/ zal bij het schrijven geen bijzondere problemen opleveren, afgezien van het 'weetje': ij of ei.

Op deze wijze worden de overige woorden ook besproken:

feestmuts: De beide losse klankgroepen hebben betekenis, dus moeten de eerder geleerde regels voor woorden van één klankgroep toegepast worden:

bij feest - de regel van d of t aan het eind

bij muts - de regel van de beschaafde uitspraak

Als de leerling meteen al weet hoe feest en muts geschreven moeten worden, dan hoeft hij deze regels natuurlijk niet meer toe te passen.

tafel: De klankgroepen die geen betekenis hebben, zijn /taa/ en /fel/. In /fel/ hoor ik het staartstuk -el.

Bij /ta/ hoor ik aan het eind een aa. Dat is een lange klank. De regel van de luistervink mag hier niet toegepast worden. In een latere fase zal de regel van de klinkerdief met de leerlingen besproken worden.

keuken: De klankgroepen /keu/ en /ken/ hebben geen betekenis; /ken/ is een staartstuk.

Bij /keu/ is de laatste klank een eu. Dat is een tweetekenklank.
Hier geldt dus de regel van de luistervink.

vuurrood: Ik hoor de klankgroepen /vuu/ en /rood/. Als ik op de betekenis let, bedenk ik dat het om de woorden vuur en rood gaat - 'rood als vuur'. Ik moet dus de regels voor woorden van één klankgroep toepassen. Bij vuur: de regel van f - v. Bij rood: de regel van d of t aan het eind.

katten: De klankgroepen /ka/ en /tten/ hebben geen betekenis. In /tten/ hoor ik het staartstuk -en. Bij /ka/ hoor ik aan het eind een a. Dit is een korte klank. De regel van de luistervink mag hier dus niet toegepast worden. Verderop in het werkboek wordt de regel van de letterzetter met de leerling besproken. De leerling raakt op deze manier vertrouwd met het werken met het schema.

Auditieve oefening
Verdeel elk woord in klankgroepen en zeg daarna of het een luistervink-woord is:

filmster – foto – niemand – toneel – huisdeur – ketting – marmot – rijles – koffie – weegschaal – hotel – valhelm – melktand – kaasschaaf – hamer – emmer – neuzen – potten – muziek

Bladzijde 26
Oefening 1
Er moeten luistervinkwoorden gemaakt worden. Let er goed op dat de leerling er geen klinkerdief- of letterzetter-woorden van maakt. Laat hem klankgroepen bedenken met aan het eind een medeklinker of tweetekenklank.

Na oefening 3 wordt het controledictee afgenomen.
Dit dictee is opgenomen in paragraaf 4.1.

Bladzijde 27
Deel 2 van het verhaal 'Hoe Bernadette haar naam leerde schrijven'. Dit deel heeft betrekking op 'na', waaraan de klinkerdief-regel gekoppeld kan worden. Lees eerst zelf het verhaal voor, daarna kan de leerling een stukje lezen.

Bladzijde 28
Instructie

Doel: De leerling leert de regel van de klinkerdief aan de hand van het schema.

Materiaal: - schema van de luistervink – klinkerdief – letterzetter (schema luistervink uitgebreid met de regel van de klinkerdief).

Introductie:
Geef voorbeelden van klinkerdief-woorden met a, e, o en u (zie woordenlijst in hoofdstuk 5).

Loop bij elk woord de stappen van het schema na en laat de leerling zo zien hoe hij, door telkens een keuze te maken, uiteindelijk tot de juiste schrijfwijze van een klinkerdiefwoord kan komen.

Attendeer de leerling erop dat je een lange klank hoort, maar dat je maar één klinker schrijft, omdat de klinkerdief een klinker heeft gestolen. Het zou kunnen dat de leerling de regel van de klinkerdief beter onthoudt wanneer hij – tijdens het uitspreken ervan – een 'steelgebaar' maakt. Om het inslijpen van foute woordbeelden te voorkomen, is het beter om de woorden niet eerst fout op te laten schrijven en daarna een letter te laten wegstrepen, dus bijvoorbeeld niet 'laa/ter'. Het is beter om bij het uitspreken van de lange klank van het woord in de lucht het 'steelgebaar' te maken, en daarna het woord direct goed te laten opschrijven, met één klinker voor de lange klank, dus 'later'. Laat de leerling daarna zelf luistervink- en klinkerdiefwoorden verzinnen, die hij vervolgens met behulp van het schema mag opschrijven. Ook kan de leerling in een tekst woorden opzoeken waarvoor de regels van luistervink of klinkerdief gelden. Deze woorden kunnen daarna ingedeeld worden. Naast het aanleren van een regel kan de leerling zich de juiste schrijfwijze van dit soort woorden via het analogieprincipe eigen maken. Als 'kapstok' dienen daarbij onder andere de 'kaartjes' rechtsboven op de bladzijde. Telkens staat daarop aangegeven welke soort woorden op de desbetreffende bladzijde(n) behandeld wordt. Op de bladzijden 28 en 29 zijn dat bijvoorbeeld woorden die op het woord 'kater' lijken. In andere oefeningen komen ook woorden met -ate- terug, zodat de leerling de analogie met 'kater' ziet.

Auditieve oefening

Welk van de twee woorden is het klinkerdief-woord en waarom? Laat de leerling het schema gebruiken. Schrijf daarna steeds het klinkerdief-woord op het bord.

latten – laten	haken – hakken
maten – matten	takken – taken
vlaggen – vlagen	zaken – zakken
ballen – balen	mannen – manen

Bladzijde 29

Deze bladzijde wordt afgesloten met een controledictee.
Dit dictee is te vinden in paragraaf 4.1.

Bladzijde 30

Op de bladzijden 30 en 31 worden klinkerdief-woorden met e behandeld, naar analogie van het woord 'egel'.

Bladzijde 31
Instructie

Doel: De leerling oriënteert zich nogmaals op de plaagletter.

Materiaal: - blaadjes;
- schema: luistervink – klinkerdief – letterzetter.

Introductie:
Bespreek dat als in een woord na een ee of oo een r komt, de lange klanken ee en oo anders gaan klinken. Daarom wordt de r op die plaats de plaagletter genoemd. Vraag of de leerling een plaagletter-woord kan noemen. Schrijf ook op het bord: veer en beer. Schrijf deze woorden ook in het meervoud: veren en beren. Wijs de leerling erop dat dit de regel van de klinkerdief is, hoewel dit bij plaagletter-woorden moeilijk te horen is. Het blijven lange klanken (wijs het aan in het schema). Bij een aantal woorden is het moeilijk om te horen of we te maken hebben met een lange klank aan het eind van de klankgroep. Dat komt omdat de ee of oo anders gaat klinken wanneer er een r na komt.

Schrijf een aantal woorden op en spreek ze duidelijk uit:

kerel – oren – leren – wereld – horen – keren

Dek de woorden af en laat ze nog eens door de leerling opschrijven. Lees ze daarna nog eens op en wijs op de regel van de klinkerdief.

Auditieve oefening
Bedenk zoveel mogelijk klinkerdiefwoorden met de lange klank e. Alle goede woorden kunnen op het bord geschreven worden.

Deze bladzijde wordt afgesloten met een controledictee.
Dit dictee is te vinden in paragraaf 4.1.

Bladzijde 32
Op de bladzijden 32 en 33 worden de woorden met o behandeld, naar analogie van het woord 'konijn'.

Auditieve oefening
Geef bij elk woord aan, wat je aan het eind van de eerste klankgroep hoort. Zeg daarna welke regel je moet toepassen: de luistervink- of de klinkerdiefregel? Gebruik daarbij het schema.

zomer	poeder	totaal
kosten	hoofden	keuken
koper	voeten	sloten
wolken	probleem	grote

Bladzijde 33
Deze bladzijde wordt afgesloten met een controledictee.
Dit dictee is te vinden in paragraaf 4.1.

Bladzijde 34
Tot slot komen op bladzijde 34 de klinkerdief-woorden met u aan de orde naar analogie van het woord 'buren'.

Auditieve oefening
Vraag of de regel van de klinkerdief nog bekend is. Herhaal zo nodig de regel. Bespreek dat de leerling nu de klinkerdief-woorden met de lange klank u gaat leren. Vraag welke woorden rijmen op 'buren'. Verdeel deze woorden telkens in klankgroepen: /bu/ /ren/ enzovoort. Vraag welke letter aan het eind van de eerste klankgroep staat.

Deze bladzijde wordt afgesloten met een controledictee.
Dit dictee is te vinden in paragraaf 4.1.

Bladzijde 35
Op de bladzijden 35 tot en met 38 worden de klinkerdief-woorden met a, e, o en u door elkaar behandeld. Laat bij de oefeningen toelichten waarom het een klinkerdief-woord is. Gebruik het schema.

Auditieve oefening
Laat alle lange klanken opnoemen. Laat de leerlingen zelf klinkerdief-woorden bedenken met a, e, o, u.

Bladzijde 36
Auditieve oefening
Welke van de twee woorden is het klinkerdief-woord? Bespreek steeds waarom dat zo is aan de hand van het schema.

draagtas – dragen	vragen – vraagstuk
lezen – leesles	eetzaal – eten
wonen – woonhuis	koopman – kopen
stuurwiel – sturen	sparen – spaarpot

Bladzijde 37
Instructie

Doel: De leerling oriënteert zich op woorden waar je een lange klank hoort, maar een korte klank schrijft.

Introductie: De regel van de klinkerdief geldt ook voor woorden van één klankgroep die eindigen op de lange klanken a, o en u. Voorbeeld: men schrijft pa, vla, nu, vlo. Deze regel geldt niet voor woorden van één klankgroep die op ee eindigen, zoals: mee, twee, nee, zee.

Een extra probleem dat zich voordoet bij woorden met e is het volgende: waarom wordt het woord 'zeven' met één e geschreven en het woord 'zeeman' met twee e's? Dit probleem kan aan de hand van het schema verduidelijkt worden: bij het woord 'zeven' is er sprake van twee klankgroepen die met betrekking tot het hele woord geen betekenis hebben, namelijk 'zee' en 'ven'. Redenerend volgens het schema moet op de klankgroep 'zee' de regel van de klinkerdief toegepast worden, waarbij er één e weggehaald wordt. Bij het woord 'zeeman' daarentegen hebben de twee klankgroepen wel betekenis. Op beide klankgroepen moeten dus de regels voor woorden van één klankgroep toegepast worden.

Bladzijde 38
Auditieve oefening
Noem steeds een klinkerdief-woord met dezelfde klank aan het eind van de eerste klankgroep:

negen – wapen – vrolijk – dure – zomer – publiek – manier – hotel – lege

Onderdeel 2 'Klinkerdief 1' wordt hier afgesloten met een einddictee. Dit dictee is opgenomen in paragraaf 4.2.

3 Letterzetter 1

Bladzijde 40
Op deze bladzijde wordt het verhaal 'Hoe Bernadette haar naam leerde schrijven' vervolgd met het laatste stuk over 'de letterzetter'. De letters uit de klankenkast kunnen daarbij per categorie op lange stroken papier geschreven worden: medeklinkers, tweetekenklanken, lange klanken, korte klanken.

Bladzijde 41
Instructie

Doel: De leerling leert de regel van de letterzetter.

Materiaal: - blaadje;
- schema: luistervink – klinkerdief – letterzetter.

Introductie:
Bespreek dat vandaag kennis gemaakt wordt met de regel van de letterzetter. Aan de hand van het schema worden een aantal letterzetter-woorden besproken. Om geen foute woordbeelden op te roepen, is het beter om niet eerst één medeklinker op te schrijven en er daarna twee van te maken. Schrijf dus bijvoorbeeld niet eerst 'ba ker' op om daarna een k toe te voegen, maar geef aan dat de letterzetter er twee k's van maakt, steek twee vingers op als symbool van de letterzetter, en schrijf dan direct 'bakker' op.

Behandel de volgende voorbeelden: letter – knikker – tassen – poppen – bruggen.

Naast het geven van voorbeelden kun je de leerling ook zelf letterzetter-woorden laten verzinnen. Hij moet daarbij goed onthouden dat dan aan het eind van de eerste klankgroep een korte klank moet voorkomen. Bij elk woord moeten de vier stappen van het schema doorlopen worden.

Bovenaan de bladzijde zie je een nieuw kaartje met vijf letterzetter-woorden en het symbool van de letterzetter: twee opgestoken vingers.
Op de bladzijden 41 en 42 worden letterzetter-woorden met a behandeld naar analogie van het woord 'knappe'.

Auditieve oefening
Zeg de twee woorden. Vraag of de leerling het verschil hoort en vraag wat het letterzetter-woord is. Laat dit zien in het schema. Schrijf daarna alleen het letterzetter-woord op het bord.

koppen – kopen
knoppen – knopen
wetten – weten
potten – poten
holen – hollen
latten – laten
schollen – scholen
matten – maten
tonen – tonnen

haken – hakken
botten – boten
takken – taken
molen – mollen
balen – ballen
mannen – manen
vlaggen – vlagen
bomen – bommen
stoken – stokken

Deze bladzijde wordt afgesloten met een controledictee.
Dit dictee is te vinden in paragraaf 4.1.

Bladzijde 42
Auditieve oefening
Vraag de leerling de ogen dicht te doen en een vinger op te steken wanneer hij een korte klank hoort.

kam – mast – taart – pan – baas – waar – krant – plaats – kraan – hand – kalf – strand – spraak – plank – slaan

Bladzijde 43
Op de bladzijden 43 en 44 komen letterzetter-woorden met e aan bod. Het 'kapstokwoord' is 'gekke'.

Auditieve oefening
Laat de leerling zoveel mogelijk letterzetter-woorden met de korte klank e bedenken. Laat die op het bord schrijven.

Bladzijde 44
Deze bladzijde wordt afgesloten met een controledictee.
Dit dictee is te vinden in paragraaf 4.1.

Bladzijde 45
Naar analogie van het woord 'dikke' komen op de bladzijden 45 en 46 letterzetter-woorden met i aan de orde.

Auditieve oefening
Bedenk zoveel mogelijk woorden die rijmen op het woordje 'stippen'. Benut het analogieprincipe door de leerling op het bord de bedachte woordjes onder elkaar te laten zetten.

Bladzijde 46
Deze bladzijde wordt afgesloten met een controledictee.
Dit dictee is te vinden in paragraaf 4.1.

Bladzijde 47
Op de bladzijden 47 en 48 worden letterzetter-woorden met o behandeld naar analogie van het woord 'domme'.

Auditieve oefening
Verzin steeds een letterzetter-woord met dezelfde korte klank o, maar met andere medeklinkers.

knoppen	volle	grotten	poppen
brommen	stokken	bossen	domme

Voorbeeld: knoppen → knollen, poppen, knotten.

Bladzijde 48
Deze bladzijde wordt afgesloten met een controledictee.
Dit dictee is te vinden in paragraaf 4.1.

Bladzijde 49
Tot slot komt op de bladzijden 49 en 50 een aantal letterzetter-woorden met u aan de orde naar analogie van het woord 'dunne'.

Auditieve oefening
Geef aan dat je een stukje voor gaat lezen. Vraag de leerling de hand op te steken als hij een letterzetter-woord met de korte klank u hoort. Lees nu een stuk voor uit een voorleesboek.

Bladzijde 50
Deze bladzijde wordt afgesloten met een controledictee.
Dit dictee is te vinden in paragraaf 4.1.

Bladzijde 51
Op de bladzijden 51 tot en met 53 worden de letterzetter-woorden met a, e, i, o en u door elkaar aangeboden.

Auditieve oefening
Schrijf de vijf kapstokwoorden knappe, gekke, dikke, domme en dunne naast elkaar op het bord. Laat de leerling bij elke categorie woorden bedenken die - in het midden - hetzelfde klinken. Als geen woord meer bedacht kan worden, zet je een streep onder het rijtje en mag door de leerling een nieuw 'middenstuk' bedacht worden, waarna weer een reeks nieuwe letterzetter-woorden bijgeschreven kan worden.

Bladzijde 52
Op deze bladzijde wordt gecontroleerd of de leerling de regel van de letterzetter nog kent.

Bladzijde 53
Onderdeel 3 'letterzetter 1' wordt hier afgesloten met een einddictee.
Dit dictee is opgenomen in paragraaf 4.2. .

Bladzijde 54
Op deze bladzijde wordt het verhaal over prinses Bernadette nog eens opgefrist. De drie spellingregels worden daardoor herhaald. De leerling mag het eerdere verhaal nog eens doornemen voordat hij deze oefening maakt.

Bladzijde 55

Instructie

Doel: De leerling kan de regels van de luistervink – klinkerdief – letterzetter door elkaar heen toepassen.

Materiaal: - blaadje met de symbolen van luistervink, klinkerdief, letterzetter;
- schema: luistervink – klinkerdief – letterzetter.

Introductie: Noem steeds een woord en vraag een leerling hardop de stappen van het schema te doorlopen. Vervolgens wordt het onder het juiste symbool op het bord gezet. Op de eerder geleerde kapstokwoorden (kater, egel, konijn, buren en knappe, gekke, dikke, domme, dunne) wordt nu geen beroep meer gedaan. Natuurlijk kun je er wel op terugvallen wanneer dat nodig is.
De woorden zijn: buren – smullen – sokken – flessen – zuiden – deken – rozijn –middel – lager – stilte.

Dicteer daarna de volgende woorden en laat de leerling de woorden zelf op een blaadje schrijven waar de symbolen op gezet zijn. Behandel de woorden daarna gezamenlijk met behulp van het schema.
De woorden zijn: teken – vuren – dubbel – kelder – bakker – broden – schouder – nagel – lessen – boeken.

Auditieve oefening

Noem zoveel mogelijk letterzetter-woorden met -oll-, -ett-, -akk-, -iss-.
Noem zoveel mogelijk klinkerdief-woorden met -as-, -ol-, -ak-, -ur-.

Bladzijde 56

Oefening 1

Deze oefening is weer bedoeld om spelling te laten functioneren in het normale taalgebruik, dus voor het generaliseren. Let daarom ook op de spelling van de andere woorden en op de zinsbouw. Er moeten goede zinnen gevormd worden. 'De agent ziet een appel' kan, maar 'Vader hoort bomen' niet.

Auditieve oefening

Lees de woorden voor. De leerling probeert zo snel mogelijk te zeggen welke klankgroepen overblijven wanneer de kop-en staartstukken weggelaten worden.

bezem	aardig	jullie	verkeer
over	bedrag	zoete	hevig
drukken	tellen	vogel	sterke
spannend	blikken	prettig	brommen

Na oefening 3 wordt een controledictee afgenomen.
Dit dictee is te vinden in paragraaf 4.1.

Bladzijde 57

Laat de leerling bij oefening 1 zelf uitzoeken welke woorden bij elkaar horen. In dit gedeelte van het werkboek wordt aandacht besteed aan het verinnerlijken en verkorten van de geleerde spellingregels.

De volgende stappen zijn daarbij te onderscheiden:

- wat betreft het verinnerlijken:

a) Het woord wordt met de hand in klankgroepen verdeeld; de klankgroepen worden hardop uitgesproken.

b) De klankgroepen worden alleen hardop uitgesproken, zonder handgebaren.

c) De klankgroepen worden stil voor zichzelf uitgesproken.

d) De klankgroepen hoeven niet meer apart uitgesproken te worden; de leerling beschikt over een woordbeeld.

- wat betreft het verkorten:

De vier stappen van het schema worden verkort tot twee stappen, namelijk de stappen 3 en 4:

3. Wat hoor je aan het eind van de eerste klankgroep?

4. Welke regel geldt er nu?

Het verinnerlijken en verkorten wordt in een aantal auditieve oefeningen apart geoefend. Voor de duidelijkheid is er bij de meeste oefeningen nog eens vermeld om welke stap het gaat. Op deze manier kun je snel herkennen bij welke stap de leerling blijft 'steken', zodat er extra oefenstof aangeboden kan worden.

Auditieve oefening

Verinnerlijken: stap c

Lees de woorden voor. De leerling verdeelt de woorden stil voor zichzelf in klankgroepen. Vraag de leerling vervolgens welke klank hij aan het eind van de klankgroep hoort.

Eventuele verdere vragen:
- Wat voor een soort klank is dat?
- Welke regel geldt daarvoor?
- Hoe schrijf je nu het woord?

later	kousen	kapper	wanneer
hekken	lelijk	drempel	zinnig
huilen	totaal	vuren	leven
gele	missen	brutaal	probleem

Bladzijde 58

Auditieve oefening

Verkorten: stap 3

Lees de woorden voor. De leerling zegt de woorden stil voor zichzelf na. Vervolgens probeert hij meteen te zeggen wat hij aan het eind van de eerste klankgroep hoort: een lange klank, korte klank, een medeklinker of tweetekenklank.

dromen	prikken	zagen	heuvel
ruiten	ezel	dertien	natte
mager	gordijn	meter	nummer

Bladzijde 59 en 60

Gezamenlijke oefening

Vertel de leerlingen dat zij een kwartetspel gaan maken. Laat een lijst woorden op het bord zien en geef de leerlingen de opdracht om te bekijken bij welke kaart het thuishoort. Geef aan dat zij hierbij op twee dingen moeten letten:

1. of het een klinkerdief- of een letterzetter-woord is;

2. het woord moet in de goede serie komen.

Bespreek twee of drie woorden samen met de leerlingen. Laat hen zo nodig de woorden in klankgroepen verdelen, en nog eens de regels van de klinkerdief en de letterzetter herhalen en toepassen. Laat de leerlingen de woorden eerst met potlood invullen en pas daarna met pen, om de mogelijkheid voor eventuele correcties open te houden Als alle woorden ingevuld zijn, mogen de leerlingen per kaart een tekening van een woord in het kadertje maken. Dit woord moeten zij in het lijstje onder de tekening nog eens met een apart kleurtje overtrekken. Eventueel kunnen naderhand nog van alle woorden kaarten bijgemaakt worden, zodat de leerlingen 'echt' kunnen kwartetten!

Lijst van de 12 x 4 = 48 kwartetwoorden, door elkaar:

ober	poppen	beren	knikkers
ezels	ogen	bezems	blikken
vissen	rozijn	visser	oren
appels	klassen	kippen	lepels
blokken	kikkers	pudding	leraar
bekers	emmers	dagen	schalen
bakker	slager	messen	vakken
schapen	benen	pennen	weken
tenen	katten	jaren	apen
uren	ballen	jager	sommen
bessen	water	kapper	tomaat
pannen	koffie	boter	schipper

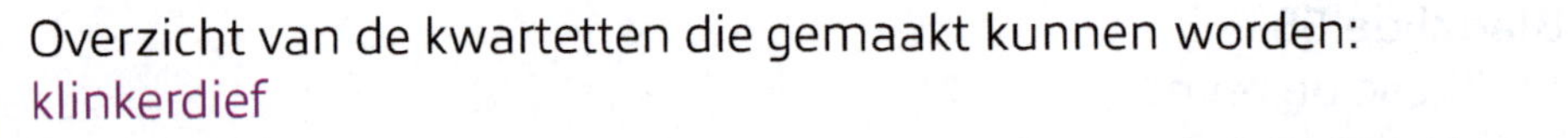

Overzicht van de kwartetten die gemaakt kunnen worden:

klinkerdief

Dieren	Gebruiksvoorwerpen	Beroepen
schapen	schalen	ober
beren	bekers	jager
ezels	bezems	leraar
apen	lepels	slager

Eten en drinken	Lichaamsdelen	Tijdsbegrippen
tomaat	oren	jaren
boter	benen	dagen
water	tenen	weken
rozijn	ogen	uren

letterzetter

Beroepen	Dieren	Eten en drinken
visser	katten	appels
schipper	vissen	bessen
kapper	kikkers	pudding
bakker	kippen	koffie

Op school	Gebruiksvoorwerpen	Speelgoed
sommen	pannen	blokken
pennen	emmers	knikkers
klassen	messen	ballen
vakken	blikken	poppen

Bladzijde 60 wordt afgesloten met een einddictee.
Hierin worden luistervink – klinkerdief – letterzetter-woorden door elkaar aangeboden. Het dictee is opgenomen in paragraaf 4.2.

4 Dictees

4.1 Controledictees

Dictees bij 1 Kop- en staartstukken

Controledictee na bladzijde 6
Schrijf de hele zin op:

1. Dat was het begin van het verhaal.
2. Op zondag vertel ik je een geheim.
3. Hij had alle begrip voor haar verdriet.
4. Dat getal is verkeerd.
5. Als je verliefd bent, voel je je niet gewoon.

Controledictee na bladzijde 9

1. Tien keer honderd is duizend.
2. Mijn opa is bejaard, maar nog heel gezond.
3. Volgens mij, is zij een beroemd schrijfster.
4. Die kleuter is de jongste van de klas.
5. Ik koop verse groente in de winkel op de hoek.

Schrijf op:
honderd – duizend
bejaard – gezond
volgens – schrijfster
kleuter – jongste
verse – winkel

Controledictee na bladzijde 11
Schrijf de hele zin op:

1. Dertig plus vijftig is tachtig.
2. Ik vind bloemkool heerlijk.
3. Er zijn maar weinig mensen zó aardig.
4. Het is soms moeilijk om ernstig te blijven.
5. Hij voelde zich schuldig.
6. Dat meisje is vast heel eerlijk.

Controledictee na bladzijde 14

Schrijf de hele zin op:

1. Ga eens als de bliksem naar zolder!
2. Schilder is een keurig beroep.
3. De meester doet ons een moeilijk verzoek.
4. Ons hele gezin vindt friet met kip en appelmoes heerlijk.

Dictees bij 2 Klinkerdief 1

Controledictee na bladzijde 26

	Schrijf op:
1. Ga je mee naar buiten?	buiten
2. Zij drinkt altijd thee bij het ontbijt.	ontbijt
3. Het grasveld is pas gemaaid.	grasveld
4. Er is iemand aan de deur.	iemand
5. Ik heb mijn schouder bezeerd bij gymnastiek.	schouder
6. De matroos haalde de loopplank binnen.	loopplank
7. Ik wandel graag met onze hond door het park.	wandel
8. De radio stond keihard aan.	keihard
9. Ik vind het nooit leuk om afscheid te nemen.	afscheid
10. Hij kan zijn horloge nergens vinden.	nergens

Controledictee na bladzijde 29

	Schrijf op:
1. Een week heeft zeven dagen.	dagen
2. Wil jij de tafel even dekken?	tafel
3. Neem mij niet kwalijk.	kwalijk
4. De schepen liggen in de haven.	haven
5. Ik ben morgen jarig.	jarig
6. Het was vannacht 20 graden onder nul.	graden
7. Je moet je nagels eens knippen.	nagels
8. Mag ik u iets vragen?	vragen
9. Ik ben voor een spelcomputer aan 't sparen.	sparen
10. De tranen rolden over zijn wangen.	tranen

Controledictee na bladzijde 31

	Schrijf op:
1. Er staan sterren aan de hemel.	hemel
2. Weet jij dat zeker?	zeker
3. Ik zeg het tegen de juf.	tegen
4. Heb jij een hekel aan mij?	hekel
5. De vogel wast zijn veren.	veren
6. Mijn broer zit in het leger.	leger
7. Ik heb een brede riem.	brede
8. Lang zal zij leven.	leven
9. Ik krijg een gele trui.	gele
10. Ik moet de tafels leren.	leren

Controledictee na bladzijde 33

	Schrijf op:
1. Hij zong een vrolijk liedje.	vrolijk
2. Heb jij schone handen?	schone
3. Ze heeft rode wangen van de kou.	rode
4. Ik slaap in een hotel.	hotel
5. Zij wonen in een mooi huis.	wonen
6. Het is een mooie zomer.	zomer
7. De peuter neemt een rozijn uit het doosje.	rozijn
8. Het schip ligt op de bodem van de zee.	bodem
9. Hij speelt goed toneel.	toneel
10. Hoge bomen vangen veel wind.	hoge

Controledictee na bladzijde 34

	Schrijf op:
1. Wij hebben nieuwe buren.	buren
2. Dat is een brutaal antwoord.	brutaal
3. Ik sta al uren te wachten.	uren
4. Ik heb ruwe handen.	ruwe
5. Het kan nog wel even duren.	duren
6. Vind jij die muziek mooi?	muziek
7. Gaan jullie een huis kopen of huren?	huren
8. Dat is een dure grap.	dure
9. Maak nu geen ruzie!	ruzie
10. De muren zijn wit geverfd.	muren

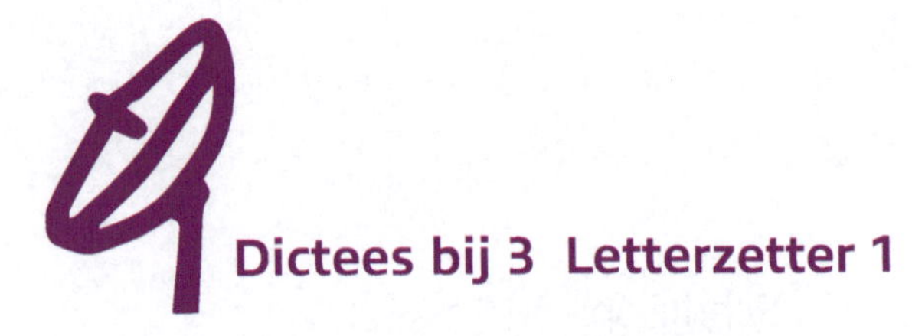

Dictees bij 3 Letterzetter 1

Controledictee na bladzijde 42

	Schrijf op:
1. Alle eendjes zwemmen in het water.	alle
2. Wat zijn je plannen?	plannen
3. Ik wil die rok even passen.	passen
4. Laat dat glas niet vallen.	vallen
5. Ben je alleen?	alleen
6. Dat is een spannend boek.	spannend
7. De kapper knipt mijn haar.	kapper
8. Ik vind dat erg grappig.	grappig
9. Zij is altijd vroeg wakker.	wakker
10. Wij liepen op een smalle weg.	smalle

Controledictee na bladzijde 44

	Schrijf op:
1. Ik hoor stemmen.	stemmen
2. Mag ik twee flessen melk van u?	flessen
3. Hij heeft zijn nette pak aan.	nette
4. Hij haalt een emmer water.	emmer
5. Ik vind dat erg prettig.	prettig
6. Wat een gekke hoed is dat!	gekke
7. Ik doe dat lekker niet.	lekker
8. De kinderen rennen naar de bus.	rennen
9. De hond ligt aan de ketting.	ketting
10. Er traden gisteren twee sterren op.	sterren

Controledictee na bladzijde 46

	Schrijf op:
1. Hij wordt steeds dikker.	dikker
2. We kochten twee blikken bruine bonen.	blikken
3. Je moet niet midden op de weg lopen.	midden
4. Wat willen jullie?	willen
5. De dokter heeft een witte jas aan.	witte
6. Wie gaat er winnen?	winnen
7. Het huis staat op een stille plek.	stille
8. Na de ochtend komt de middag.	middag
9. Hij is een slimme vos.	slimme
10. Ik blijf nog even liggen.	liggen

Controledictee na bladzijde 48

		Schrijf op:
1.	Mijn broer rijdt op een brommer.	brommer
2.	In de bossen langs de kust zie je veel naaldbomen.	bossen
3.	Hij is geen domme jongen.	domme
4.	Wil je daar meteen mee stoppen!	stoppen
5.	Het is zonnig weer.	zonnig
6.	In Holland staat een huis.	Holland
7.	Daar heb je de poppen aan het dansen.	poppen
8.	Lopen alle klokken hier voor?	klokken
9.	Schenk eens een kopje koffie in.	koffie
10.	Kloppen die sommen wel?	kloppen

Controledictee na bladzijde 50

		Schrijf op:
1.	Zullen we maar weg gaan?	zullen
2.	Dat is een drukke weg.	drukke
3.	Welk nummer heeft die auto?	nummer
4.	Willen jullie een boterham?	jullie
5.	Die postzegel heb ik dubbel.	dubbel
6.	We kunnen helaas niet komen.	kunnen
7.	Ik heb dunne benen.	dunne
8.	Vind jij dat nuttig?	nuttig
9.	Er staan bloemen tussen de struiken.	tussen
10.	We zaten te schudden van het lachen.	schudden

Controledictee na bladzijde 56

Schrijf de hele zin op:

1. Er zit geen druppel water in die flessen.
2. In april valt er vaak veel regen.
3. Sara is op zoek naar een lege woning.
4. Mijn zus draagt graag rode strikken in haar haar.
5. Mijn neef koopt een dure brommer.

4.2 Einddictees

Einddictee bij 1 Kop- en staartstukken

(Einddictee na bladzijde 16)

	Schrijf op:
1. Een leeuw en een panter zijn gevaarlijke beesten.	panter – beesten
2. Heb jij die sleutel van de zolder?	sleutel – zolder
3. Het is buiten heerlijk weer.	buiten – heerlijk
4. Duizend is een groot getal.	duizend – getal
5. In de gang hangt een spiegel.	spiegel
6. Morgen komt er deftig bezoek.	morgen – deftig – bezoek
7. Niet iedereen is altijd moedig.	moedig
8. De heks maakt een giftig drankje in de keuken.	giftig – keuken
9. Moeder keek droevig bij dit verhaal.	moeder – droevig – verhaal
10. Volgens mij was dit niet erg moeilijk.	volgens – moeilijk

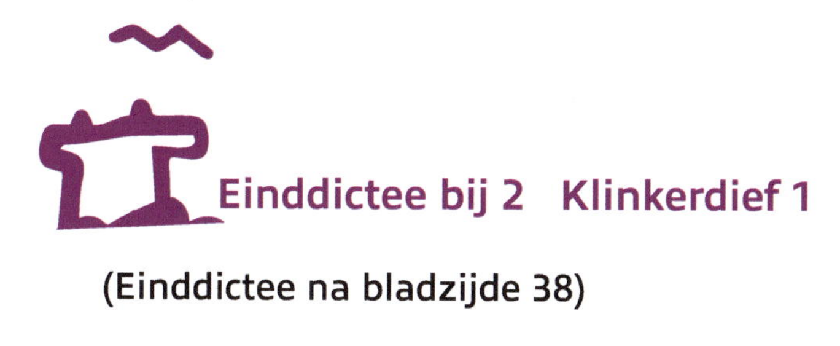

Einddictee bij 2 Klinkerdief 1

(Einddictee na bladzijde 38)

	Schrijf op:
1. Ik ga altijd om 8 uur slapen.	slapen
2. Kom je zaterdag bij mij spelen?	spelen
3. Ga jij ook de vierdaagse lopen?	lopen
4. Wij hebben uren in het bos lopen dwalen.	uren
5. Onze buren hebben een cavia.	buren
6. Op dit terras mag je niet roken.	roken
7. Morgen mag ik met mijn vriendin kleren in de stad gaan kopen.	kleren
8. Tijdens onze wandeling genieten we van de prachtige natuur.	natuur
9. Op dit moment heb ik geen tijd.	moment
10. Ik nam een hap van de zure appel.	zure
11. De bakker bakt iedere ochtend verse broden.	broden
12. Helaas kan ik niet op jullie feest komen.	helaas
13. Toen wij op vakantie in Egypte waren, hebben we op een kameel gereden.	kameel
14. Mijn broertje Irfan wordt vandaag zeven jaar.	zeven
15. Het publiek reageerde enthousiast op het optreden van de zanger.	publiek
16. Door het vele lawaai kon ik hem niet goed verstaan.	lawaai
17. Kim veegt de vloer met een bezem.	bezem
18. Een tomaat smaakt lekker in de sla.	tomaat
19. Mijn broer houdt van housemuziek.	muziek
20. Zij heeft het kopje kapot laten vallen.	kapot

Einddictee bij 3 Letterzetter 1

(na bladzijde 53)

	Schrijf op:
1. Mijn moeder gaat pannenkoeken bakken.	bakken
2. Ik ga morgen met mijn vader vissen.	vissen
3. Wil jij even koffie zetten?	zetten
4. Wij hebben thuis drie katten.	katten
5. We gaan op schoolkamp met twee bussen.	bussen
6. Ga jij even op die stoel zitten?	zitten
7. Ik koop een zak blokken voor mijn kleine broertje.	blokken
8. Er is geen druppel regen gevallen.	druppel
9. Op Koningsdag hangen de mensen hun vlaggen uit.	vlaggen
10. Een letter van het woord is niet goed geschreven.	letter
11. Ik vind het heerlijk om door de bossen te wandelen.	bossen
12. Lege flessen moet je in de glasbak gooien.	flessen
13. Mijn broer heeft een brommer van zijn spaargeld gekocht.	brommer
14. Dit is het juiste middel tegen de kwaal.	middel
15. Wij smullen van deze heerlijke taart.	smullen
16. Voor een verkeerslicht dat op rood staat, moet je stoppen.	stoppen
17. Mijn nichtje heeft deze danspasjes op ballet geleerd.	ballet
18. In Amsterdam zijn veel bruggen over de grachten.	bruggen
19. Misschien heeft zij de bus gemist en is zij daarom te laat.	misschien
20. Mijn vader wordt iedere ochtend al vroeg door de wekker wakker gemaakt.	wekker

Einddictee bij Klinkerdief – letterzetter

(na bladzijde 60)

		Schrijf op:
1.	Hij was buiten adem na al dat rennen.	adem
2.	Dat gezin woont op nummer veertien.	nummer
3.	Op welke manier schrijf jij de vijf?	manier
4.	Zullen we samen naar die film gaan?	samen
5.	Autobanden zijn van rubber.	rubber
6.	Kiki droeg een dikke wollen trui.	wollen
7.	Japan ligt aan de andere kant van de wereld.	wereld
8.	Ik vind het eng als honden grommen.	grommen
9.	Er zat een enorm gat in het ijs.	enorm
10.	Mijn zusje wil later bij het toneel.	toneel
11.	Je hoeft niet zo te schrikken!	schrikken
12.	Wie zal morgen de wedstrijd winnen?	winnen
13.	Hij floot een vrolijk liedje.	vrolijk
14.	Kijk, wij hebben dezelfde pennen!	pennen
15.	In de zomer eten we vaak buiten.	zomer
16.	Ik hoorde boze stemmen bij de buren.	stemmen
17.	Sommige mensen houden meer van margarine dan van boter.	boter
18.	Zij maken vaak ruzie, maar even later zijn ze weer de beste vrienden.	ruzie
19.	Een bakker staat altijd heel vroeg op.	bakker
20.	Zo, dat was alles!	alles

5 Woordenlijsten

Woordenlijst 1 Kop- en staartstukken

Hieronder staan woordenlijsten met twee klankgroepen die beginnen met be-, ge- of ver- of eindigen op -e, -en, -el, -em, -er(s), -ens, -end, -erd, -ig of -lijk. Woorden als 'vrolijk' en 'prettig' worden in dit blok niet behandeld; hiervoor gelden namelijk regels die pas behandeld worden bij klinkerdief en letterzetter). In deze woordenlijsten zijn geen meervoudsvormen eindigend op 'en' of 'ers' opgenomen. Voor oefenstof kun je de lijsten met woorden in het enkelvoud uit de eerdere niveaus raadplegen. Deze woorden kun je zelf in het meervoud zetten. Moeilijke meervoudsvormen (f – v, s – z, eren) kun je daarbij het best vermijden.

Kopstukken

Woorden met het kopstuk: be-

bedank(t)
bedenk(t)
bedien
bedoel
bedrag
bedrieg(t)
bedrijf
bedroefd
begin(t)
begraaf(t)
begrijp(t)
begrip
bejaard
bekend
bekijk(t)
belang
beleef
beloof
bemoei
benauwd
bepaal
beperkt
bereik
bericht
beroemd
beroep
bescherm
beslag
beslis(t)
besluit
bestaan
bestaat
bestel
bestuur
betaal
bevel
bevries
bewaar
beweeg(t)
bewijs(t)
bezoek(t)
bezit
bezwaar

Woorden met het kopstuk: ge-

gebaar
gebed
gebied
gebouw
gebruik(t)
gedraag(t)
gedrag
geduld
geheim
gelijk
geloof
geluid
geluk
gemak
gemeen
genoeg
geschikt
gesprek
getal
gevaar
geval
gevecht
gevoel
gevolg
geweer
geweld
gewicht
gewoon
gezicht
gezin
gezond

Woorden met het kopstuk: ver-

verbaas
verband
verdeel
verdien
verdriet
verdwaal
verdwijn(t)
vergeet
vergis(t)
verhaal
verhuis
verkeer
verkeerd
verklaar
verkoop
verlaat
verlang
verlicht
verliefd
verlies(t)
verniel
verschil
versier
verslag
verstaan
verstaat
verstand
vertel
vertrek(t)
vertrouw
verveel
vervoer
vervolg
verwacht
verzorg

Staartstukken

Woorden met het staartstuk: -e

aarde
achtste
arme(n)
bende
beste
blanke
blauwe
blinde
blonde
bruine
derde
dichte
diepe
diepte
drukte
Duitse
echte
eerste
einde
elfde
elke
erge
fijne
flauwe
flinke
forse
fraaie
Franse
goede
groene
groente
grootste
harde
hoogste
hoogte
jonge
jongste
juiste
kleine
kleinste
korte
koude
laatste
lange
lengte
lente
leuke
lichte
liefde
liefste
meeste
minste
moeite
mooie
mooiste
nauwe
nieuwe
orde
oude
oudste
paarse
pauze
rechte
rijke
ronde
ruime
ruimte
scherpe
schuine
slanke
slechte
slechtste
sterke
stilte
strenge
tante
tiende
twaalfde
vaste
verse
verte
vierde
vijfde
vreemde
vreugde
vroege
vuile
waarde
warme
warmte
welke
wijde
wilde
woede
woeste
zachte
zelfde
zesde
zieke
ziekte
zijde
zoete
zoute
zulke
zwarte

Woorden met het staartstuk: -em

bliksem
stiekem

Woorden met het staartstuk: -end

duizend
ochtend
volgend
woedend

Woorden met het staartstuk: -ens

ergens
minstens
nergens
telkens
volgens

Woorden met het staartstuk: -erd

honderd

Woorden met het staartstuk: -en

buiten
dronken
eigen
gulden
huilen
jongen
kauwen
keuken
morgen
meesten
noorden
oosten
varken
westen
zuiden

Woorden met het staartstuk: -el

bijbel
drempel
engel
enkel
handel
heuvel
mantel
meubel
sleutel
spiegel
stempel
voedsel
vleugel
winkel
wortel

Woorden met het staartstuk: -lijk

eerlijk
heerlijk
moeilijk
pijnlijk
sierlijk

Woorden met het staartstuk: -er

achter	helder	leider	rechter	vinger
ander	herder	liever	ruiter	vlieger
anker	honger	meester	schouder	vroeger
dichter	ieder	minder	schrijver	wijzer
dieper	ijzer	moeder	slinger	winter
dochter	kapster	monster	somber	wonder
dokter	kelder	mooier	spijker	zilver
donker	kelner	nuchter	sterker	zolder
Duitser	keizer	oever	suiker	zuiver
eerder	kleiner	ouder	tijger	zuster
erger	kleuter	panter	verder	
harder	langer	pleister	vijver	

Woorden met het staartstuk: -ig

aardig	grondig	machtig	treurig
angstig	gunstig	moedig	twintig
deftig	haastig	plechtig	veertig
dertig	handig	prachtig	veilig
driftig	heftig	rustig	vijftig
droevig	heilig	schuldig	vochtig
eeuwig	jeugdig	slordig	weinig
ernstig	keurig	spoedig	zestig
geinig	krachtig	tachtig	
gierig	lastig	tijdig	
giftig	luchtig	tochtig	

Woordenlijst 2 Klinkerdief 1

Woorden met a

adem
adres
agent
apen
april
avond
azijn
banaan
banen
besta
bijna
bladen
dader
dagen
daken
daling
dame
draden
dragen
fabriek
gaten
graden
haken
halen
haren
haring
haven
ja
jager
jaren
jarig
kale
kameel
kamer
kanaal
kanon
kapot
kwade
kwalijk
lading
lage
lager
laten
later
lawaai
ma
mager
majoor
maken
malen
manier
matroos
na
nagel
namen
natuur
pa
paleis
paling
papier
Pasen
platen
praten
raken
raket
ramen
rare
samen
schaduw
schalen
schapen
sla
slager
sparen
sta
staken
staking
stapel
straten
tafel
taken
vader
versta
vla
vragen
wagen
wapen
water
zadel
zagen
zaken
zware

N.B. De regel van de klinkerdief geldt ook voor woorden van één klankgroep, die eindigen op de lange klank aa.

Woorden met -e-

beker
benen
beren*
beter
bezem
bezig
brede
deken
delen
deze
egel
enig
enorm
eten
even
ezel
gele
heden
hekel
helaas
hele
hemel
heren*
hevig
kerel*
keren*
leden
lege
leger
lelijk
leren*
lepel
leven
mening
meter
negen
regen
stevig
tegen
teken
tenen
vele
veren*
vrede
wegen
weken
wereld*
zebra
zeker
zeven

*N.B. Bij de woorden met een * is het moeilijk te horen dat we met de lange klank ee te maken hebben. Dit komt door de plaagletter.*

N.B. De regel van de klinkerdief geldt ook voor woorden van één klankgroep, maar niet voor woorden van één klankgroep die eindigen op ee.

Woorden met -o-

blote	horen*	mode	over	toneel
bodem	hotel	model	po	totaal
bomen	knopen	modern	poten	vlo
boten	kogel	mogen	probleem	vogel
boter	koken	molen	protest	vorig*
boven	komen	moment	rode	vrolijk
broden	konijn	motor	rozijn	wonen
dode	koning	nodig	scholen	woning
droge	kopen	noten	schone	zo
dromen	koper	ogen	schotel	zomer
grote	loket	olie	schoten	
hoge	lonen	open	sloten	
hopen	lopen	oren*	tomaat	

*N.B. Bij de woorden met een * is het moeilijk te horen dat we met de lange klank oo te maken hebben. Dit komt door de plaagletter.*

N.B. De regel van de klinkerdief geldt ook voor woorden van één klankgroep, die eindigen op de lange klank oo.

Woorden met -u-

brutaal	ruzie
buren	sturen
dure	uren
duren	vuren
huren	zure
muren	
muziek	
nu	
publiek	

N.B. De regel van de klinkerdief geldt ook voor woorden van één klankgroep, die eindigen op de lange klank uu.

Woordenlijst 3 Letterzetter 1

Woorden met -a-

alle
allen
alleen
alles
appel
applaus
bakken
bakker
ballen
ballet
dapper
gladde
grappig
hakken
jammer
jassen
kapper
katten
klappen
klassen
knappe
ladder
lappen
latten
mannen
natte
pakken
pannen
passen
plannen
platte
ratten
smalle
spannend
stappen
straffen
takken
tassen
trappen
vakken
vallen
vlaggen
vlakke
vlammen
wakker
wanneer
wassen
watten
zakken
zwakke

Woorden met -a-

bedden
bellen
bessen
emmer
felle
flessen
gekke
hekken
helling
kennen
ketting
leggen
lekker
lessen
letter
messen
nette
pennen
prettig
rennen
snelle
stemmen
stemming
sterren
tellen
terrein
trekken
verre
vette
wekker
wennen
wetten
zeggen
zetten

Woorden met -i-

binnen
blikken
brillen
dikke
frisse
gillen
hitte
kikker
kippen
klimmen
knikken
knikker
knippen
liggen
lippen
middag
middel
midden
misschien
missen
prikken
rillen
schipper
schrikken
slikken
slimme
stikken
stille
stippen
vissen
visser
willen
winnen
witte
zitten

Woorden met -o-

blokken
bommen
bossen
brommen
brommer
domme
grommen
holle
Holland
hokken
klokken
kloppen
koffer
koffie
koppen
koppig
modder
poppen
rollen
sokken
stokken
stoppen
volle
zonnig

Woorden met -u-

bruggen
brullen
bussen
drukke
drukken
druppel
dubbel
dunne
hutten
juffrouw
jullie
krullen
kudde
kunnen
kussen
mussen
nummer
nuttig
pudding
rubber
schudden
smullen
spullen
stukken
tussen
vullen
zullen
zussen

Schema

van de luistervink – klinkerdief – letterzetter voor woorden van twee of meer klankgroepen

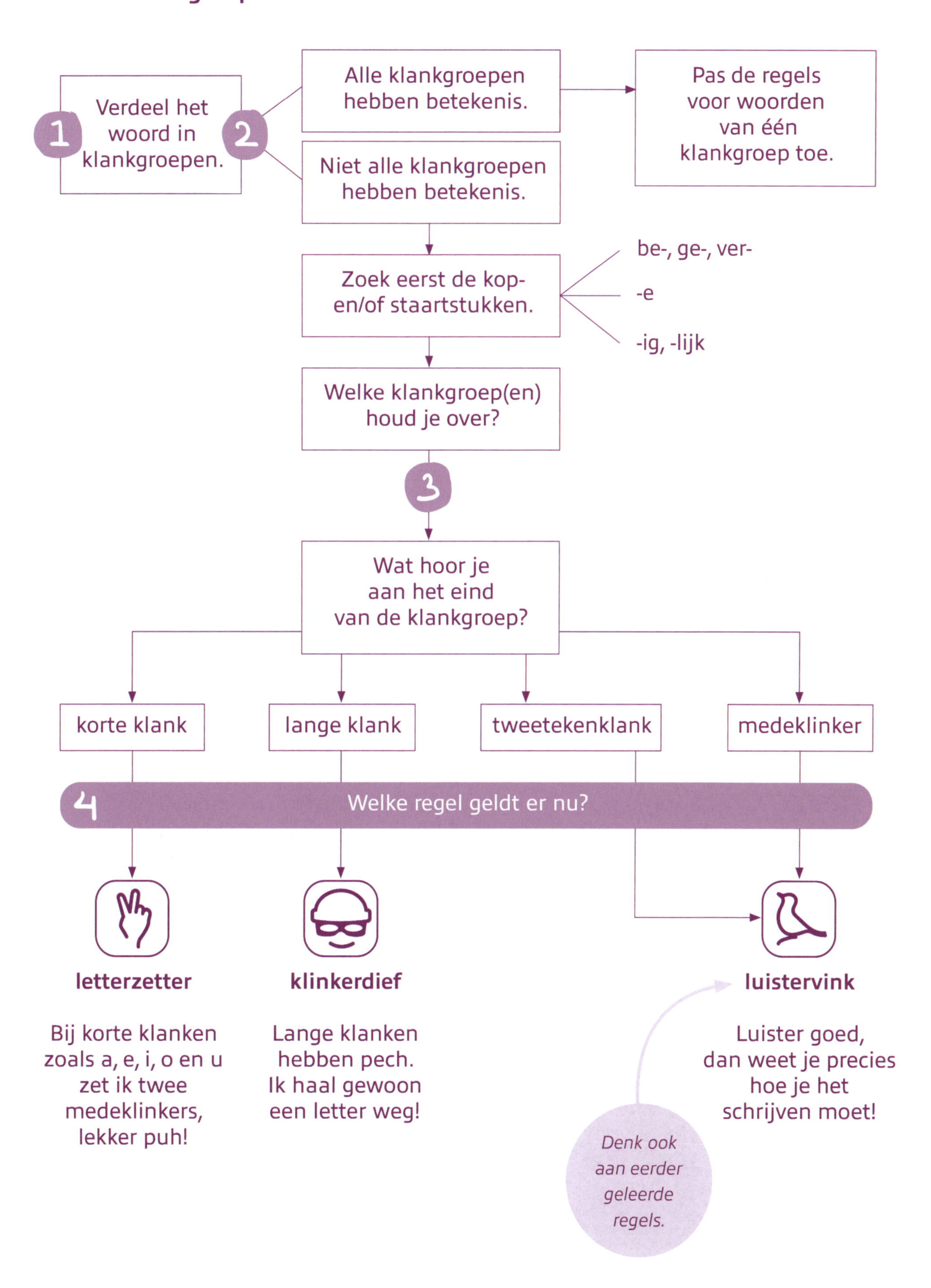

Bijlage

Spelling in de lift adaptief

handleiding niveau 7

klinkerdief – letterzetter 2
verkleinwoorden
moeilijke meervouden
ie = i

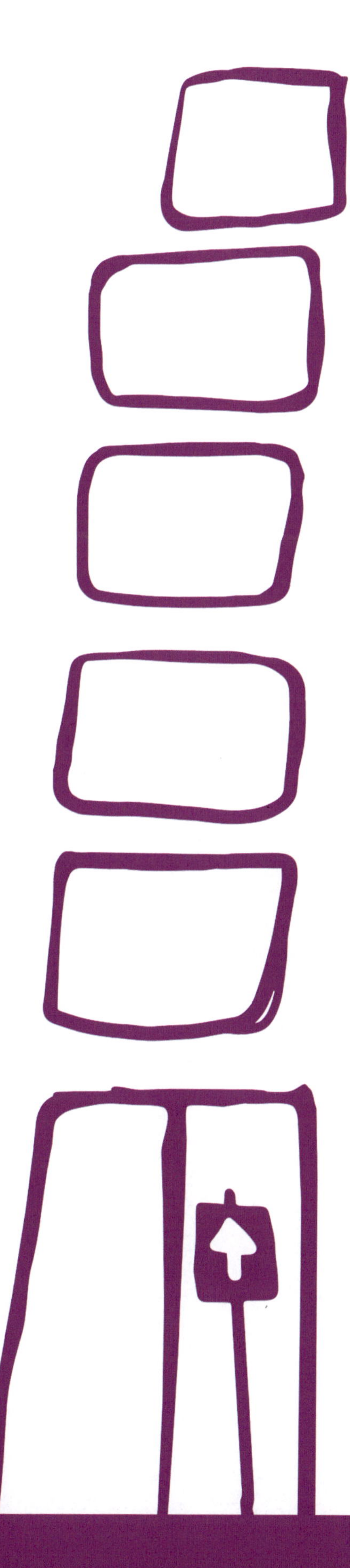

Inhoud

1 Doelstellingen

1.1 Algemene doelstellingen

Het werkboek niveau 7 is een onderdeel van de methode *Spelling in de lift adaptief*. Met deze methode leren leerlingen de schrijfwijze van veelvoorkomende Nederlandse woorden. Het is van belang dat leerlingen de woorden die ze leren, niet alleen goed schrijven in de spellinglessen, maar dat ze die kennis ook gaan gebruiken in hun spontane schriftelijke taalgebruik. Hiervoor zijn speciale oefeningen opgenomen. Voor een verdere toelichting van de algemene doelstellingen kun je de Algemene Inleiding raadplegen.

1.2 Doelstellingen van niveau 7

Op dit niveau wordt de schrijfwijze aangeleerd van niet-klankzuivere woorden die uit drie of meer klankgroepen bestaan. Het gaat hierbij alleen om woorden waarvoor de regels van luistervink, klinkerdief en de letterzetter gelden. Op dit niveau worden dus geen 'vreemde' woorden behandeld, zoals dat op niveau 8 het geval is.
Aan het eind van dit niveau kan de leerling ook:

- van veelvoorkomende woorden het verkleinwoord foutloos schrijven;
- veelvoorkomende woorden, waarin je een ie hoort maar een i schrijft, foutloos schrijven;
- veelvoorkomende woorden met de volgende spellingproblemen schrijven:
  - woorden waarbij in het meervoud of bij het langer maken de f in een v verandert (brief – brieven, scheef – scheve, geef – geven);
  - woorden waarbij in het meervoud of bij het langer maken de s in een z verandert (doos – dozen, grijs – grijze, lees – lezen);
  - meervoudsvormen op 's (opa's);
  - meervoudsvormen op eren (kinderen).

2 Opbouw

2.1 Instaptoets

Om de beginsituatie van de leerling vast te stellen, wordt in de digitale omgeving gestart met een instaptoets.

Deze instaptoets is passend bij de didactische leeftijd van de leerling en de periode van een jaar terug: er worden enkel spellingcategorieën getoetst waar de leerling op dat moment in zijn leerproces aan toe is of is geweest.

De instaptoets duurt ongeveer 40 tot 60 minuten. Het advies is om de tijd van de instaptoets te verspreiden over verschillende momenten op een dag of in een week. Zo minimaliseer je eventuele onzekerheid of frustratie. De instaptoets gaat automatisch verder waar de leerling gebleven is.

De resultaten van de leerling worden na het afronden van de instaptoets in het resultatenscherm van de leerkracht getoond. Hierop kun je precies zien welke spellingcategorieën de leerling al goed beheerst en op welke spellingcategorieën nog meer geoefend moet worden. Ook kun je het niveau van klankherkenning inzien. Het systeem zet, op basis van de resultaten, vervolgens automatisch oefenstof klaar.

2.2 Digitaal verwerken

Tijdens het digitaal verwerken kun je in het resultatenscherm de voortgang van de leerling inzien. Wanneer een leerling uitvalt op een spellingcategorie wordt in het resultatenscherm verwezen naar deze categorie binnen de handleiding per niveau van *Spelling in de lift adaptief.* De leerling heeft dan baat bij instructie, begeleide inoefening en verwerking die gestuurd wordt door de leerkracht.

Aan de klankherkenning en het klankonderscheid hangt geen 'goed' of 'fout' niveau. Het doel hiervan is om de snelheid van de verwerking van klank-tekenkoppeling te vergroten. Vooruitgang is daarbij het streven.

2.3 Instructie en verwerken op papier

In het resultatenscherm zie je op welke spellingcategorieën van niveau 7 de leerling uitvalt. Ga samen met de leerling aan de slag met de desbetreffende spellingcategorieën.

Het is dus zeker niet zo dat de leerling alle opdrachten uit het werkboekje van niveau 7 moet maken. Het mag natuurlijk wel, want extra oefening kan nooit kwaad.

In deze handleiding staan per bladzijde van het werkboek instructies en aanwijzingen bij de opdrachten. Daarnaast vind je bij verschillende bladzijden auditieve oefeningen die je samen met de leerling kunt doen. In hoofdstuk 3 vind je hoe deze zijn aangegeven, in zowel de handleiding, als in het werkboek.

2.4 Evaluatie

Tussen de verschillende oefeningen door, zijn controledictees voorhanden om na te gaan waar de leerling zich op dat moment in zijn leerproces bevindt. Aan het eind van iedere spellingcategorie vind je een einddictee. Dit kun je naast het controledictee en de gemaakte opgaven leggen om de voortgang van de leerling inzichtelijk te maken.

Zowel aan het controledictee, als aan het einddictee hangen geen normeringen.

De voortgang van de leerling wordt nog duidelijker zichtbaar door hem, na het oefenen op papier, weer digitaal te laten oefenen. In het resultatenscherm kun je zien hoe de leerling nu scoort op de spellingcategorieën.

3 Didactiek

3.1 Leerinhouden

In het werkboek vind je de volgende categorieën:

1 Klinkerdief – letterzetter 2
Woorden van drie of meer klankgroepen, waarop de regels van luistervink, klinkerdief of letterzetter toepasbaar zijn.

Lees- en analyseoefeningen met woorden van drie klankgroepen. (blz. 4 en 5)
Invul- en overschrijfoefeningen. (blz. 6 t/m 12)
Introductie van woorden van vier klankgroepen. (blz. 13 en 14)
Gevarieerde oefeningen en toepassing van het geleerde in zinnen, verhaaltjes en aardrijkskundige onderwerpen. (blz. 15 t/m 23)

2 Verkleinwoorden
De verkleinwoorden worden aan de hand van het verhaal 'Op reis door Madurodam' aangeleerd.
In één overzicht worden de verschillende categorieën verkleinwoorden geïntroduceerd. (blz. 26)
Categorie 1: je-woorden (voorbeeldwoord is huisje). (blz. 27 en 28)
Categorie 2: tje-woorden (voorbeeldwoord is treintje). (blz. 29 en 30)
Categorie 3: pje-woorden (voorbeeldwoord is boompje). (blz. 31 en 32)
Categorie 4: etje-woorden (voorbeeldwoord is bruggetje). (blz. 33 en 34)
Categorie 5: kje-woorden (voorbeeldwoord is koninkje). (blz. 35 en 36)

Twee lastige problemen met de je- en tje-vorm (voorbeelden: blad – blaadje en la – laatje) (blz. 37 en 38)
alles door elkaar (blz. 39 en 40)

3 Moeilijke meervouden
- meervoudsvormen waarbij de eind f in een v verandert; (blz. 42 t/m 45)
- meervoudsvormen waarbij de eind s in een z verandert; (blz. 46 t/m 50)
- meervoudsvormen die op 's eindigen; (blz. 51 t/m 54)
- afwijkende meervoudsvormen die op eren eindigen. (blz. 55)
- alles door elkaar (blz. 56 en 57)

4 ie = i

Woorden waarin je een ie hoort maar een i schrijft. (blz. 60 t/m 62)
Woorden waarbij na de i geen klinker of tweetekenklank komt
(bijvoorbeeld: gitaar). (blz. 64 t/m 67)
Woorden waarbij na de i een klinker of tweetekenklank komt,
zodat een j hoorbaar wordt (bijvoorbeeld viool). (blz. 68 t/m 72)

3.2 Leerprincipes

Voor een algemene toelichting op de verschillende leerprincipes kun je hoofdstuk 3 van de Algemene Inleiding lezen. Hieronder wordt besproken hoe deze leerprincipes op niveau 7 plaatsvinden.

Oriënteren
Binnen niveau 7 is de samenhang tussen de onderdelen minder sterk dan bij niveau 6. De onderdelen kunnen eventueel los van elkaar behandeld worden. Bij de constructie van de methode is wel voor een bepaalde volgorde van de onderdelen gekozen, ook bij niveau 7. Dit betekent in de praktijk bijvoorbeeld dat je bij het onderdeel verkleinwoorden nog geen ie = i-woorden zal aantreffen.

De woorden die op niveau 7 aangeleerd worden, zijn niet klankzuiver. Daarom is het belangrijk dat de leerlingen goed op de verschillende onderdelen van het spellingprobleem georiënteerd worden.

Klinkerdief – letterzetter 2
Dit onderdeel sluit aan op 'klinkerdief 1 en letterzetter 1' van niveau 6.

In niveau 6 hebben de leerlingen geleerd wanneer en hoe zij de spellingregels van de luistervink, klinkerdief en letterzetter toepassen op woorden van twee klankgroepen. Dit gebeurde met behulp van het schema van de luistervink – klinkerdief – letterzetter.

In klinkerdief – letterzetter 2 wordt in niveau 7 eerst aandacht besteed aan het goed lezen en uitspreken van woorden met drie klankgroepen. De inhoud van deze langere woorden is vaak heel abstract. Daarom is het belangrijk dat je met de leerlingen over de betekenis van de woorden praat en/of ze de betekenis van die woorden in een woordenboek laat opzoeken.

In klinkerdief 1 en letterzetter 1 pasten de leerlingen de drie regels van het schema alleen op de eerste klankgroep van een woord toe. Nu de woorden uit meer dan twee klankgroepen bestaan, leren de leerlingen eerst om in deze lange woorden díe woorddelen te analyseren waarop zij de regels van het schema kunnen toepassen. Het hoeft dus niet meer per se de eerste klankgroep te zijn.

Ook leren de leerlingen via analogierijtjes dat deze moeilijke woorden vaak dezelfde voor- of achtervoegsels hebben. In niveau 6 van deze methode werden die kop- of staartstukken genoemd.
Bij klinkerdief – letterzetter 2 komen de leerlingen met nieuwe voor- en achtervoegsels als: op-, on-, ont-, voor-, over- en -ing in aanraking, naast de bekende kop- en staartstukken be-, ge-, ver-, -ig, -lijk en -e.

Het is nieuw dat de voor- en achtervoegsels nu niet meer altijd voor- of achteraan het woord hoeven te staan. Ze kunnen ook midden in een woord voorkomen, bijvoorbeeld bij: onverschillig, gisteren, ongelukken.

Naast de analyse- en analogie-oefeningen zijn er ook oefeningen waarbij de leerlingen zélf langere woorden moeten maken door voor- of achtervoegsels aan een grondwoord te koppelen. Door deze oefeningen leren zij op een andere manier hoe zij een woord kunnen structureren.

Verkleinwoorden
De regels voor het aanleren van verkleinwoorden zijn voor leerlingen te ingewikkeld. Daarom leren de leerlingen de spellingregels toe te passen die ze eerder geleerd hebben. De verkleinwoorden worden in vijf categorieën en een uitzonderingscategorie aangeboden.

Het juist leren vormen en uitspreken van verkleinwoorden is een voorwaarde voor het goed leren schrijven. Daarom wordt in dit blok veel aandacht besteed aan dit morfologische aspect van de taal, door instructies en auditieve oefeningen. De leerlingen worden op dit nieuwe spellingkenmerk georiënteerd aan de hand van een afbeelding van Madurodam. Het gebruik van verkleinwoorden is logischer in Madurodam dan in de wereld om ons heen.

Voor elke categorie is een voorbeeldwoord gekozen. Dit wordt visueel ondersteund door middel van een afbeelding. Aan de hand van de voorbeeldwoorden worden de andere verkleinwoorden aangeleerd.

Voor verkleinwoorden geldt als algemene regel: 'Zoek in geval van twijfel eerst het grondwoord en zet daar de verkleiningsuitgang achter.'

Het grondwoord is het woord waar de verkleiningsvorm van is afgeleid. Bijvoorbeeld:
- van het grondwoord huis is het verkleinwoord: huisje;
- van het grondwoord licht is het verkleinwoord: lichtje;
- van het grondwoord kip is het verkleinwoord: kippetje.

Verder worden er bij een aantal categorieën nog hulpregels gegeven:

- Categorie 1: verkleinwoorden met uitgang -je:
Verwijs bij verkleining van grondwoorden op t of d naar de regel die de leerlingen geleerd hebben in niveau 4. Bij grondwoorden eindigend op cht en st wordt bij verkleining de t meestal niet uitgesproken. Deze t moet wel

geschreven worden. Bijvoorbeeld: lichtje en worstje. Wijs de leerlingen hierop en herhaal eventueel de bovenstaande algemene regel.

- Categorie 4: verkleinwoorden met uitgang -etje:
  Deze verkleinwoorden krijgen er volgens de regel van de letterzetter vaak een medeklinker bij. Verwijs hiernaar. Voorbeeld: karretje, bruggetje.

- Categorie 5: verkleinwoorden met uitgang -kje:
  Bij de -ng wordt alleen bij verscherping van g- tot k-klank de verkleiningsuitgang -kje toegepast (bijvoorbeeld in koninkje, kettinkje). Met andere woorden bij de verkleiningsuitgang -etje verandert -ng niet. (bijvoorbeeld: ringetje).

- Uitzonderingscategorie:
  Hierin worden twee lastige problemen met de je- en tje-vorm behandeld:
  a) verkleinwoorden waarbij de korte klank in een lange klank verandert, voorbeeld: pad – paadje, schip – scheepje;

  b) verkleinwoorden waarbij de schrijfwijze van de lange klank verandert. Grondwoorden die eindigen op a, o en u worden geschreven met aa, oo en uu, bijvoorbeeld: laatje, fotootje en parapluutje.

Moeilijke meervouden
Bij dit onderdeel geldt de hoofdregel van de Nederlandse spelling: uitgangspunt hierbij is een uitspraak in algemeen beschaafd Nederlands. Het is belangrijk de invloed van een dialect te vermijden. Daarna worden de woorden in klanken geanalyseerd en worden de klanken in de juiste volgorde omgezet in letters.

Bij de meervoudsvormen waarbij de eind f in een v verandert en de eind s in een z, wordt teruggegrepen op de begrippen: fietspompletter – vliegende vogelletter en slangletter – zaagletter, die op niveau 3 voor het eerst behandeld zijn.

Ondanks een 'nette' uitspraak is de invloed van het dialect vaak toch groot. Ook kan het zijn dat door de invloed van andere klanken binnen het woord de v niet anders dan als f uitgesproken kan worden of de z als s. Het helpt de leerlingen in dat geval ook niet om bij de keel te voelen om welke klank het gaat. Om deze redenen wordt nog een aantal hulpregels gegeven. Door regelmatig oefenen met een beperkt aantal f – v en s – z-woorden ontstaat een visueel woordbeeld van deze woorden.

De hulpregels bij deze woorden zijn:

Bij f –> v-woorden
- aan het eind van een woord of een klankgroep kan nooit een v staan;
- vv komt niet voor in de Nederlandse taal, dus de letterzetter zet altijd ff na de a, e, i, o of u;
- als de regel van de letterzetter niet geldt, schrijf je bijna altijd een v bij het langer maken. Uitzonderingen zijn: fotografen, paragrafen en triomfen.

Bij s –> z-woorden
- aan het eind van een woord of een klankgroep kan nooit een z staan;
- zz komt niet voor in de Nederlandse taal, dus de letterzetter zet altijd ss na a, e, i, o of u.

Bij meervoudsvormen die op 's eindigen
- de hulpregel is hierbij dat je wel 's moet schrijven, omdat je anders het woord verkeerd uitspreekt doordat je een korte klank leest, bijvoorbeeld fotos.

ie = i
Er zijn wel enkele regels te bedenken met behulp waarvan de leerlingen op dit spellingprobleem georiënteerd kunnen worden. Deze zijn echter vrij ingewikkeld en bovendien zijn er veel uitzonderingen op die regels.

Daarom is in dit geval gekozen voor het inprenten van een beperkt aantal veelgebruikte ie = i-woorden.

Optimaliseren
Achtereenvolgens gaat het hierbij om het verinnerlijken, verkorten, automatiseren en generaliseren.

Bij het verinnerlijken leren de leerlingen om niet meer hardop auditief te analyseren, maar om dit fluisterend voor zichzelf of in het hoofd (dus niet hoorbaar) te doen.

Het is de bedoeling dat de leerlingen bij het verkorten na verloop van tijd de regels en hulpregels niet meer nodig hebben, die in de werkboeken aangeboden worden. Alleen wanneer de leerlingen niet meer weten hoe een woord geschreven wordt, grijpen ze terug op de juiste regel.

Een voorbeeld van het verkorten van de regels van klinkerdief – letterzetter: eerst zoeken de leerlingen nog de kop- en staartstukken en de woorddelen waarop ze de regels van het schema kunnen toepassen. In een latere fase kan meteen van de leerlingen gevraagd worden wélke regel op een bepaald woorddeel toegepast moet worden.
Bijvoorbeeld: bij het woord 'vanavond' – hoe schrijf je a en waarom?
Antwoord: met één a, want hier geldt de regel van de klinkerdief.

Uiteindelijk is het doel dat de woordbeelden bij de leerlingen 'uit de pen vloeien'. Het spellen is dan een automatisme geworden. Deze vaardigheid wordt bevorderd door een beperkt aantal woorden herhaaldelijk op te laten schrijven, auditief te laten analyseren en visueel in te laten prenten.

Van de leerlingen wordt verwacht dat zij hun nieuwe kennis van de spellingproblemen van dit niveau niet alleen bij losse woorden toepassen, maar ook in zinnen en verhalen. Hieraan wordt aandacht besteed in het werkboek. Zorg ervoor dat de nieuwe kennis ook buiten de spellingles wordt toegepast, bijvoorbeeld bij de lessen wereldoriëntatie.

Isoleren, discrimineren en integreren
Naast het oriënteren en optimaliseren wordt aandacht besteed aan het isoleren, discrimineren en integreren. Voor de toelichting op deze begrippen kun je hoofdstuk 3 van de Algemene Inleiding lezen.

Binnen de vier onderdelen van niveau 7 worden de verschillende spellingproblemen eerst zoveel mogelijk geïsoleerd aangeboden. Pas wanneer de leerlingen na een aantal oefeningen een spellingkenmerk onder de knie hebben, wordt een nieuw spellingkenmerk aangeboden. Beheersen de leerlingen dit ook, dan pas wordt het door elkaar heen aangeboden.

Voorbeeld:
Bij het onderdeel 'ie = i' worden eerst de woorden met i geïsoleerd aangeboden. Daarna leren de leerlingen discrimineren tussen woorden waarin je een ie hoort én schrijft, en tussen woorden waarin je een ie hoort, maar een i schrijft.

Voor de leerprincipes 'controleren' en 'motiveren' kun je verder lezen in de Algemene Inleiding.

3.3. Werkvormen

De handleiding
In deze handleiding vind je de instructies bij de oefeningen in het werkboek. De instructies bevatten onder andere: het bespreken van de betekenis van nieuwe woorden, een uitgebreide oriëntatie op een nieuw probleem, leiding geven aan auditieve oefeningen, het vooraf bespreken van de oefeningen uit het werkboek en het nabespreken van de gemaakte oefeningen.

De auditieve oefeningen zijn in de methode *Spelling in de lift adaptief* erg belangrijk. Deze sluiten aan op de leerstof, of ze bereiden de volgende oefeningen in het werkboek voor.

Regelmatig worden dictees afgenomen, geanalyseerd en nabesproken. Naast woorddictees worden op niveau 7 ook zinnendictees afgenomen om te kijken of de geleerde woorden in deze situaties ook goed geschreven worden.

Het werkboek
In de oefeningen wordt veel aandacht besteed aan het op verschillende manieren inslijpen van woordbeelden: visueel, auditief en schrijfmotorisch. Ook wordt door het gebruik van afbeeldingen en eenvoudige zinnen de betekenis van woorden duidelijk gemaakt en wordt er geoefend met het gebruiken van woorden in zinsverband.

Aan de hand van plaatjes of eenvoudige zinnen wordt duidelijk gemaakt wat de betekenis van de woorden is en op welke wijze deze gebruikt worden. Vooral nu de woorden langer en abstracter worden, is het belangrijk om met de leerlingen te praten over de betekenis. Het gebruik van een woordenboek is een echte aanrader.

In deze methode staat instructie centraal, het werkboek is niet bedoeld als zelfstandig oefenmateriaal. Het is van belang dat je controleert of de leerlingen de bedoeling van de opdracht hebben begrepen.

3.4 Aanwijzingen per bladzijde, algemeen

De doelenkaart
De doelenkaart (op de binnenkant van de kaft) geeft aan welke onderdelen de leerling in het werkboek gaat doen en kan op twee manieren ingezet worden:

- **Voorafgaand aan het oefenen.**
  Bespreek samen met de leerling welke spellingcategorieën hij al beheerst en welke spellingcategorieën hij nog lastig vindt: kortom, met welke spellingcategorieën gaat de leerling de komende tijd oefenen.

- **Na afloop van het oefenen of na afloop van een dictee.**
  Evalueer het oefenproces met de leerling. Bespreek na in hoeverre de leerling de spellingcategorieën nu beheerst.

Instructie
Tijdens de instructie worden de doelstelling, het te hanteren materiaal en de introductievorm vermeld.

Auditieve oefeningen
De instructie en de woorden die worden aangeboden zijn omschreven.
Deze oefeningen kunnen met één of meerdere leerlingen gedaan worden.

Gezamenlijke oefeningen
Deze oefeningen kunnen samen met een groepje leerlingen gedaan worden.

Dictees
Deze dictees zijn in de handleiding te vinden onder respectievelijk paragraaf 4.1 en 4.2.

Schema van de luistervink – klinkerdief – letterzetter
Dit schema is achter in deze handleiding te vinden. Het schema is tevens te vinden achterin het werkboekje.

Afdek-oefeningen
Deze kunnen gezamenlijk gedaan worden, maar ook individueel.
De leerling voert de volgende handelingen uit:

- het woord inprenten;
- het woord afdekken (door leerkracht of leerling);
- het woord opschrijven;
- het woord controleren.

Het is daarbij belangrijk dat het woord niet letter voor letter overgeschreven wordt! Op dit niveau prenten de leerlingen woorddelen in.

Betekenis van woorden

Het is belangrijk dat de leerlingen de betekenis van de behandelde woorden kennen. Controleer dit regelmatig door de leerlingen bijvoorbeeld zinnen met de woorden te laten maken.

Zinnen maken

De oefeningen waarbij leerlingen zelf zinnen moeten maken, zijn erg belangrijk. Let erop dat ze toepassen wat ze geleerd hebben. Behalve de behandelde woorden van niveau 7, moeten ook de woorden van eerdere niveaus goed geschreven worden. Let ook op het toepassen van hoofdletters en leestekens.

Creativiteit

Het is goed om de creativiteit van de leerlingen aan te moedigen. Bij de oefeningen is er lang niet altijd sprake van één correct antwoord; soms zijn er alternatieven. Reken het vooral niet fout als een leerling een ander woord invult dat wel in de oefening past.

3.5 Aanwijzingen per bladzijde, specifiek

1 Klinkerdief – letterzetter 2

Bladzijde 4
Instructie

Doel: De leerling leert dat moeilijke woorden vaak herkenbare voorvoegsels hebben.

Schema: luistervink – klinkerdief – letterzetter

Introductie:
Lees de woorden op bladzijde 4 samen. Vraag de leerling of hij de overeenkomsten tussen de woorden kan ontdekken. Bevestig dat deze woorden dezelfde kopstukken of voorvoegsels hebben. Wijs de leerling erop dat deze voorvoegsels gevolgd worden door twee klankgroepen, die hij al kan schrijven.

Sla het werkboek dicht en behandel de structuur van de volgende woorden op het bord:

betrekken – bepalen – belasten

Vraag wat het voorvoegsel in deze woorden is. Vraag of het gedeelte dat overblijft, een luistervink-, klinkerdief- of letterzetter-woord is, en waarom.

Gebruik hierbij het schema van de luistervink – klinkerdief – letterzetter.

Doe dit ook met de woorden: vertellen – verzorgen – verlaten.

Lees daarna nogmaals de woorden van bladzijde 4 van het werkboek. Let erop dat de leerling de woorden juist uitspreekt. Ook kun je van een aantal woorden naar de betekenis vragen, bijvoorbeeld door de leerling met het woord een zin te laten maken.

Oefening 2
De bedoeling van deze oefening is dat de leerling uit elk woord van drie klankgroepen een luistervink-, klinkerdief- of letterzetter-woord van twee klankgroepen haalt. Vervolgens deelt hij dit woord in in een van de drie categorieën met behulp van het schema van de luistervink – klinkerdief – letterzetter.

Bladzijde 5
Instructie

Doel: De leerling leert dat in moeilijke woorden zowel voor-, als achtervoegsels aanwezig kunnen zijn.

Introductie: Zoals bij de instructie op bladzijde 4.
Bij de rijtjes woorden zijn er zowel overeenkomsten in voor-, als achtervoegsels (kop- en staartstukken). Wijs erop dat er behalve het voorvoegsel of achtervoegsel nog twee klankgroepen zijn die hij al kan schrijven.
Behandel de structuur van de volgende woorden (zie instructie bladzijde 4):

ontdekking – ontduiken
vriendelijk – vreselijk
oplossen – optreden

Gebruik het schema van de luistervink – klinkerdief – letterzetter.

Bladzijde 6
Instructie

Doel: De leerling leert woorden in klankgroepen verdelen.

Introductie: Verdeel de volgende woorden in klankgroepen. Vraag of er ook woorddelen bij zijn die de leerling al kan schrijven. Vraag welke regels daarvoor gelden. Schrijf nu de woorden op het bord. Gebruik ter ondersteuning het schema.

vanmiddag	afdeling	fotograaf
avontuur	programma	omgeving
oplossing	ontdekking	instrument
toneelstuk	toestemming	personeel

Bladzijde 7
Instructie

Doel: De leerling oefent woorden in klankgroepen verdelen.

Introductie: Vraag goed naar de volgende woorden te luisteren en vraag ze te verdelen in klankgroepen. Dicteer nu de onderstreepte delen van het woord en laat die opschrijven.

Is het woorddeel een luistervink- of een letterzetter-woord?
Schrijf tot slot het totale woord op het bord.

voetstappen
voorbeelden
gevallen
inspanning
voetballen
moeilijkheid
betrekken
grootmoeder
allemaal

wedstrijden
handschoenen
vertrekken
opleiding
voorstelling
gevaarlijk
kapotte
nieuwsgierig
iedereen

Behandel de fout geschreven woorden nogmaals met behulp van het schema.

Bladzijde 8
Instructie

Doel: De leerling oefent woorden in klankgroepen verdelen.

Introductie: Laat de leerling de volgende woorden in klankgroepen verdelen.

Schrijf de woorden nu op, zo nodig met behulp van het schema.

grootvader
buitenland
vergeten
schilderij
opmerking
gevaren
kabouter
verrader

stofzuiger
oktober
slaapkamer
verkopen
fantasie
inwoners
voorlopig
gisteren

Deze bladzijde wordt afgesloten met een controledictee.
De controledictees zijn opgenomen in paragraaf 4.1.

Bladzijde 12
Deze bladzijde wordt afgesloten met een controledictee.
Dit dictee is te vinden in paragraaf 4.1.

Bladzijde 13
Instructie

Doel: De leerling maakt kennis met woorden met vier of meer klankgroepen.

Introductie: Lees samen de woorden op bladzijde 13. Vraag naar de overeenkomsten tussen de woorden. Bevestig dat het om overeenkomsten in voor- en achtervoegsels gaat: be-, ge-, on-, ver-, onder-, -ende, -ig, -lijk en -ing. Laat deze voor- en achtervoegsels onderstrepen. Sla het werkboek dicht. Doorloop nu met het woord 'verschrikkelijk' het schema. Dicteer de volgende woorden:

bewondering – ondertussen – schitterende – gezellige – verantwoordelijk – aantrekkelijk

Schrijf de woorden daarna op.

Gebruik alleen voor moeilijke stukjes in het woord het schema. Het is de bedoeling dat het visuele schema uiteindelijk niet meer nodig is, omdat de leerling de regels verinnerlijkt heeft.

Bespreek samen de betekenis van de woorden op bladzijde 13.

Auditieve oefening
Tel bij de volgende woorden de klankgroepen. Welke regel moet worden toegepast op welk woorddeel? Schrijf het woord op.

getallen	onverschillig	inspanning
onderwijzer	schriftelijk	verrassing
belangstelling	gemakkelijk	verschillende

Bladzijde 14
Oefening 1
Bespreek de betekenis van de woorden.

Auditieve oefening
Zet de volgende matrix op het bord:

	be-	ge-	ver-	over-
2				
3				
4				

Laat de leerling nu zelf woorden van twee, drie of vier klankgroepen verzinnen met be-, ge-, ver- of over-.

Analyseer een verzonnen woord op bovengenoemde kenmerken en bespreek in welk hokje het woord moet komen. Laat de leerling het daarna zoveel mogelijk zélf vertellen. Probeer de hele matrix vol te krijgen. Vul de woorden in, of laat ze invullen.

Bladzijde 16

Oefening 1

Bespreek zo nodig de betekenis van de woorden.

Auditieve oefening

Zet een schema op het bord, net zoals bij de auditieve oefening op bladzijde 14. Vul de bovenste rij in: over-, -lijk, -in, en -ig. Laat de leerling weer zelf woorden met deze achtervoegsels verzinnen en op de goede plaats invullen.

Bladzijde 17

Deze bladzijde wordt afgesloten met een controledictee.
Dit dictee is te vinden in paragraaf 4.1.

Bladzijde 20

Deze bladzijde wordt afgesloten met een controledictee.
Dit dictee is te vinden in paragraaf 4.1.

Bladzijde 22

Gezamenlijke oefening

Dicteer onderstaande woorden. Laat de leerlingen deze in de matrix in het werkboek invullen.

	1	2	3	4
A	gelukkig	Rotterdam	apparaat	leraren
B	uitstekend	enorme	ontwikkelingen	geloven
C	eveneens	jarenlange	dobbertje	dadelijk
D	dagelijks	adressen	geheimzinnig	normale
E	evenwicht	onverschillig	ertegen	Nederland

Laat de leerlingen vervolgens individueel, of samen met een medeleerling, de woorden op de aangegeven volgorde in het schrift schrijven. De eerste letters van de woorden vormen samen het spreekwoord: 'jong geleerd, oud gedaan'.

Bladzijde 23
Gezamenlijke oefening

Een quiz
De bedoeling van deze quiz is dat de leerlingen individueel of in groepjes van twee of meer leerlingen, aan de slag gaan met de hiernavolgende 'quizvragen'. Er kunnen daarbij verschillende eisen aan de leerlingen gesteld worden:

a) eenvoudig
Alle antwoorden die correct geschreven zijn, leveren één punt op.

b) iets moeilijker
De oplossingen moeten uit woorden van minimaal twee klankgroepen bestaan. Voor correcte antwoorden wordt één punt gegeven.

c) moeilijk
Woorden met meer klankgroepen leveren méér punten op, namelijk voor elke klankgroep die correct gespeld is, één punt.

Je kunt als leerkracht het best beoordelen welk alternatief de leerlingen aankunnen.

De antwoorden worden op bladzijde 23 van het werkboek ingevuld. In de hokjes kunnen de behaalde punten ingevuld worden, onderaan de bladzijde het totaal daarvan. De plaatjes bij elk item zijn bedoeld om de leerlingen de vraag te helpen onthouden.

De quizvragen zijn:
1. Noem drie beroepen.
2. Noem drie muntsoorten.
3. Noem drie sporten.
4. Noem drie namen die met een D beginnen.
5. Noem drie landen in Europa.
6. Noem drie getallen die op een nul eindigen.
7. Noem drie sprookjesfiguren.
8. Noem drie soorten vogels.
9. Noem drie provincies in Nederland.
10. Noem drie dagen van de week.
11. Noem drie weertypen.
12. Noem drie soorten dieren.
13. Noem drie voorbeelden hoe je je kunt voelen.
14. Noem drie woorden die je vaak in de krant tegenkomt.
15. Noem drie dingen die je graag wilt hebben.

Na de quiz wordt ter afsluiting van het onderdeel 1 'Klinkerdief – letterzetter 2' een einddictee afgenomen. De eindictees zijn opgenomen in paragraaf 4.2.

2 Verkleinwoorden 'Op reis door Madurodam'

Bladzijde 26

Instructie

Doel: De leerling leert de verschillende verkleiningsuitgangen aan de hand van voorbeeldwoorden.

Introductie: Er zijn verschillende categorieën verkleinwoorden, vraag de tekening goed te bekijken. Wijs erop dat de voorbeeldwoorden aan afbeeldingen gekoppeld zijn. Het is de bedoeling dat de leerling de uitgangen inprent, zodat hij deze bij een nieuw verkleinwoord kan raadplegen.

Sla het werkboek dicht. Vraag de leerling welke uitgang bij welke afbeelding past. (Van het voorbeeldwoord komt een afbeelding in de rechterbovenhoek van de werkboekbladzijde wanneer deze uitgang aan de orde is.)
Als de inprenting heeft plaatsgevonden, lees dan de volgende woorden voor. De leerling zegt van elk woord een verkleinwoord.

Bijvoorbeeld: een duif – een duifje.

vogelhuis – riem – kampvuur – keukenla – mokkataart – spel – zeehond – kinderstoel – appelboom – leesbril – snoeppot – koning – auto – knakworst – dakraam – broodtrommel – grap – vriendin – ketting – speelgoedtrein

Vertel daarna het verhaal over Madurodam.

'Op reis door Madurodam'

Madurodam is een stadje in Den Haag. Het is genoemd naar de Curaçaose familie Maduro, die het ministadje liet bouwen. Een Amerikaan, die naar Nederland kwam en veel haast had, heeft weleens gezegd dat het mogelijk is Nederland in één uur te leren kennen door een bezoek te brengen aan Madurodam. Hier zit wel een kern van waarheid in.

Madurodam ziet eruit als een echte stad, alleen is alles er in het klein. Je kunt in Madurodam belangrijke Nederlandse gebouwen gaan bekijken. Er zijn vele beroemde gebouwen nagebouwd, zoals het Vredespaleis uit Den Haag, de Domtoren uit Utrecht en de Euromast uit Rotterdam. (Je kunt de leerling laten zoeken op Internet naar afbeeldingen van Madurodam of zelf wat laten zien.) Er zijn grachtjes en bruggetjes, huisjes en bedrijfjes, een speeltuintje, een dierentuintje, tulpenveldjes en industriegebiedjes. De bomen die er staan, worden steeds gesnoeid, zodat ze altijd klein blijven. Er is een haventje waar zeilscheepjes op en neer varen. Aan boord van een olietanker ontstaat regelmatig een brandje dat door een blusvaartuigje wordt geblust. Op de luchthaven Schiphol kun je zien hoe een vliegtuigje bevoorraad wordt en hoe een tankautootje voor de brandstofvoorziening zorgt.

Er zijn ook spoor- en trambanen aangelegd in Madurodam. Treintjes en trammetjes rijden er net zoals in het echt, met regelmatige dienstregeling. Uit het kerkje kun je orgelmuziek horen en op het marktpleintje speelt zelfs een klein draaiorgeltje.

Wanneer je 's avonds naar Madurodam gaat, kun je meer dan 50.000 lampjes in het stadje zien branden. Dat is prachtig om te zien en zeker een bezoek waard!

Bladzijde 28
Instructie

Doel: De leerling leert de verkleinwoorden van woorden die eindigen op cht en st.

Introductie: Schrijf de woorden luchtje en worstje op. Leg uit dat deze verkleinwoorden moeilijk zijn, omdat de t niet hoorbaar is. Wijs de t in het woord op het bord aan en spreek tegelijkertijd het woord uit, zónder nadrukkelijk de t uit te spreken. Vertel nu dat de t wel wordt geschreven, omdat de t in het grondwoord staat. Het grondwoord van luchtje is lucht, het grondwoord van worstje is worst.

Laat de leerling het grondwoord zeggen van de volgende woorden. Het kan ook extra verduidelijkt worden door te zeggen: mijn kleine nichtje, maar mijn grote ...

nichtje – vliegje – kunstje – plankje – bochtje – vliegtuigje – vuistje – zeepdoosje – vrachtje – inktvlekje – beestje – boogje – vlechtje – schroefje – barstje – kaassausje – vruchtje – roomijsje – korstje – glimlachje

Uitbreiding van de oefening
Bied de bovenstaande verkleinwoorden nog eens aan. Laat het grondwoord zeggen en laat vervolgens zowel grondwoord, als verkleinwoord opschrijven.

Bladzijde 30
Deze bladzijde wordt afgesloten met een controledictee.
Dit dictee is te vinden in paragraaf 4.1.

Bladzijde 32

Auditieve oefening

Maak er een verkleinwoord van. Lees onderstaande woorden voor, de leerling maakt van elk woord een verkleinwoord. Bijvoorbeeld: een koe – een koetje.

surfplank – springtouw – palmboom – eiland – slaapkamer – geheim – zwaailicht – scharrelei – zolderraam – damhert – vogelkooi – glimworm – gracht – weegschaal – probleem – apparaat – tunnel – speelfilm – orkest – avontuur

Bladzijde 33

Instructie

Doel: De leerling leert de verkleiningsuitgang -etje.

Introductie: Geef aan dat de leerling verkleinwoorden gaat leren schrijven die eindigen op etje. Lees de onderstaande woorden voor. De leerling maakt van elk woord een verkleinwoord. Geef een voorbeeld: een ding – een dingetje, een brug – een bruggetje . Schrijf deze twee op het bord en laat daaronder de woorden van de oefening invullen.

ring – tor – pan – tong – slang – wang – vriendin – vlag – wandeling – gang – bril – sprong – kom – kring – kar – ton – tekening – oefening – bel – stam

Denk bij deze woorden ook aan het schema van de luistervink – klinkerdief – letterzetter.

Auditieve oefening

Lees de onderstaande woorden voor. De leerling maakt van elk woord een verkleinwoord. Bijvoorbeeld: een bal – een balletje.

sleepboot – kinderwagen – frietkraam – huifkar – goudvink – kwartier – spoorboom – steelpan – krulstaart – nachtegaal – pinksterbloem – luchtbel – vlecht – bodem – leesbril – bustocht – dakraam – draaitol

Bladzijde 34

Oefening 3

Wijs de leerling op de wijziging van het lidwoord: de – het.

Deze bladzijde wordt afgesloten met een controledictee. Dit dictee is te vinden in paragraaf 4.1.

Bladzijde 35
Instructie

Doel: De leerling leert de verkleiningsuitgang -kje.

Introductie: Geef aan dat de leerling verkleinwoorden gaat leren schrijven die eindigen op kje. Bijvoorbeeld: koning – koninkje.
Maak van deze woorden een verkleinwoord:
woning – pudding – ketting – beloning – paling – helling – leuning – haring

Geef aan dat je nu ook andere woorden gaat oplezen:
ring – schoolreis – bericht – pudding – wandeling – orkest – oefening – ketting – avontuur – valhelm – woning – marktkraam – tekening – kruiwagen

Bladzijde 36
Oefening 2
De uitdrukkingen uit deze oefening kun je eerst met de leerling bespreken. De leerling kan bij elke uitdrukking een voorbeeld verzinnen.

Na oefening 3 wordt een controledictee afgenomen.
Dit dictee is opgenomen in paragraaf 4.1.

Bladzijde 37
Instructie

Doel: De leerling leert dat er verkleinwoorden zijn, waarbij de korte klank in een lange klank verandert.

Introductie: Geef aan dat er verkleinwoorden zijn waarbij de korte klank in een lange klank verandert. Geef het voorbeeld: blad – blaadje.

Laat van de volgende woorden verkleinwoorden maken en geef aan wanneer de klank verandert.
bad – pad – wat – vat – das – glas – fietstas – wip – schip – lat – blad – kat – gat – kast – schat – dienblad – stad – bospad – schildpad – zoutvat

Laat zinnen bedenken met de gemaakte verkleinwoorden.

Oefening 3
Wanneer de leerling de verkleinwoorden niet meteen in de goede categorie kan plaatsen, is het handig om de woorden eerst per categorie op een blaadje of in het schrift te laten opschrijven, bijvoorbeeld de je-woorden onder elkaar, daarna de tje-woorden enzovoort.

Bladzijde 38
Instructie

Doel: De leerling leert verkleinwoorden waarbij de lange klank anders geschreven wordt dan in het grondwoord. Bijvoorbeeld: la – laatje.

Introductie: Schrijf het woord 'la' op. Vraag wat het verkleinwoord is en schrijf 'laatje' erachter. Vraag wat hier opvalt. Maak duidelijk dat er verkleinwoorden zijn waarbij de lange klank anders geschreven wordt dan in het grondwoord.

Laat van de volgende woorden verkleinwoorden maken en schrijf de woorden waarbij de geschreven klank verandert op het bord.

opa – tuinpad – keukenla – bloemblad – paraplu – hobbelpaard – woning – boerin – borrelglas – luchtbel – marktkraam – zeilschip – pudding – ophaalbrug – postkantoor – pasfoto – biervat – pinda – lachfilm – auto

Deze bladzijde wordt afgesloten met een controledictee.
Het dictee is te vinden in paragraaf 4.1.

Bladzijde 40
Onderdeel 2 'Verkleinwoorden' wordt hier afgesloten met een einddictee.
Dit dictee is opgenomen in paragraaf 4.2.

3 Moeilijke meervouden

Bladzijde 42
Instructie

Doel: De leerling leert alert te zijn op verschillen tussen f en v in langere woorden. Daarnaast vindt er een herhaling plaats van de fietspomp- en vliegende vogelletter (zie niveau 3).

Introductie: Zet de volgende woorden op het bord. Lees zelf de eerste rij op en geef daarna de leerling de beurt. Benadruk de juiste uitspraak van f en v.

vloer	grof	dief	voelen
fijn	verf	voor	fietser
graaf	fles	vullen	boffen
graven	vazen	feesten	fruit
vijf	boeven	vieze	vrucht

Vraag de leerling of hij de fietspompletter en vliegende vogelletter nog kent. Teken de bijbehorende symbolen op het bord en herhaal de bijbehorende leerprincipes:

f: Deze letter heet de fietspompletter.
Als je met een fietspomp pompt, hoor je f, f, f.

v: Voor de v geldt de naam vliegende vogelletter.
De v ziet eruit als een vliegende vogel en in vliegende en vogel hoor je een v.

Lees de woorden nog een keer en wijs op verschillen tussen f en v in langere woorden.

Auditieve oefening
Lees de woorden langzaam op en laat bij elk woord met een f de vinger opsteken.

blokfluit – goudvis – bromvlieg
grootvader – verhaal – zeventig
voorsprong – viespeuk – strafwerk
bankschroef – overal – vleesvork
fietstas – filmster – gifslang

Bladzijde 43
Auditieve oefening
Verdeel de volgende woorden in klankgroepen en zeg steeds of in de eerste klankgroep de f, de v of allebei voorkomen.

vijftien – vijver – proefwerk
voornaam – herfststorm – neefje
stofdoek – schrijffout – verven

Oefening 3
Herhaal de regel van de letterzetter (zie de handleiding van niveau 6 bij klinkerdief 1 en letterzetter 1).

Bladzijde 44
Instructie

Doel: De leerling leert de verbuigingen en meervoudsvormen, waarbij eind-f in een v verandert.

Introductie: Bespreek dat het meestal te horen is dat de f in een v verandert bij het langer maken van het woord. Dit is ook voelbaar aan de keel.

Laat bij de volgende woorden de f in een v veranderen:
kluif – dief – neef – wijf – graaf – schroef – boef – vijf – schuif – schijf – schaaf – scherf

Doe deze oefening nogmaals en laat de leerling de verandering voelen aan de keel.

Bladzijde 45

Oefening 3

Het is de bedoeling dat de zinnen ontkennend gemaakt worden. Dit kun je van tevoren oefenen. De leerlingen maken bij deze oefening de f → v-woorden uit de zin, ook bij het ontkennend maken gebruiken.

Na oefening 3 wordt een controledictee afgenomen . Dit dictee is te vinden in paragraaf 4.1.

Bladzijde 46

Instructie

Doel: De leerling leert alert te zijn op verschillen tussen de s en z in korte en langere woorden. Daarnaast vindt er een herhaling plaats van de slangletter en de zaagletter (zie niveau 3).

Introductie: Zet de volgende woorden op het bord. Lees zelf de eerste rij op en geef daarna de leerling de beurt. Benadruk de juiste uitspraak van s en z.

soms	zeven	flessen	frisse
zout	zestien	vissen	vazen
schroef	fietspomp	vieze	genezen

Vraag de leerling of hij de slangletter en zaagletter nog kent. Teken de bijbehorende symbolen op het bord en herhaal de leerprincipes:

s: De tekening van de slangletter lijkt op een s.
Ook slist de slang: sssssss.

z: De tanden van de zaag van de zaagletter vormen
een z en bij het zagen hoor je: zzzzzzzz.

Lees de woorden nog een keer en wijs op verschillen tussen s en z in langere woorden.

Auditieve oefening

Lees de woorden langzaam voor en laat de leerling bij elk woord met een z de vinger opsteken.

spreekbeurt	tijdschrift	verbazen
zoethout	rijles	dozen
kaassaus	zorgzaam	boze

Bladzijde 47
Auditieve oefening
Verdeel de volgende woorden in klankgroepen en zeg steeds of je in de tweede klankgroep een s of een z hoort.

schoonzus	woonhuis	rundvlees	vieze
zessen	herfststorm	rauwkost	losse
kaarsen	kousen	wijnfles	kazen

Bladzijde 48
Instructie

Doel: De leerling leert de verbuigings- en meervoudsvormen waarbij de s in een z verandert.

Introductie: Leg uit dat bij het langer maken van een woord de leerling kan horen of de s in een z verandert. Laat de leerling ook aan de keel voelen. Laat bij de volgende woorden de s in een z veranderen.

muis – reus – ons – roos – wijs – glas – kaas – kies – dwaas – grijs

Doe de oefening nog eens en laat de leerling de verandering aan zijn keel voelen.

Bladzijde 49
Instructie

Doel: De leerling leert dat er ook woorden zijn die een s houden als je ze langer maakt.

Introductie: Noem de volgende woorden op en vraag de leerlingen het woord langer te maken:

kaars	(kaarsen)
neus	(neuzen)
vers	(verse)
paars	(paarse)
kies	(kiezen)

Herhaal zelf nogmaals het langer gemaakte woord en spreek de laatste klankgroep nadrukkelijk uit.

Vraag wat opvalt bij het langer maken van woorden met een s. Benadruk dat door goed te luisteren, de leerling meestal al kan weten of hij een s of een z moet invullen.

Bladzijde 50
Deze bladzijde wordt afgesloten met een controledictee.
Dit dictee is te vinden in paragraaf 4.1.

Bladzijde 51
Instructie

Doel: De leerling maakt kennis met meervoudsvormen die op 's eindigen.

Introductie: Er zijn woorden die in het meervoud op 's eindigen. Weet jij er een?

Schrijf de goede woorden van de leerling op het bord en vul ze verder aan met opa's – kano's.

Bladzijde 54
Deze bladzijde wordt afgesloten met een controledictee.
Dit dictee is te vinden in paragraaf 4.1.

Bladzijde 55
Instructie

Doel: De leerling leert dat sommige woorden in het meervoud op eren eindigen.

Introductie: Bespreek dat sommige woorden in het meervoud op eren eindigen. Neem als voorbeeld: kind – kinderen.

Laat het meervoud noemen van de volgende worden:

kalf – tulp – ei – foto – gat – blad – lied – knie – volk

Schrijf de woorden die op eren eindigen op:
kalveren – eieren – bladeren – liederen – volkeren

Bladzijde 57
Onderdeel 3 'Moeilijke meervouden' wordt hier afgesloten met een einddictee. Dit dictee is opgenomen in paragraaf 4.2.

4 ie = i

Bladzijde 60
Instructie

Doel: De leerling leert dat er woorden zijn waarin je ie hoort, maar i schrijft.

Introductie: Schrijf op het bord de woorden: muzikant en muziek. Spreek de woorden langzaam uit en vraag wat opvalt. Geef aan dat het dus voor kan komen dat je in het woord een ie hoort, maar een i schrijft.

Bespreek dat de regels om te weten of je i of ie moet schrijven, lastig zijn. Geef aan dat de leerling daarom veel gaat oefenen met deze woorden, zodat hij leert herkennen bij welke woorden een i wordt geschreven. Vraag de leerling de hand op te steken wanneer je een woord opnoemt waarin hij een ie hoort, maar een i schrijft. Schrijf alleen het ie = i-woord op het bord. Laat de leerling het eventueel zelf op een blaadje schrijven.

pistool – limonade – winkelier – president – radiootje – gieter – zilver – idee

Oefening 1
Lees de woorden samen. Wijs erop dat je soms ie hoort, maar i schrijft. Geef ook aan dat er natuurlijk ook woorden zijn waarin je i hoort en i schrijft.

Bladzijde 62
Gezamenlijke oefening

Deze oefening kan uitgevoerd worden, wanneer meerdere leerlingen tegelijkertijd met deze spellingcategorie oefenen. Laat aan één leerling een opdrachtwoord zien. De leerling moet dit woord voor zijn medeleerlingen tekenen, zonder erbij te praten. De andere leerlingen raden en proberen het woord goed op te schrijven. Zodra dit gelukt is wordt er gewisseld.

De woorden zijn:
gitaar – olifant – iglo – televisie – sigaar – pistool – dirigent – limonade – sinaasappel – minuut

Bladzijde 63
Deze bladzijde wordt afgesloten met een controledictee.
Dit dictee is te vinden in paragraaf 4.1.

Bladzijde 64
Oefening 1
Lees de woorden eerst samen. Vestig de aandacht op de volgende twee dingen:

1) Je hoort een ie, maar schrijft een i.
2) Je hoort een j, maar schrijft deze niet.
   Dit is het geval als na de i een klinker of tweetekenklank komt.

Bladzijde 67
Deze bladzijde wordt afgesloten met een controledictee.
Dit dictee is te vinden in paragraaf 4.1.

Bladzijde 68
Oefening 1
Lees de woorden eerst samen. Benadruk dat er woorden bij zijn waarin je ie hoort en ook schrijft, maar ook dat er woorden zijn waarin je ie hoort, maar i schrijft.

Bladzijde 70
Deze bladzijde wordt afgesloten met een controledictee.
Dit dictee is te vinden in paragraaf 4.1.

Bladzijde 72
Onderdeel 4 'ie = i' wordt hier afgesloten met een einddictee.
Dit dictee is opgenomen in paragraaf 4.2.

4 Dictees

4.1 Controledictees

Dictees bij 1 Klinkerdief – letterzetter 2

Controledictee na bladzijde 8

	Schrijf op:
1. Hang je tekening maar op.	tekening
2. Is de timmerman al klaar?	timmerman
3. De hele familie was aanwezig bij de bruiloft.	aanwezig
4. De volgende keer ben jij aan de beurt.	volgende
5. Tenslotte is het niet iedere dag feest.	tenslotte
6. Op donderdag komt de vuilnisman.	donderdag
7. Sommige mensen zijn bang voor muizen.	sommige
8. Morgen wordt mijn oma zeventig.	zeventig
9. In de dierentuin zag ik allerlei dieren.	allerlei
10. Niet allemaal tegelijk!	tegelijk

Controledictee na bladzijde 12

Schrijf de hele zin op:

1. Binnenkort komt die popzanger naar Nederland.
2. Dat aardige meisje gaat er met haar vriendinnen naar toe.
3. Ik zal proberen die dag ook aanwezig te zijn.
4. Toch ben ik helemaal niet tevreden over zijn liedjes.
5. Hoe laat gaan ze zaterdag beginnen?

Controledictee na bladzijde 17

	Schrijf op:
1. Die vrouw heeft honderdduizend euro gewonnen!	honderdduizend
2. Hier volgt een mededeling voor land- en tuinbouw.	mededeling
3. Ik woon tegenover de supermarkt.	tegenover
4. Reken jij de oppervlakte maar eens uit.	oppervlakte
5. Zoek de betekenis maar in het woordenboek op.	betekenis
6. Het wordt zo langzamerhand tijd dat je aan het werk gaat.	langzamerhand
7. Kom je ook naar mijn verzameling stripboeken kijken?	verzameling
8. Er is een verschrikkelijk ongeluk gebeurd.	verschrikkelijk
9. De toneelspelers hadden schitterende kleren aan.	schitterende
10. Ik heb vijfentwintig euro gespaard.	vijfentwintig

Controledictee na bladzijde 20

	Schrijf op:
1. De burgemeester roept de raadsvergadering bijeen.	burgemeester
2. Vul jij de adressen op de enveloppen in?	adressen
3. Ik eet 's ochtends altijd twee boterhammen.	boterhammen
4. Mijn oma woont op het platteland.	platteland
5. Die geruchten laten mij onverschillig.	onverschillig
6. Waarom ben jij zo ontevreden over je rapport?	ontevreden
7. Mijn broertje is heel goed in het maken van huishoudelijke apparaten.	apparaten
8. Amerika zendt voortdurend raketten naar de maan.	raketten
9. Elke zomer ga ik bij mijn oom tomaten plukken.	tomaten
10. Hij deed nogal geheimzinnig over zijn vondst.	geheimzinnig

Dictees bij 2 Verkleinwoorden 'Op reis door Madurodam'

Controledictee na bladzijde 30

	Schrijf op:
1. Moeder haalt een zakdoek uit haar handtasje.	handtasje
2. Op het vliegveldje landt een vliegtuigje.	vliegveldje
3. Er hangt een vreemd luchtje in huis.	luchtje
4. Het muisje gaat telkens in het draaimolentje.	draaimolentje
5. Het agentje blaast op zijn fluitje.	agentje
6. Vader leest de krant bij het schemerlampje.	schemerlampje
7. In het haventje ligt een rondvaartboot.	haventje
8. Zij is haar gouden armbandje verloren.	armbandje
9. In de erwtensoep zitten veel knakworstjes.	knakworstjes
10. Er is ook een klein dierentuintje in Madurodam.	dierentuintje

Controledictee na bladzijde 34

Schrijf de hele zin op:

1. Het straathondje kwispelt met zijn staartje.
2. Het oppassertje voerde het jonge leeuwtje.
3. Ans maakt een wandelingetje met haar vriendinnetje.
4. Op het marktpleintje staat een frietkraampje.
5. Timo maakte een tekeningetje over het tekenfilmpje.

Controledictee na bladzijde 36

	Schrijf op:
1. De juffrouw vertelde een spannend verhaaltje.	verhaaltje
2. Ik was mijn gezicht met een washandje.	washandje
3. Hij glijdt via het leuninkje van de trap naar beneden.	leuninkje
4. Moeder bakt een cake in een bakvormpje.	bakvormpje
5. Ga je bij jouw vriendinnetje spelen?	vriendinnetje
6. De hond werd aan een riempje uitgelaten.	riempje
7. Ik vraag een kettinkje voor mijn verjaardag.	kettinkje
8. Wil jij het zolderraampje sluiten?	zolderraampje
9. Hij heeft de tekening met een potloodje gemaakt.	potloodje
10. Vader slaat een spijkertje in de muur.	spijkertje

Controledictee na bladzijde 38

	Schrijf op:
1. Ik zal je een geheimpje verklappen.	geheimpje
2. In het vogelhuisje zit een roodborstje.	roodborstje
3. Aukje heeft haar parapluutje laten liggen.	parapluutje
4. Op de kinderboerderij hebben ze een zwart lammetje.	lammetje
5. De poppenkleertjes hangen aan het waslijntje.	waslijntje
6. Op het bospaadje zit een konijntje.	bospaadje
7. De juf vertelt een sprookje over een arm koninkje.	koninkje
8. Het zoutvaatje is leeg.	zoutvaatje
9. Op zijn verjaardag krijgt hij een speelgoedautootje.	speelgoedautootje
10. Na het eten krijgen wij een lekker puddinkje.	puddinkje

Dictees bij 3 Moeilijke meervouden

Controledictee na bladzijde 45

	Schrijf op:
1. Een week heeft zeven dagen.	zeven
2. De juffrouw is jarig.	juffrouw
3. De brievenbus wordt geleegd.	brievenbus
4. Die dove vrouw durft niet over straat.	dove
5. Beleef jij wel eens iets leuks?	beleef
6. Het glas viel in scherven.	scherven
7. Wil jij een halve appel?	halve
8. De honden blaffen al een uur.	blaffen
9. Wil jij voor mij een kuil graven?	graven
10. Ik plak een postzegel op de briefkaart.	briefkaart

Controledictee na bladzijde 50

Schrijf de hele zin op:

1. Zij verliezen vast hun zakgeld.
2. Hazen en konijnen zijn dieren.
3. Kaarsen geven gezellig licht.
4. Als het gaat regenen, zoek ik mijn laarzen op.
5. We zetten de colaglazen in de kast.
6. Er waren mooie prijzen te verdienen.
7. Bij sommige grenzen moet je uren wachten.
8. Mijn boze buurvrouw belde de huisbaas op.
9. Verse groente is heel gezond!
10. Paarse vazen zijn hier niet te koop.

Controledictee na bladzijde 54

	Schrijf op:
1. Apen zijn dol op pinda's.	pinda's
2. Programma's kunt u bij de ingang kopen.	programma's
3. Vogels vliegen 's winters naar Afrika.	vogels
4. Bijna alle restaurants hebben menu's.	menu's
5. Zijn de foto's van de vakantie al klaar?	foto's
6. Mijn opa's komen allebei op mijn verjaardag.	opa's
7. De paraplu's moeten in de gang staan.	paraplu's
8. Dure auto's worden vaak gestolen.	auto's
9. Neem jij de sleutels mee?	sleutels
10. De zebra's vind je achter in de dierentuin.	zebra's

Dictees bij 4 ie = i

Controledictee na bladzijde 63

	Schrijf op:
1. De Eskimo woont in een iglo.	iglo
2. Wat is de titel van je opstel?	titel
3. De Rijn is een grote rivier.	rivier
4. Mag ik je diploma eens zien?	diploma
5. Is hij familie van je?	familie
6. Ik ga in februari op wintersport.	februari
7. Dat schip is van de marine.	marine
8. Suriname is een warm land.	Suriname
9. Ik hoor de sirene van de brandweerwagen.	sirene

Controledictee na bladzijde 67

Schrijf de hele zin op:

1. De radio en de televisie staan aan.
2. De kampioen kreeg een krans van de president.
3. De muzikant speelt op zijn viool.
4. Ik gebruik bij het tekenen soms een liniaal.
5. Ik draag een lampion wel in het stadion.
6. Die olifant komt uit Amerika.
7. Een poes zeg miauw.
8. Vader maakt een dia over de marine.
9. De directeur is op dieet.
10. Die dirigent speelt ook prachtig piano.

Controledictee na bladzijde 70

	Schrijf op:
1. Wie heeft er een goed idee?	idee
2. Wij gaan met het vliegtuig op vakantie.	vakantie
3. Ik luister graag naar deze muziek.	muziek
4. Over een minuut is hij klaar.	minuut
5. Het is een aangenaam klimaat.	klimaat
6. Farida is de lieveling van de juf.	lieveling
7. Jullie moeten goed luisteren naar wat er gezegd wordt.	jullie
8. Neem een liter water.	liter
9. Na mei komt juni.	juni

4.2 Einddictees

Einddictee bij 1 Klinkerdief – letterzetter 2
(na bladzijde 23)

		Schrijf op:
1.	Ik heb een mooie verzameling postzegels.	verzameling
2.	De rekening was erg hoog.	rekening
3.	Ze leefden nog lang en gelukkig.	gelukkig
4.	We gaan allemaal mee.	allemaal
5.	Sinaasappels zijn meestal oranje.	oranje
6.	Wanneer ben jij geboren?	geboren
7.	Die jongen is erg verlegen.	verlegen
8.	Deze woorden zijn gemakkelijk te leren.	gemakkelijk
9.	Wat is de oppervlakte van dat terrein?	oppervlakte
10.	Er waren veel mensen aanwezig.	aanwezig
11.	Wat staat er op het programma?	programma
12.	Natuurlijk wil ik dat even doen.	natuurlijk
13.	Hij kon de rekening niet betalen.	betalen
14.	Ik heb het verschillende keren gevraagd.	verschillende
15.	Ik vond het erg gezellig.	gezellig
16.	Ik heb met belangstelling geluisterd.	belangstelling
17.	Dat zie je tegenwoordig niet veel meer.	tegenwoordig
18.	Hij heeft een uitstekend cijfer voor gymnastiek.	uitstekend
19.	Ik kan onmogelijk komen.	onmogelijk
20.	Wat een verschrikkelijk verhaal!	verschrikkelijk

Einddictee bij 2 Verkleinwoorden 'Op reis door Madurodam'

(na bladzijde 40)

		Schrijf op:
1.	De baby slaapt in een reiswiegje.	reiswiegje
2.	Hij heeft een gaatje in zijn trui.	gaatje
3.	Op het marktpleintje spuit een fonteintje.	fonteintje
4.	In dat tuintje staan veel fruitboompjes.	fruitboompjes
5.	Vader haalt met een nijptangetje de spijker uit de plank.	nijptangetje
6.	Zij verloor haar gouden kettinkje.	kettinkje
7.	De ober serveert de drankjes op een dienblaadje.	dienblaadje
8.	Het laatje van het nachtkastje piept.	laatje
9.	Het meisje rijdt op een vouwfietsje naar school.	vouwfietsje
10.	In de speeltuin is een klein glijbaantje.	glijbaantje
11.	Er zaten zoete schuimpjes op de pudding.	schuimpjes
12.	Moeder kookt melk in een steelpannetje.	steelpannetje
13.	In de nasi zaten veel pindaatjes.	pindaatjes
14.	Het zeilscheepje vaart het haventje uit.	zeilscheepje
15.	Er staat een woninkje in het bos.	woninkje
16.	De rondvaartboot vaart om het eilandje heen.	eilandje
17.	Na schooltijd doen zij vaak een kaartspelletje.	kaartspelletje
18.	De fotograaf maakt een pasfotootje.	pasfotootje
19.	Opa drinkt jenever uit een borrelglaasje.	borrelglaasje
20.	Het stroomtreintje rijdt onder een tunneltje door.	tunneltje

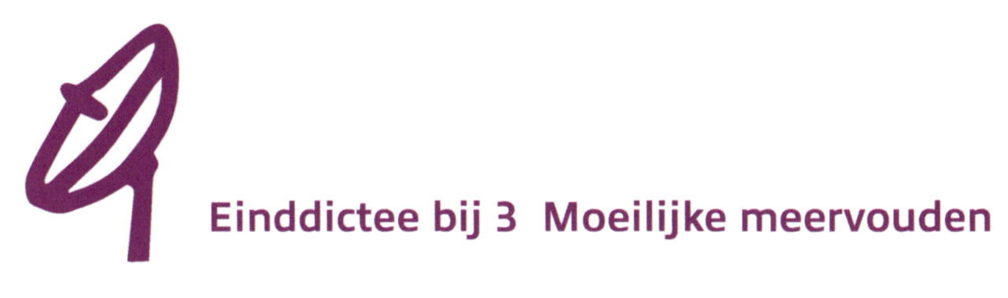

Einddictee bij 3 Moeilijke meervouden

(na bladzijde 57)

		Schrijf op:
1.	Morgen komt de glazenwasser.	glazenwasser
2.	Alle kinderen krijgen een ijsje.	kinderen
3.	In die winkel verkopen ze mooie stoffen.	stoffen
4.	Morgen komen er leuke programma's op televisie.	programma's
5.	Ik houd veel van Franse liederen.	liederen
6.	Wat een vieze broek heb jij!	vieze
7.	De bladeren vallen van de bomen.	bladeren
8.	De kleuters beven van schrik.	beven
9.	Koop even zes eieren voor mij.	eieren
10.	Veldmuizen zijn heel klein.	veldmuizen
11.	Er zijn veel soorten agenda's.	agenda's
12.	De boer brengt de kalveren naar de wei.	kalveren
13.	De dieven gingen er vandoor.	dieven
14.	De twee opa's praatten over vroeger.	opa's
15.	Op zeventien mei ben ik jarig.	zeventien
16.	Ik steek alle kaarsen aan.	kaarsen
17.	De wolven huilen in het bos.	wolven
18.	Zijn de pasfoto's al klaar?	pasfoto's
19.	De kersen zijn zuur.	kersen
20.	De kano's worden per auto naar Frankrijk vervoerd.	kano's

Einddictee bij 4 ie = i

(na bladzijde 72)

	Schrijf op:
1. Die Eskimo woont in Groenland.	Eskimo
2. Kun jij de gieter even vullen?	gieter
3. Heeft iemand een euro voor mij?	iemand
4. De spion kreeg veel geld.	spion
5. Dat is een muzikaal gezin.	muzikaal
6. De piloot maakt een noodlanding.	piloot
7. De indiaan is de oorspronkelijke bewoner van Amerika.	indiaan
8. Het publiek zong hard mee.	publiek
9. Hij kan niet tegen kritiek.	kritiek
10. Het riool is verstopt.	riool
11. Stop de brief maar in de brievenbus.	brievenbus
12. Misschien kom ik morgen.	misschien
13. Afrika is een werelddeel.	Afrika
14. Hij huilde van verdriet.	verdriet
15. Onze dokter gaat met pensioen.	pensioen
16. Hij rookte een sigaret.	sigaret
17. Die drie vormen een trio.	trio
18. Heb je liever ijs of chocola?	liever
19. Wat schittert die diamant!	diamant
20. Vandaag staat er een artikel over zeehonden in de krant.	artikel

5 Woordenlijsten

Woordenlijst 1 Klinkerdief – letterzetter 2

Woorden met drie klankgroepen

aannemen
aantallen
aanwezig
aardappel
achterna
achteruit
afdeling
agenten
akelig
allemaal
allerlei
aparte
apparaat
arbeider
artiesten
augustus
avontuur
bediende
bejaarde
belangrijk
belasting
beloning
bemanning
beneden
bepalen
beroemde
beschermen
bescherming
beslissing
bestellen
bestemming
bestuurder
betalen
betreffen
betrekken
betrekking
beweging
bewoners
bezetting
bezwaren
bijdrage
bijvoorbeeld
binnenkort
binnenland
bisschoppen
bittere
boerderij
boerinnen
boodschappen
boterham
bovendien
bovenste
brandbare
brandweerman
brutale
buitenland
buurvrouwen
daartegen
dadelijk
dagelijks
dappere
dodelijk
donderdag
dobbertje
duidelijk
eenvoudig
eigenlijk
Engeland
enige
ertegen
erwtensoep
evenals
eventjes
evenwicht
fabrieken
fantasie
feestelijk
fotograaf
gebeuren
geboorte
geboren
gekleurde
geleden
geloven
geluiden
gelukkig
gemeente
gemene
generaal
gesprekken
getallen
gevaarlijk
gevallen
gevaren
geweldig
geweren
gewone
gewoonte
gezellig
gezichten
gezinnen
gisteren
goedkope
grappige
griezelig
grootmoeder
grootvader
grotere
handdoeken
handige
handschoenen
hartelijk
heerlijke
heleboel
helemaal
hevige
hierboven
hinkelbaan
hogere
Hollandse
honderden
hoofdletter
houthakker
huiskamer
huissleutel
iedereen
ijverig
inbraken
inspanning
instrument
intussen
jarenlang
jarige
kabeljauw
kabouter
kanarie
kanonnen
kapotte
konijnen
koperen
kostbare
kunstenaar
lekkere
lelijke
leraren
machtige
manieren
mannetje
menigte
meningen
menselijk
merkwaardig
middelen
middelpunt
modellen
moderne
mogelijk
momenten
motoren
nachtegaal
natuurlijk
nauwelijks
nauwkeurig
nederlaag
Nederland
negentig
nieuwsgierig
nodige
normale
november
nuttige
oefening
ogenblik
oktober
omgeving
ondeugend
ongerust
ongeveer
onrustig
onschuldig
ontdekken
ontdekking
ontmoeten
ontmoeting
ontzettend
onverwacht
onzeker
opdrachten
openen
opening
opleiden
opleiding
oplossing
opmerken
opnemen
oppasser
opvoeden
opvoeding
opwinden
opwinding
oranje
ouderwets
overeind
overkant
overval
overzicht
paddenstoel
papegaai
papieren
parlement
personeel
personen
persoonlijk
pijnlijke
platteland
portretten
postbode
prachtige
prettige
proberen
problemen
programma
protesten
raketten
rechterhand

reiziger
rekening
rustige
scheidsrechter
schilderij
schitterend
schoolreisje
schoonvader
schriftelijk
seizoenen
september
sieraden
slaapkamer
soldaten
sommige
spannende
spanningen
stevige
stofzuiger
tegelijk
tekening
telegram
tenminste
tenslotte
terreinen
tevoorschijn
tevreden
tijdelijk
timmerman
toenemen
toestellen
toestemming
toevallig
tomaten
toneelstuk
totale
twintigste
uiterlijk
uitgave
uitstekend
vaderland
vanmiddag
vanmorgen
verbazing
verdeling
vergeten
vergissing
verhalen
verjaardag
verkeerde
verklaren
verkoopster
verkopen
verkouden
verlangen
verlaten
verleden
verlegen
verloofde
verpleegster
verrader
vermissing
verslagen
verschillen
vertellen
vervelend
verwarring
verzorging
vliegende
vliegtuigen
voetballen
voetstappen
volgende
volwassen
voorbeelden
voordelen
voorlopig
voornaamste
voorkomen
voorover
voorstellen
voorstelling
vooruitgang
voorzichtig
voorzitter
vorige
vrachtwagen
vreemdeling
vreselijk
vriendelijk
vriendinnen
vrijwillig
vrolijke
vrouwelijk
vruchtbare
vuilnisman
waarover
waarschijnlijk
waartegen
wachtkamer
wandelen
wandeling
wedstrijden
wielrennen
winkelen
winkelier
woningen
zaterdag
zeldzame
zevende
zeventien
zeventig
ziekenhuis
zilveren
zonnige

Woorden met vier of meer klankgroepen

aantrekkelijk
aanwezige
aardappelen
achterover
algemene
apparaten
avonturen
belangstelling
betekenen
betekenis
bewonderen
bewondering
binnenlandse
gebeurtenis
gedeeltelijk
geheimzinnig
gelukkige
gemakkelijke
gevangenen
gevangenis
gezellige
gisteravond
gistermiddag
herinneren
herinnering
honderdduizend
langzamerhand
mededeling
medelijden
mogelijke
natuurlijke
ogenblikken
ondertussen
onderwijzer
onderwijzeres
ongeduldig
ongelukken
ongelukkig
onmogelijk
ontwikkelen
ontzettende
onverschillig
oppervlakte
overleden
overmorgen
overwinning
regenachtig
schitterende
tegenover
tegenstander
tegenwoordig
teleurstelling
tentoonstelling
toevallige
uitzondering
verandering
verantwoordelijk
verbandtrommel
verbetering
verdediging
vergadering
verschillende
verschrikkelijk
verzameling
vijfentwintig
volwassene
zaterdagavond

Woordenlijst 2 Verkleinwoorden

Voor de verkleinwoorden die eindigen op je, tje, pje, etje en kje verwijzen we naar de woordenlijsten in de diverse handleidingen bij de niveaus 1 t/m 6.

Hieronder geven we enkele voorbeelden:

Woorden die eindigen op je

beetje
bootje
briefje
doosje
drankje
eindje
fietsje
flesje
fluitje
grapje
hondje
kaartje
kindje
koekje
kopje
lampje
liedje
lusje
mandje
meisje
muisje
nichtje
pakje
plaatje
plantje
plekje
poesje
potloodje
praatje
reisje
sprookje
stukje
takje
tijdje
vriendje
washandje
worstje
zusje

Woorden die eindigen op tje

broertje
dochtertje
dobbertje
eitje
etentje
konijntje
leeuwtje
spijkertje
tafeltje
trommeltje
uurtje
verhaaltje
vogeltje
zoontje

Woorden die eindigen op pje

boompje
geheimpje
raampje
vormpje

Woorden die eindigen op kje

kettinkje
puddinkje
koninkje
woninkje
hellinkje

Woorden die eindigen op etje

belletje
karretje
mannetje
ringetje
rolletje
slangetje
sommetje
spelletje
tekeningetje
vriendinnetje

Verkleinwoorden uit de uitzonderingscategorie

Verkleinwoorden waarbij de korte klank in een lange klank verandert

blad – blaadje
pad – paadje
gat – gaatje
glas – glaasje
schip – scheepje
vat – vaatje

Verkleinwoorden die bij de schrijfwijze een verandering van de lange klank krijgen

foto – fotootje
la – laatje
mama – mamaatje
oma – omaatje
opa – opaatje
papa – papaatje
pinda – pindaatje
sla – slaatje
vla – vlaatje
zebra – zebraatje

Woordenlijst 3 Moeilijke meervouden

Woorden waarbij de f in een v verandert

beloven	dief	golf	neef	schroef
beroven	doof	graven	proef	stijf
beven	drijven	half	schaaf	stoven
blijven	druif	hoeven	scheef	vergeven
boef	duif	kluif	scherf	vijf
braaf	geloven	leven	schijf	wolf
brief	geven	lief	schrijven	

Woorden waarbij de s in een z verandert

advies	genezen	kaas	ons	verbazen
baas	glanzen	kies	prijs	verhuizen
bevriezen	glas	kiezen	prijzen	verliezen
bewijzen	grens	laars	reis	vies
boos	grijs	lezen	reizen	vrezen
buis	haas	matroos	reus	vriezen
doos	hals	muis	roos	wijs
gans	huis	neus	vaas	wijzen

Woorden die in het meervoud op 's eindigen

agenda's	opa's
auto's	papa's
foto's	paraplu's
kano's	pinda's
mama's	programma's
menu's	zebra's
oma's	

Woorden die in het meervoud op eren eindigen

bladeren
eieren
kalveren
kinderen
liederen

Woordenlijst 4 ie = i

abrikoos
Afrika
Afrikaan
Afrikaans
Amerika
Amerikaan
Amerikaans
artikel
benzine
dia
dia's
diamant
dieet
diploma
direct
directeur
dirigent
dominee
Eskimo
Eskimo's
fabrikant
familie
februari
figuur
finale
giro
gitaar
gitarist
idee
iglo
India
indiaan
januari
juni
kampioen
kantine
kapitein
kilo
kilometer
kilo's
kiwi
klarinet
klimaat
kritiek
lampion
limonade
liniaal
liaan
liter
marine
miauw
minister
minuut
muzikaal
muzikant
olifant
pensioen
pianist
piano
pianootje
piano's
piloot
pion
piraat
pistool
president
prima
radio
radiootje
radio's
riool
rivier
sigaar
sigaret
sinaasappel
sirene
ski's
spion
stadion
Suriname
Surinaams
Surinamer
taxi
taxi's
televisie
titel
tribune
trio
uniform
via
video
viool
violist
visite

Schema

van de luistervink – klinkerdief – letterzetter voor woorden van twee of meer klankgroepen

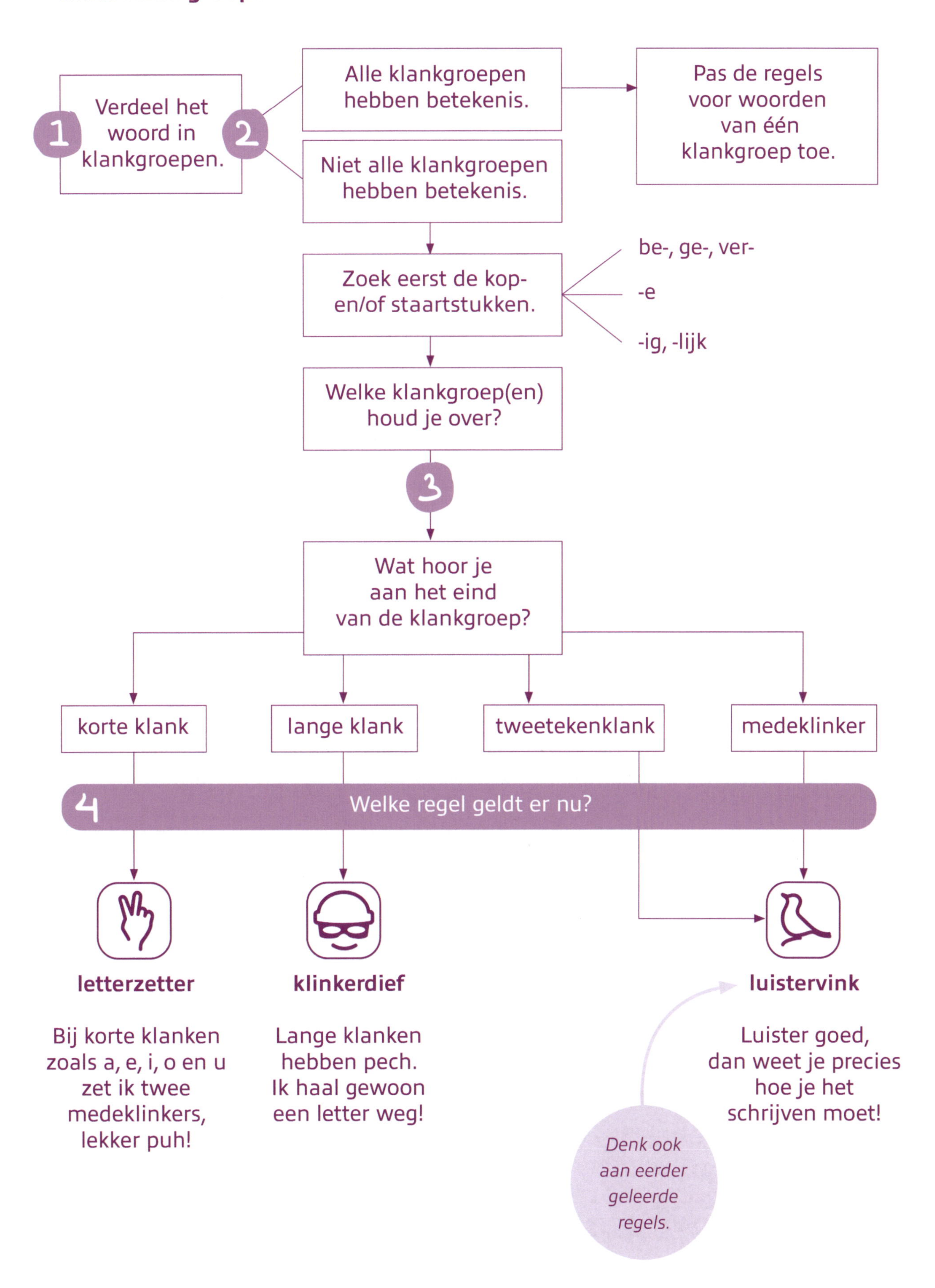

Bijlage

Spelling in de lift adaptief

handleiding niveau 8

moeilijke letters
moeilijke uitgangen
leenwoorden
moeilijke Nederlandse woorden

Inhoud

1 Doelstellingen

1.1 Algemene doelstellingen

Het werkboek van niveau 8 bevat de laatste onderdelen van de methode *Spelling in de lift adaptief*. Met deze methode leren leerlingen de schrijfwijze van veelvoorkomende Nederlandse woorden. Het is van belang dat leerlingen de woorden die ze leren niet alleen goed schrijven in de spellinglessen, maar dat ze die kennis ook gaan gebruiken in hun spontane schriftelijke taalgebruik. Hiervoor zijn speciale oefeningen opgenomen. Voor een verdere toelichting van de algemene doelstellingen kun je de Algemene Inleiding raadplegen.

1.2 Doelstellingen van niveau 8

In het werkboek wordt de schrijfwijze aangeleerd van:
- veelvoorkomende woorden met q, x, y, c en th (bijvoorbeeld: mixer);
- veelvoorkomende woorden met een trema (bijvoorbeeld: drieën);
- woorden met de volgende 'uitgangen':
  -iaal, -eaal, -ueel, -ieel (bijvoorbeeld: speciaal);
  -isch (bijvoorbeeld: automatisch);
  -tie (bijvoorbeeld: definitie);
  -teit of -heid (bijvoorbeeld: boosheid).

- woorden eindigend op eum of ium (bijvoorbeeld: podium);
- woorden met ch – die klinkt als sj – (bijvoorbeeld: chef);
- woorden met g – die klinkt als zj – (bijvoorbeeld: giraf);
- woorden met een ou – die klinkt als oe – (bijvoorbeeld: retour);
- woorden met -air, -eau (bijvoorbeeld: ordinair);
- woorden met het accent aigu (bijvoorbeeld: café);

- restwoorden die ook uit een vreemde taal stammen, maar niet onder één van de bovenstaande categorieën vallen (bijvoorbeeld: computer, barbecue);

- woorden met een ch in het midden – die klinkt als g – (bijvoorbeeld: kachel);
- woorden met een b – die klinkt als p – (bijvoorbeeld: slab);
- woorden die voorafgegaan worden door 's (bijvoorbeeld: 's nachts);
- woorden met wr vooraan – dat klinkt als vr – (bijvoorbeeld: wraak).

2 Opbouw

2.1 Instaptoets

Om de beginsituatie van de leerling vast te stellen, wordt in de digitale omgeving gestart met een instaptoets.

Deze instaptoets is passend bij de didactische leeftijd van de leerling en de periode van een jaar terug: er worden enkel spellingcategorieën getoetst waar de leerling op dat moment in zijn leerproces aan toe is of is geweest.

De instaptoets duurt ongeveer 40 tot 60 minuten. Het advies is om de tijd van de instaptoets te verspreiden over verschillende momenten op een dag of in een week. Zo minimaliseer je eventuele onzekerheid of frustratie. De instaptoets gaat automatisch verder waar een leerling gebleven is.

De resultaten van de leerling worden na het afronden van de instaptoets in het resultatenscherm van de leerkracht getoond. Hierop kun je precies zien welke spellingcategorieën de leerling al goed beheerst en op welke spellingcategorieën nog meer geoefend moet worden. Ook kun je het niveau van klankherkenning inzien. Het systeem zet, op basis van de resultaten, vervolgens automatisch oefenstof klaar.

2.2 Digitaal verwerken

Tijdens het digitaal verwerken kun je in het resultatenscherm de voortgang van de leerling inzien. Wanneer een leerling uitvalt op een spellingcategorie, wordt in het resultatenscherm verwezen naar deze categorie binnen de handleiding per niveau van *Spelling in de lift adaptief*. De leerling heeft dan baat bij instructie, begeleide inoefening en verwerking die gestuurd wordt door de leerkracht.

Aan de klankherkenning en het klankonderscheid hangt geen 'goed' of 'fout' niveau. Het doel hiervan is om de snelheid van de verwerking van klank-tekenkoppeling te vergroten. Vooruitgang is daarbij het streven.

2.3 Instructie en verwerken op papier

In het resultatenscherm zie je op welke spellingcategorieën van niveau 8 de leerling uitvalt. Ga samen met de leerling aan de slag met de desbetreffende spellingcategorieën.

Het is dus zeker niet zo dat de leerling alle opdrachten uit het werkboekje van niveau 8 moet maken. Het mag natuurlijk wel, want extra oefening kan nooit kwaad.

In deze handleiding staan per bladzijde van het werkboek instructies en aanwijzingen bij de opdrachten. Daarnaast vind je bij verschillende bladzijden auditieve oefeningen die je samen met de leerling kunt doen. In hoofdstuk 3 vind je hoe deze zijn aangegeven, in zowel de handleiding, als in het werkboek.

2.4 Evaluatie

Tussen de verschillende oefeningen door, zijn controledictees voorhanden om na te gaan waar de leerling zich op dat moment in zijn leerproces bevindt. Aan het eind van iedere spellingcategorie vind je een einddictee. Dit kun je naast het controledictee en de gemaakte opgaven leggen om de voortgang van de leerling inzichtelijk te maken.

Zowel aan het controledictee, als aan het einddictee hangen geen normeringen.

De voortgang van de leerling wordt nog duidelijker zichtbaar door hem, na het oefenen op papier, weer digitaal te laten oefenen. In het resultatenscherm kun je zien hoe de leerling nu scoort op de spellingcategorieën.

3 Didactiek

3.1 Leerinhouden

In het werkboek vind je de volgende categorieën:

1 Moeilijke letters

de letter q	(blz. 3)
woorden met de letter x	(blz. 4 t/m 6)
woorden met de letter y	(blz. 7 t/m 9)
woorden met q, x, y door elkaar	(blz. 10)
woorden waarin de c als s klinkt	(blz. 11 t/m 14)
woorden waarin de c als k klinkt	(blz. 15)
woorden met c = s en c = k door elkaar	(blz. 16 t/m 19)
woorden met de letters th	(blz. 20 t/m 22)
herhaling van alle moeilijke letters	(blz. 23 en 24)

2 Moeilijke uitgangen

woorden waarin een trema voorkomt	(blz. 26 t/m 29)
woorden met de achtervoegsels -iaal, -eaal, -ueel of -ieel	(blz. 30 en 31)
woorden met het achtervoegsel -isch	(blz. 32 t/m 34)
woorden met -tie	(blz. 35 t/m 37)
woorden met het achtervoegsel -teit, -heid	(blz. 38 t/m 40)
herhaling van de moeilijke uitgangen	(blz. 41 t/m 45)

3 Leenwoorden

woorden die eindigen op eum of ium	(blz. 47)
woorden waarin de ch als sj klinkt	(blz. 48 en 49)
woorden waarin de g als zj klinkt	(blz. 50 t/m 52)
woorden waarbij de ou als oe uitgesproken wordt	(blz. 53 en 54)
woorden met -air en -eau	(blz. 55)
woorden met het accent aigu	(blz. 56 en 57)
restwoorden afkomstig uit een vreemde taal	(blz. 58 t/m 63)
herhaling van de leenwoorden	(blz. 64 t/m 66)

4 Moeilijke Nederlandse woorden

woorden waarin een ch voorkomt die als g uitgesproken wordt	(blz. 68 en 69)
woorden waarin een b voorkomt die als p uitgesproken wordt	(blz. 70 en 71)
woorden met vooraan 's of wr	(blz. 72 en 73)
herhaling van moeilijke Nederlandse woorden	(blz. 74 en 75)

3.2 Leerprincipes

Voor een algemene toelichting op de verschillende leerprincipes kun je hoofdstuk 3 van de Algemene Inleiding lezen. Hieronder wordt besproken hoe de leerprincipes oriënteren en optimaliseren op niveau 8 plaatsvinden.

Oriënteren

De woorden die op niveau 8 aangeleerd worden, zijn niet klankzuiver. De hoofdregel van de Nederlandse spelling 'Je schrijft het woord zoals je het hoort', is hier daarom niet van toepassing. Daarom is het belangrijk dat de leerlingen goed op de verschillende aspecten van elk spellingkenmerk georiënteerd worden. Dit kun je als volgt uitvoeren:

Moeilijke letters

De meestvoorkomende woorden met moeilijke letters worden aangeleerd door inprenting van de visuele woordbeelden. Het aantal woorden met q, x, y en th is beperkt, maar het aantal woorden dat met een c geschreven wordt, is erg groot.

Er zijn woorden waarin de c als s klinkt. Deze woorden worden het eerst aangeboden. Om te bepalen of bij het lezen de c als s of als k uitgesproken wordt, geldt deze hulpregel: 'Bij ce – ci – cij klinkt de c als s!'

Moeilijke uitgangen

In dit deel van het werkboek gaat het niet alleen om uitgangen, maar ook om achtervoegsels. Achtervoegsels onderscheiden zich van uitgangen doordat zij eraan voorafgaan: bij het woord 'geweldige' is '-ig' achtervoegsel en '-e' de uitgang. In deze methode worden óók de achtervoegsels 'uitgangen' genoemd.

Hieronder lees je van verschillende aangeboden kenmerken hoe de leerlingen erop worden georiënteerd:

Trema

Bij het trema gaat het niet alleen om een uitgang. De twee puntjes op een letter geven aan waar de nieuwe klankgroep begint, dus hoe je dat woord leest. Zo bestaat er minder kans op een verkeerde uitspraak.

Enkele kanttekeningen:
- Een trema heeft soms een functie bij meervoudvorming: drieën; reeën.
- Moeilijkheden doen zich vooral voor bij het schrijven van woorden als: officieel – officiële (wel/geen trema!). Wanneer dit aan bod komt in het werkboek, wordt er bij Aanwijzingen per bladzijde, specifiek (paragraaf 3.5) meer over uitgelegd.
- De uitgangen -eum, en -eus krijgen nooit een trema. Voorbeeld: museum.
- Bij afbreking van het woord vervalt het trema. Voorbeeld: ge-eist.
- De leerlingen worden op trema's georiënteerd door ze eerst geschreven woorden met trema's correct te leren uitspreken. Vervolgens wordt een aantal woorden met trema's ingeprent.

-iaal, -eaal, -ueel, -ieel
Het probleem bij deze uitgangen is dat bij het uitspreken ervan een j of w gehoord wordt, die niet opgeschreven mag worden. Daarbij mag bij de uitgang -ieel geen trema gezet worden (zie ook onderdeel 'trema'), maar moet dit wel bij -iële.

Na het oriënteren van de leerlingen op het verschil in uitspraak en schrijfwijze wordt een aantal veelvoorkomende woorden aangeleerd door middel van inprenting.

-isch
Dit achtervoegsel komt altijd achter de stam van het woord. Voorbeeld: telefonisch. Ook woorden met -isch worden aangeleerd door middel van inprenting.

-tie
Bij dit spellingprobleem zijn twee aspecten te onderscheiden, namelijk:
- ti(e) wordt als tsie uitgesproken. Voorbeeld: attentie.
- ti(e) wordt als sie uitgesproken. Voorbeeld: actie.

De leerlingen worden georiënteerd op dit verschil tussen uitspraak en schrijfwijze. Ook hier is gekozen voor inprenting van de woorden.

-teit, -heid
De veelvoorkomende woorden worden door middel van inprenting aangeleerd. Tijd is alleen met een lange ij als het met de klok te maken heeft.

Leenwoorden
Leenwoorden zijn woorden die uit een andere taal zijn overgenomen. De leenwoorden in dit werkboek zijn geselecteerd uit woordfrequentielijsten en zijn aangevuld met woorden die vaak in het dagelijkse taalgebruik voorkomen. Denk bijvoorbeeld aan woorden zoals 'team', 'make-up', 'shampoo'. Alle leenwoorden worden door middel van inprenting aangeleerd:

-eum, -ium
Bij het uitspreken van woorden die eindigen op -eum of -ium hoor je vóór um een j, maar deze mag niet opgeschreven worden.

ch = sj
Met name bij Franse leenwoorden spreekt men de ch- als sj uit. Voorbeeld: chef.

g = zj
Bij andere Franse leenwoorden als 'horloge' en 'energie' leren de leerlingen dat je zj hoort, maar g schrijft.

ou = oe / -air / -eau
Bij deze onderdelen worden de leerlingen eveneens georiënteerd op het verschil in uitspraak en schrijfwijze.

Woorden met een accent

Om de stof voor de leerlingen niet al te moeilijk te maken, is deze methode beperkt tot enkel woorden met het accent aigu. Zo'n accent geeft de uitspraak van de klinker in een woord aan. In deze methode worden de accenten ` en ^ niet behandeld. Ook het beklemtonen van Nederlandse woorden door middel van accenten (hè, hé) wordt niet behandeld.

Restwoorden

Er zijn ongeveer 50 woorden geselecteerd die veel gebruikt worden. Je mag hier uiteraard op aanvullen. Ook kan een methode Engels in het basisonderwijs hier mogelijk goed op aansluiten.

Om de aanbieding van de restwoorden te structureren, zijn een aantal gebieden te onderscheiden, te weten: restaurant, supermarkt, vakantie, vrije tijd en school. Deze belangstellingsgebieden fungeren als een soort 'kapstok' waar de restwoorden aan opgehangen zijn.

Moeilijke Nederlandse woorden

In dit werkboek worden vier spellingcategorieën met moeilijke Nederlandse woorden aangeboden:

- woorden met een ch in het midden – die klinkt als g –;
- woorden met een b in het midden of met een b aan het eind;
- 's voor een woord: deze categorie is beperkt tot de tijdsaanduidingen: 's morgens, 's middags, 's avonds, 's nachts, 's zomers en 's winters. De betekenis van dit stukje 's is 'in de'. Dus 's middags betekent: in de middag.
- woorden die beginnen met wr: bij deze woorden hoor je een vr, maar schrijf je wr (bijvoorbeeld: wraak).

Nadat de leerlingen op het verschil in uitspraak en schrijfwijze georiënteerd zijn, worden de woorden door middel van inprenting aangeleerd.

Het is goed om regelmatig over de betekenis van de woorden te praten. Het werkboek bevat ook speciaal daarop gerichte oefeningen.

Optimaliseren

Het gaat hier om het automatiseren en generaliseren van de spellinghandeling.

Na het aanmoedigen van een correcte uitspraak worden nieuwe woorden van niveau 8 vooral visueel ingeprent. Het is het beste om dit zoveel mogelijk per groepje letters in te prenten, en niet letter voor letter. Uiteindelijk is het de bedoeling dat de woordbeelden bij de leerlingen 'uit de pen vloeien'. Het spellen is dan een automatisme geworden.

Van de leerlingen wordt verwacht dat zij hun nieuwe kennis niet alleen bij losse woorden toepassen, maar ook in zinnen en verhaaltjes. Hieraan wordt aandacht besteed in het werkboek. Let erop dat buiten de spellinglessen ook de juiste spelling wordt toegepast.

Isoleren, discrimineren en integreren
Naast het oriënteren en optimaliseren wordt aandacht besteed aan het isoleren, discrimineren en integreren. Voor de toelichting op deze begrippen kun je hoofdstuk 3 van de Algemene Inleiding lezen.

De verschillende nieuwe spellingcategorieën van niveau 8 worden zoveel mogelijk geïsoleerd aangeboden. Pas wanneer de leerling na een aantal oefeningen de nieuwe categorie beheerst, wordt een volgend spellingprobleem geïntroduceerd.

Voor de leerprincipes 'controleren' en 'motiveren' kun je verder lezen in de Algemene Inleiding.

3.3. Werkvormen

De handleiding
In deze handleiding vind je de instructies bij de oefeningen in het werkboek. De instructies bevatten onder andere: het bespreken van de betekenis van nieuwe woorden, een uitgebreide oriëntatie op een nieuw probleem, leiding geven aan auditieve oefeningen, het vooraf bespreken van de oefeningen uit het werkboek en het nabespreken van de gemaakte oefeningen.

De auditieve oefeningen zijn in de methode *Spelling in de lift adaptief* erg belangrijk. Deze sluiten aan op de leerstof of ze bereiden de volgende oefeningen in het werkboek voor.

Regelmatig worden dictees afgenomen, geanaylseerd en nabesproken.
Naast woorddictees zijn er zinnendictees om te kijken of de spelling niet alleen op woordniveau beheerst wordt, maar ook op zinsniveau functioneert. In zowel de woord- als zinnendictees zijn 'afleidende woorden' opgenomen. Dit zijn woorden die een lettercombinatie bevatten die auditief moeilijk te onderscheiden is van de aangeleerde spellingcategorie.

Het werkboek
Bij het aanleren en oefenen van nieuwe spellingcategorieën op dit niveau speelt de visuele inprenting een grote rol. Door woorden steeds opnieuw te laten schrijven, wordt een schrijfmotorisch woordbeeld ingeslepen. Naast deze grafisch-fonologische informatie wordt ook aandacht besteed aan semantische en syntactische functies door met afbeeldingen de betekenis van woorden te verduidelijken, en aan te geven hoe ze gebruikt kunnen worden.

Ook op niveau 8 hebben de leerlingen de gerichte instructies nodig. Het is dus niet de bedoeling dat een leerling geheel zelfstandig een werkboek doorwerkt. Controleer regelmatig of de leerlingen de aanwijzingen bij de oefeningen goed hebben begrepen. Oefen ook gezamenlijk op de goede uitspraak van de nieuwe woorden van niveau 8.

3.4 Aanwijzingen per bladzijde, algemeen

De doelenkaart
De doelenkaart (op de binnenkant van de kaft) geeft aan welke onderdelen de leerling in het werkboek gaat doen en kan op twee manieren ingezet worden:

- **Voorafgaand aan het oefenen.**
  Bespreek samen met de leerling welke spellingcategorieën hij al beheerst en welke spellingcategorieën hij nog lastig vindt: kortom, met welke spellingcategorieën gaat de leerling de komende tijd oefenen.

- **Na afloop van het oefenen of na afloop van een dictee.**
  Evalueer het oefenproces met de leerling. Bespreek na in hoeverre de leerling de spellingcategorieën nu beheerst.

Instructie
Tijdens de instructie worden de doelstelling, het te hanteren materiaal en de introductievorm vermeld.

Auditieve oefeningen
De instructie en de woorden die worden aangeboden zijn omschreven. Deze oefeningen kunnen met één of meerdere leerlingen gedaan worden.

Gezamenlijke oefeningen
Deze oefeningen kunnen samen met een groepje leerlingen gedaan worden.

dictee

Dictees
Deze dictees zijn in de handleiding te vinden onder respectievelijk paragraaf 4.1 en 4.2.

Betekenis van woorden
Het is belangrijk dat de leerlingen de betekenis van de behandelde woorden kennen. Controleer dit regelmatig door de leerlingen bijvoorbeeld zinnen met de woorden te laten maken.

Zinnen maken
De oefeningen waarbij leerlingen zelf zinnen moeten maken, zijn erg belangrijk. Let erop dat ze toepassen wat ze geleerd hebben. Behalve de behandelde woorden van niveau 8, moeten ook de woorden van niveau 1 t/m 7 goed geschreven worden.

Creativiteit
Het is goed om de creativiteit van de leerlingen aan te moedigen. Bij de oefeningen is er lang niet altijd sprake van één correct antwoord; soms zijn er alternatieven. Reken het vooral niet fout als een leerling een ander woord invult dat wel in de oefening past. Als dit het geval is, geef de leerling dan een compliment voor zijn originaliteit. Speels omgaan met taal en spelling is leuk en moet zeker aangemoedigd worden!

3.5 Aanwijzingen per bladzijde, specifiek

1 Moeilijke letters

Bladzijde 3
Bij de q is alleen het woord 'aquarium' belangrijk.

Oefening 3
Oefen eerst mondeling met het maken van verschillende zinnen.

Bladzijde 4
De woorden met een x worden geïntroduceerd. Neem die woorden door. Laat de moeilijke woorden opzoeken in het woordenboek. Laat de leerling zelf samenstellingen opnoemen met 'ex'.

Bladzijde 6
Deze bladzijde wordt afgesloten met een controledictee.
De controledictees zijn opgenomen in paragraaf 4.1.

Bladzijde 7
Oefening 1
Hier worden alle belangrijke y-woorden geïntroduceerd. Laat de woorden oplezen. De leerling luistert daarbij goed naar de verschillende uitspraken van de y. Bespreek ook de betekenis van de woorden. Laat ze eventueel in het woordenboek opzoeken.

Bladzijde 10
Deze bladzijde wordt afgesloten met een controledictee.
Dit dictee is te vinden in paragraaf 4.1.

Bladzijde 11
Op deze bladzijde worden de woorden waarin de c als s klinkt geïntroduceerd. Lees deze woorden hardop voor, zodat de leerling hoort dat de 'c' als 's' klinkt.

Oefening 2
De regel: 'Bij de ce – ci – cij klinkt de c als s!' wordt geïntroduceerd.
Om verwarring bij de uitspraak te voorkomen, leert de leerling eerst de c = s-woorden vlot lezen, voordat de c = k-woorden behandeld worden.

Bladzijde 15
Bovenaan de bladzijde worden de woorden geïntroduceerd waarin de c als k klinkt.

Bladzijde 17
Op deze bladzijde worden zes extra moeilijke woorden behandeld, namelijk woorden waarin twee c's voorkomen: één c als s en één c als k (bijvoorbeeld: 'concert'). Deze zes woorden worden door gevarieerde oefeningen ingeprent.

Bladzijde 18
Gezamenlijke oefening
Deze oefening kan uitgevoerd worden, wanneer meerdere leerlingen tegelijkertijd met deze spellingcategorie oefenen. De leerlingen dicteren elkaar om de beurt met een woord met een c als moeilijke letter van deze bladzijde. Daarna kijken ze elkaars werk na.

Bladzijde 19
Deze bladzijde wordt afgesloten met een controledictee.
Dit dictee is te vinden in paragraaf 4.1.

Bladzijde 20
Oefening 1
Op deze bladzijde worden de th-woorden geïntroduceerd. Bespreek wat de woorden betekenen, laat ze eventueel opzoeken in het woordenboek. Laat zelf samengestelde woorden bedenken met thee en thuis.

Bladzijde 21
Oefening 1
Er zijn soms meer mogelijkheden om de zin ontkennend te maken. Laat de leerling dit ervaren. Let ook op de interpunctie en op de spelling van de andere woorden.

Bladzijde 22
Deze bladzijde wordt afgesloten met een controledictee.
Dit dictee is te vinden in paragraaf 4.1.

Bladzijde 24
Onderdeel 1 'Moeilijke letters' wordt hier afgesloten met een einddictee.
De einddictees zijn opgenomen in paragraaf 4.2.

2 Moeilijke uitgangen

Bladzijde 26
Op deze bladzijde wordt eerst het begrip 'trema' geïntroduceerd.

Oefening 1
Het begrip (trema) kan verder uitgelegd worden aan de hand van de woorden uit deze oefening. Laat de woorden eventueel in klankgroepen verdelen, bijvoorbeeld:

papieren: /pa/pie/ren
kopiëren: /ko/pi/ë/ren

Op deze manier kan goed duidelijk gemaakt worden dat bij het trema een nieuwe klankgroep begint. Bespreek ook, waar nodig, de betekenis van de woorden uit oefening 1.

Bladzijde 29
Oefening 3
Bespreek eventueel de oefening eerst mondeling. Het vormen van correcte meervouden kan een probleem zijn. Laat daarom het meervoud van elk woord noemen en er een zinnetje mee bedenken. Laat daarna pas de meervouden opschrijven.

Na oefening 4 wordt een controledictee afgenomen.
Dit dictee is opgenomen in paragraaf 4.1.

Bladzijde 30
Op deze en de volgende bladzijden worden de uitgangen -iaal, -eaal, -ueel en -ieel behandeld. Bespreek het verschil tussen de uitspraak en de schrijfwijze: 'Je hoort bij de laatste klankgroep een j of een w, maar je mag deze niet opschrijven'.

Oefening 1
Bij de uitgang -ieel zit er een addertje onder het gras. Je schrijft namelijk 'officieel' níet met een trema, maar 'officiële' wel! Ditzelfde geldt bijvoorbeeld voor 'principieel' en 'financieel'. Als de uitgang niet verbogen wordt, hoeft er dus geen trema op.

Het voorbeeld van hierboven kan goed besproken worden aan de hand van de woorden bij deze oefening.

Bladzijde 31
Deze bladzijde wordt afgesloten met een controledictee.
Dit dictee is te vinden in paragraaf 4.1.

Bladzijde 32
Op deze bladzijde wordt het achtervoegsel -isch geïntroduceerd. Bespreek dat wanneer je 'ies' hoort, je meestal isch moet opschrijven.

Oefening 1
De meeste woorden met -isch hebben een moeilijk uit te leggen betekenis. Bespreek daarom de betekenis van de woorden van oefening 1.

Bladzijde 34
Deze bladzijde wordt afgesloten met een controledictee.
Dit dictee is te vinden in paragraaf 4.1.

Bladzijde 35
Oefening 1
Hier worden woorden met -tie behandeld. Bespreek het verschil tussen uitspraak en schrijfwijze. Voorbeelden:
prestatie: uitspraak /tsie/, je schrijft tie.
productie: uitspraak /sie/, je schrijft tie.

Bladzijde 37
Deze bladzijde wordt afgesloten met een controledictee.
Dit dictee is te vinden in paragraaf 4.1.

Bladzijde 38
Op deze bladzijde worden woorden met het achtervoegsel -teit aangeboden.

Bladzijde 39
Op deze bladzijde worden woorden met -heid als achtervoegsel geïntroduceerd.

Gezamenlijke oefening
Hier vind een extra woordendictee plaats.

	Schrijf op:
1. In september hebben wij een reünie.	reünie
2. Dit is een speciaal geval.	speciaal
3. Er is een technische storing.	technische
4. Ik zet een advertentie in de krant.	advertentie
5. Die stof is van goede kwaliteit.	kwaliteit
6. Nauwkeurigheid is bij dat werk erg belangrijk.	nauwkeurigheid
7. Wat heb jij veel ideeën!	ideeën
8. Ik heb dat telefonisch afgesproken.	telefonisch
9. Ik wil graag wat informatie.	informatie
10. Kun je dat eventueel voor mij doen?	eventueel

Wanneer meerdere leerlingen tegelijkertijd met deze spellingcategorie oefenen, kun je hen elkaars dictee laten nakijken.

Bladzijde 40
Deze bladzijde wordt afgesloten met een controledictee.
Dit dictee is te vinden in paragraaf 4.1.

Bladzijde 43
Gezamenlijke oefening
Schrijf onderstaande groepjes woorden op het bord. Wijs nu een groepje aan. Vraag de leerlingen de twee woorden goed te bekijken en te onthouden. Veeg daarna het groepje weg en laat de leerlingen de twee woorden op een blaadje schrijven. Doe hetzelfde met de andere woordgroepjes. Bespreek na afloop alle woorden na.

De groepjes zijn:

operatie	injectie	specialiteit
kwaliteit	mentaliteit	contributie
organisatie	majesteit	
universiteit	redactie	

Bladzijde 44
Oefening 2
Je kunt deze oefening eerst mondeling met de leerlingen doornemen. Sommige meervoudsvormen zullen namelijk niet zo bekend zijn, bijvoorbeeld:

hoeveelheid – hoeveelheden
organisatie – organisaties

Bladzijde 45
Onderdeel 2 'Moeilijke uitgangen' wordt hier afgesloten met een einddictee.
Dit dictee is opgenomen in paragraaf 4.2.

3 Leenwoorden

Bladzijde 47
Voordat met de oefeningen uit dit deel begonnen wordt, kun je eerst iets dieper ingaan op het begrip 'leenwoorden'. Dit zijn woorden die uit een andere taal afkomstig zijn. Laat de leerling zelf woorden noemen, waarvan hij denkt dat het leenwoorden zijn. Misschien weet hij zelfs ook uit welke taal ze voortkomen.

Oefening 1
Hier worden vijf woorden met -eum en -ium behandeld. Geef aan dat de leerling een j hoort, maar dat die niet wordt opgeschreven. Hier worden geen trema's gebruikt.

Bladzijde 48
Maak de leerling attent op de uitspraak en schrijfwijze van een nieuwe serie woorden, namelijk die waarbij de ch als sj wordt uitgesproken.

Bladzijde 50
Op deze bladzijde komen woorden aan bod waarbij de g meestal als zj uitgesproken wordt. Nu is deze zj niet altijd bij elke uitspraak even goed hoorbaar, bijvoorbeeld bij 'giraf' en 'asperge'. De woorden worden zoveel mogelijk via visuele inprenting ingeslepen.

Bladzijde 52
Deze bladzijde wordt afgesloten met een controledictee.
Dit dictee is te vinden in paragraaf 4.1.

Bladzijde 53
Een nieuwe categorie leenwoorden wordt geïntroduceerd, namelijk die woorden waarbij je een ou schrijft die je als oe uitspreekt. Bespreek de betekenis van deze woorden.

Bladzijde 55
Bespreek de nieuwe woorden met -air en -eau.

Bladzijde 56
Bespreek eerst de nieuwe woorden met het accent aigu en hun uitspraak. Daarna kan de leerling de bladzijde verder zelf maken tot de gezamenlijke oefening. Wijs erop dat het streepje altijd een bepaalde kant op moet wijzen.

Gezamenlijke oefening
Visueel dictee: Zet een woord op het bord. De leerlingen prenten het in, het wordt weggeveegd en de leerlingen schrijven het op.

De woorden zijn:
politie – kampioen – privé – China – februari – macaroni – situatie – finale – station – kwaliteit

Bladzijde 57
Deze bladzijde wordt hier afgesloten met een controledictee.
Dit dictee is te vinden in paragraaf 4.1.

Bladzijde 58
Gezamenlijke oefening
De rest van het onderdeel 'Leenwoorden' behandelt woorden die niet onder één van de voorgaande categorieën vallen. Er zijn weinig overeenkomsten tussen deze woorden. Deze moeten uit het hoofd geleerd worden.

Inventariseer op het bord welke leenwoorden de leerling zelf kan bedenken. Je kunt nagaan of ze niet onder een van de andere categorieën leenwoorden vallen. Zo nee, dan kunnen ze worden opgeschreven.

Je kunt er ook een wedstrijd van maken en de leerlingen individueel of gezamenlijk zoveel mogelijk woorden laten bedenken.

Bladzijde 61
Gezamenlijke oefening
Visueel dictee: Zet een woord op het bord. De leerlingen prenten het in, het wordt weggeveegd en de leerlingen schrijven het op.

De woorden zijn:
keeper – weekend – camping – bungalow – mayonaise – shampoo – restaurant – cadeau – enthousiast – spaghetti

Bladzijde 63
Deze bladzijde wordt hier afgesloten met een controledictee.
Dit dictee is te vinden in paragraaf 4.1.

Bladzijde 65

Gezamenlijke oefening

Doorloper: Leg uit dat een doorloper net zo iets is als een kruiswoordraadsel. Je vindt de goede woorden bij de omschrijvingen en schrijft deze woorden na elkaar op. De laatste letter van het eerste woord vormt meteen de eerste letter van het tweede woord. Deze letters komen in de omrande hokjes. In deze doorloper komen alleen leenwoorden voor.

Behandel samen het eerste item. Schrijf de oplossing op, of laat deze in het werkboek invullen. Daarna horen de leerlingen de omschrijvingen van het tweede item en zo verder. Laat hen eventueel samen opzoek gaan naar de juiste woorden.

De omschrijvingen:

Regel 1:
- koffers
- zakje waar schrijfspullen in opgeborgen worden
- vraaggesprek

Regel 2:
- lekkernij gemaakt van cacao
- heel licht en sterk metaal

Regel 3:
- iemand die artikelen voor de krant schrijft
- iemand die mensen voor een sport oefent

Regel 4:
- dier met zeer lange nek
- hoog gebouw waarin mensen wonen
- wc
- vervoermiddel op rails

Regel 5:
- haarwasmiddel
- alledaags, plat
- wedstrijd, wedloop

Regel 6:
- een verhoging die als platform dient
- gebouw waarin voorwerpen zijn tentoongesteld
- middelen waarmee je je gezicht opmaakt

Regel 7:
- stortbad
- verdieping
- kracht, arbeidsvermogen

Regel 8:
- werktuig dat energie oplevert of werk verricht
- onderzoek naar meningen van personen

Regel 9:
- eetbare paddenstoel
- hoogte, peil

Regel 10:
- stukjes vlees aan een pin geregen en geroosterd
- geestdriftig
- ijzeren bak of gevechtswagen

Bladzijde 66

Onderdeel 3 'Leenwoorden' wordt hier afgesloten met een einddictee.
Dit dictee is opgenomen in paragraaf 4.2.

4 Moeilijke Nederlandse woorden

Bladzijde 68

Oefening 1

In het verhaaltje worden acht moeilijke Nederlandse woorden geïntroduceerd, waarbij in het midden een ch staat die wordt uitgesproken als g. Wijs hier extra op.

Bespreek ook dat de regels van de klinkerdief of de letterzetter bij woorden als 'goochelaar' of 'lachen' niet gelden. Bespreek ook waarom niet en waar de leerling dit aan kan zien.

Bladzijde 69

Deze bladzijde wordt afgesloten met een controledictee.
Dit dictee is te vinden in paragraaf 4.1.

Bladzijde 70

Op deze bladzijde worden zes woorden behandeld, waarbij je een p hoort maar een b schrijft.

Wanneer de leerling aan het eind van een woord een p hoort, kan hij dat woord langer maken om te horen of hij een b of een p moet schrijven.

Het woord 'ambtenaar' dat hier ook aan de orde komt, is een apart geval. Bij de uitspraak ervan hoor je immers geen b en ook geen p, maar je moet wel een b schrijven.

Auditieve oefening

Laat de leerling de volgende zinnen aanvullen. De leerling geeft eerst aan of je de aan te vullen woorden met een b of een p op het eind schrijft.

Eén web – twee .... in de struik.
Eén stip – twee .... in de verte.
De thee is slap – .... thee.
Eén slab – twee .... in de was.
De broek is krap – een .... broek.
Eén krab – twee .... op het strand.

Bladzijde 71

Deze bladzijde wordt afgesloten met een controledictee.
Dit dictee is te vinden in paragraaf 4.1.

Bladzijde 72

Op deze bladzijde wordt de 's vóór een woord aangeboden. Vertel dat 's meestal gebruikt wordt als het om delen van de dag, om dagen van de week of delen van het jaar gaat.

's betekent eigenlijk zoiets als 'in de' of 'op de'. Als je 's gebruikt moet je achter de tijd ook een s zetten, maar dan zonder komma: 's zomers – 's winters.

Bladzijde 73

Op deze bladzijde maken de leerlingen kennis met woorden waarin je vr hoort, maar wr moet schrijven. Behandel eventueel de woorden gezamenlijk.

Na oefening 3 wordt een controledictee afgenomen.
Dit dictee is opgenomen in paragraaf 4.1.

Bladzijde 75

Onderdeel 4 'Moeilijke Nederlandse woorden' wordt hier afgesloten met een einddictee. Dit dictee is opgenomen in paragraaf 4.2.

4 Dictees

4.1 Controledictees

Dictees bij 1 Moeilijke letters

Controledictee na bladzijde 6

	Schrijf op:
1. Wanneer doe je examen?	examen
2. De explosie was tot in de verre omtrek te horen.	explosie
3. Er zit een ekster in de boom.	ekster
4. In onze klas staat een aquarium.	aquarium
5. Ik wil graag saxofoon leren spelen.	saxofoon
6. Op een woonerf is 30 kilometer per uur het maximum.	maximum
7. Op de eerste pinksterdag gingen we naar oma.	pinksterdag
8. Die postzegel is een zeldzaam exemplaar.	exemplaar
9. Dat experiment is niet geslaagd.	experiment
10. Ben jij soms bang dat de bliksem inslaat?	bliksem

Controledictee na bladzijde 10
Schrijf de hele zin op:

1. Ik heb nog nooit een hyena yoghurt zien eten.
2. Het mysterie speelde zich af in Egypte.
3. Op gymnastiekles wilden we liever yoga doen.
4. Het is zijn hobby om mensen onder hypnose te brengen.
5. Dat type past niet in mijn kaartsysteem.

Controledictee na bladzijde 19

	Schrijf op:
1. Mijn oom is officier bij de marine.	officier
2. Het is tegen mijn principe om te liegen.	principe
3. Scheur maar een blad van de kalender af.	kalender
4. Die jongen loopt een groot risico.	risico
5. Assen is de hoofdstad van de provincie Drenthe.	provincie
6. Heb jij lucifers bij de hand?	lucifers
7. Schil jij een sinaasappel voor mij?	sinaasappel
8. Weegt die meloen precies 1 kilo?	precies
9. Het concert was geweldig.	concert
10. Dat product is niet meer te koop.	product

Controledictee na bladzijde 22

Schrijf de hele zin op:

1. Om een televisie te kopen sluit je geen hypotheek af.
2. Je neemt de temperatuur op met een thermometer.
3. Voor het leren van theorie heb ik mijn eigen methode.
4. Als ik thuiskom uit school, ga ik meteen naar de bibliotheek.
5. Weet jij het telefoonnummer van de apotheek?

Dictees bij 2 Moeilijke uitgangen

Controledictee na bladzijde 29

	Schrijf op:
1. Vanmiddag gaan we met z'n tweeën naar het zwembad.	tweeën
2. Dit jaar gaan we met vakantie naar België.	België
3. Geef jij mij die papieren zak eens.	papieren
4. Mijn oom werkt bij het Ministerie van Financiën.	Financiën
5. Wat ben jij toch een egoïst!	egoïst
6. Die film was reuze spannend.	reuze
7. Er zijn nog geen officiële berichten over de ramp.	officiële
8. Op de reünie kwam ik een oude vriend tegen.	reünie
9. Zij heeft bij het skiën haar been gebroken.	skiën
10. Hij zakte tot z'n knieën in de modder.	knieën

Controledictee na bladzijde 31

Schrijf de hele zin op:

1. Met dit materiaal kan ik nieuwe ideeën uitproberen.
2. Hij is principieel tegen het kappen van oerwoud in Brazilië.
3. Eventueel kan ik dat verhaal wel voor jou kopiëren.
4. Ze hebben die ruïne speciaal voor de toeristen laten staan.
5. Het is mijn ideaal om later naar Australië te gaan.
6. Het nieuws in de krant is actueel.
7. Met een liniaal kun je iets opmeten.
8. Financieel zit hij er warmpjes bij.
9. In gezelschap stelt hij zich heel sociaal op.
10. Het bericht werd officieel bekendgemaakt.

Controledictee na bladzijde 34

Visueel dictee:

Schrijf de hierna volgende woorden met flinke letters op woordetiketten. Laat het woord zien. De leerling bekijkt het woord aandachtig, spreekt het eventueel in lettergrepen zacht voor zichzelf uit, en schrijft het daarna op.

De woorden zijn:
technische – historisch – elektrisch – alfabetisch – fantastisch – romantische – medisch – automatische – praktisch – economisch.

Controledictee na bladzijde 37

Schrijf de hele zin op:

1. Op het station kun je informatie over de reistijden krijgen.
2. De directie is vandaag telefonisch niet te bereiken.
3. De pers vroeg de Indonesische regering om een reactie.
4. De politie zoekt het schilderij dat tijdens de expositie gestolen werd.
5. Hoe luidt de definitie van democratie?
6. Het is een traditie dit feest nationaal te vieren.

Controledictee na bladzijde 40

	Schrijf op:
1. Met grote snelheid kwam de auto de bocht om.	snelheid
2. Mijn broer studeert aan de universiteit.	universiteit
3. Ter gelegenheid van het huwelijk is er een receptie.	gelegenheid
4. Vandaag was er veel activiteit in de haven.	activiteit
5. De betrouwbaarheid van dat middel is niet groot.	betrouwbaarheid
6. Kinderen, het is bedtijd!	bedtijd
7. Die oude man heeft nog een goede gezondheid.	gezondheid
8. Mijn vader heeft een baan bij de overheid.	overheid
9. Onder werktijd mag hij niet op zijn telefoon.	werktijd
10. De filmster had er alles voor over om in de publiciteit te komen.	publiciteit

Dictees bij 3 Leenwoorden

Controledictee na bladzijde 52

	Schrijf op:
1. Er is een schilderij uit het museum gestolen.	museum
2. Op het vliegveld werd mijn bagage gecontroleerd.	bagage
3. In China maakte men vroeger prachtige vazen.	China
4. De chef van de werkplaats sprak met de klant.	chef
5. Die auto moet voor een beurt naar de garage.	garage
6. Ik wil graag tropische vissen in mijn aquarium.	aquarium
7. Die machine moet nodig een keer gesmeerd worden.	machine
8. Mijn broer vraagt een horloge voor zijn verjaardag.	horloge
9. Wil jij een stukje chocola?	chocola
10. Via de bovenste etage kom je bij de brandtrap.	etage

Controledictee na bladzijde 57

Schrijf de hele zin op:

1. De journalist zat druk te typen aan zijn bureau.
2. Je mag niet op het privéstrand van de miljonair komen.
3. De orgelman is heel populair bij de klanten van dat café.
4. Mijn logé wil graag de route langs het IJsselmeer volgen.
5. Bij de douane werd in dat leuke cadeau een brilslang ontdekt.

Controledictee na bladzijde 63

	Schrijf op:
1. Dit weekend gaan we naar een huisje.	weekend
2. Die filmster staat bijna nooit een interview toe.	interview
3. Ik heb een nieuw programma voor de computer.	computer
4. De chauffeur waarschuwde de jongens voor de laatste keer.	chauffeur
5. Dat goedkope plastic autootje ging al snel kapot.	plastic
6. Onze hond is gelukkig niet jaloers op de baby.	baby
7. Vóór het diner werden de zilveren kandelaars geteld.	diner
8. De laatste avond van het schoolkamp werd er een modeshow georganiseerd.	show
9. Op de eerste verdieping is ook een toilet.	toilet
10. Het team van de luchtvaartschool heeft gewonnen.	team

Dictees bij 4 Moeilijke Nederlandse woorden

Controledictee na bladzijde 69

	Schrijf op:
1. Armen en benen zijn onderdelen van het lichaam.	lichaam
2. Iedereen moest om de goochelaar lachen.	lachen
3. Er lag veel bagger in de sloot.	bagger
4. Wat is die broek belachelijk duur.	belachelijk
5. Zijn hobby is goochelen.	goochelen
6. Tijdens de voorstelling is het vervelend als mensen moeten kuchen.	kuchen
7. Het publiek moest juichen toen het doelpunt viel.	juichen
8. De muggen kwamen op het licht af.	licht
9. Giechelen meisjes meer dan jongens?	giechelen
10. Vroeger werd dit kanon gebruikt om kogels mee af te vuren.	kogels

Controledictee na bladzijde 71

	Schrijf op:
1. De baby morste op zijn slab.	slab
2. Tijdens eb is het strand groter dan tijdens vloed.	eb
3. Deze trui is veel te krap.	krap
4. Hij werkt als ambtenaar bij de provincie.	ambtenaar
5. Er hangt een groot web in de struik.	web
6. Ik heb een krab op het strand gezien.	krab
7. Je moet op de stoep lopen en niet op de straat.	stoep
8. De overheid geeft subsidie voor het project.	subsidie
9. Ik kan absoluut niet komen.	absoluut
10. Berg de spullen op in je map.	map

Controledictee na bladzijde 73

Schrijf de hele zin op:

1. 's Nachts is het buiten donker.
2. 's Winters gaan wij altijd skiën.
3. Wij gaan 's zomers nooit op vakantie.
4. Ze wrijft over de blauwe plek op haar knie.
5. 's Avonds gingen we naar een concert.
6. Pas maar op, hij zal wraak nemen.
7. Ik kan 's middags niet op visite komen.
8. 's Morgens sta ik vroeg op.
9. Op de bodem van de zee is het wrak van een schip gevonden.
10. Er zit een wrat op mijn hand.

4.2 Einddictees

Einddictee bij 1 Moeilijke letters
(na bladzijde 24)

		Schrijf op:
1.	Ik heb een extra lekker toetje gemaakt.	extra
2.	Ken je de negende symfonie van Beethoven?	symfonie
3.	Er is pas een discotheek geopend in onze straat.	discotheek
4.	Die winkel verkoopt textiel.	textiel
5.	Hij sprak met een vreemd accent.	accent
6.	Ben je wel eens in een katholieke kerk geweest?	katholieke
7.	Mijn hoogste rapportcijfer was een zeven.	rapportcijfer
8.	Er zitten ook waterplanten in het aquarium.	aquarium
9.	Nederland en Denemarken exporteren veel melkproducten.	exporteren
10.	In de vakantie gaan we naar het circus.	circus
11.	Een duif is het symbool van de vrede.	symbool
12.	De politicus hield een lange toespraak.	politicus
13.	Een minuut duurt veel langer dan een seconde.	seconde
14.	Wat is het thema van die lezing?	thema
15.	Mijn zusje is typiste.	typiste
16.	De centimeter zit in de naaikist.	centimeter
17.	De patiënt kwam al snel weer bij uit de narcose.	narcose
18.	Ik heb een handig systeem bedacht.	systeem
19.	Mijn oma heeft een heel mooi theeservies.	theeservies
20.	Dat gat moet met cement gedicht worden.	cement

Einddictee bij 2 Moeilijke uitgangen

(na bladzijde 45)

		Schrijf op:
1.	Voor die reparatie moet de auto naar de garage.	reparatie
2.	Mijn ideaal is om later operazangeres te worden.	ideaal
3.	Na dat ongeluk was medische hulp dringend noodzakelijk.	medische
4.	Dat oude dorpje vormt een toeristische attractie.	toeristische
5.	Nasi maken is mijn specialiteit.	specialiteit
6.	Volgende week ga ik naar een reünie van mijn oude school.	reünie
7.	Ik kan eventueel morgen ook wel komen.	eventueel
8.	De kwaliteit van deze stof is uitstekend.	kwaliteit
9.	Er is een bekend schilderij gestolen uit de collectie van die oude rijke dame.	collectie
10.	Volgens de officiële berichten wordt de waarde van dat schilderij op 2 miljoen euro geschat.	officiële
11.	Mijn neef gaat naar een technische school.	technische
12.	Dit is geen droom maar werkelijkheid.	werkelijkheid
13.	Heb jij nog leuke ideeën voor de bonte avond?	ideeën
14.	Mag ik jouw liniaal even lenen?	liniaal
15.	De sluipschutter had zich op een onneembare positie ingegraven.	positie
16.	Dank u wel voor uw gastvrijheid.	gastvrijheid
17.	In Arabië zijn grote gebieden onbevolkt.	Arabië
18.	Mijn buurman kan financieel nauwelijks rondkomen sinds hij werkloos is.	financieel
19.	De productie van dat bedrijf is de laatste jaren weer sterk toegenomen.	productie
20.	Ik heb praktisch niets gedaan vandaag.	praktisch

Eindictee bij 3 Leenwoorden

(na bladzijde 66)

	Schrijf op:
1. Een giraf heeft een kort borstelig staartje.	giraf
2. Mijn broer wast op vrijdagavond borden af in het restaurant.	restaurant
3. Het podium kraakte toen de piano naar zijn plaats gereden werd.	podium
4. Kun je mijn pony even bijknippen?	pony
5. De bungalow lag op een prachtig plekje aan het water.	bungalow
6. Tot Maastricht hadden wij de coupé voor ons alleen.	coupé
7. Binnenkort komt mijn nichtje logeren.	logeren
8. Mijn oma neemt altijd een souvenir van vakantie mee.	souvernir
9. Toen onze hond zo vies was, hebben we hem maar onder de douche gezet.	douche
10. Dat meisje ziet er meestal ordinair uit.	ordinair
11. Het kost die oude man veel energie om elke dag boodschappen te doen.	energie
12. De militair werd uitgezonden voor VN-taken.	militair
13. Bij het café om de hoek is vannacht een ruit ingegooid.	café
14. Ook een clown moet voor zijn optreden oefenen.	clown
15. Die stang is van aluminium.	aluminium
16. Het niveau van mijn tegenspeelster is veel hoger.	niveau
17. De machinist moest onverwachts remmen.	machinist
18. Afwassen is voor haar routine.	routine
19. Je hebt een medaille verdiend.	medaille
20. Het is nogal gehorig in die flat.	flat

Einddictee bij 4 Moeilijke Nederlandse woorden

(na bladzijde 75)

		Schrijf op:
1.	Mijn oom is goochelaar in een circus.	goochelaar
2.	De spin heeft een web geweven.	web
3.	De klas lag dubbel van het lachen.	lachen
4.	's Winters kan het buiten erg koud zijn.	's Winters
5.	In de zomer wordt de kachel niet gebruikt.	kachel
6.	Vader staat 's morgens al vroeg op om naar zijn werk te gaan.	's morgens
7.	Mijn zusje heeft een slab om, want ze morst nog met het eten.	slab
8.	De jongen moest giechelen om haar grap.	giechelen
9.	Het is absoluut niet waar wat daarover in de krant staat.	absoluut
10.	's Middags gaat de school om drie uur uit.	's Middags
11.	Als je lang genoeg wrijft, gaat het glimmen.	wrijft
12.	Het is een belachelijke vertoning.	belachelijke
13.	De ambtenaar zorgde voor een nieuw paspoort.	ambtenaar
14.	De gevangene werd wreed behandeld.	wreed
15.	Dankzij de subsidie kan het project doorgaan.	subsidie
16.	De lage waterstand noemen we eb.	eb
17.	Na het sporten deden bijna alle spieren van zijn lichaam pijn.	lichaam
18.	Mijn vriendin is een echte lachebek.	lachebek
19.	Op het strand heb ik een krab gezien.	krab
20.	's Nachts is het heel stil op straat.	's Nachts

5 Woordenlijsten

Woordenlijst 1 Moeilijke letters

q
aquarium

x
box
ex
examen
exclusief
excursie
excuus
exemplaar
experiment
experimenteren
explosie
export
exporteren
expres
extra
fax
flexibel
luxe
Luxemburg
maximum
mixer
saxofoon
taxi
textiel
triplex

y
Egypte
gymnastiek
hobby
hyena
hypnose
mysterie
pyjama
symbool
symfonie
synagoge
synoniem
systeem
type
typen
yoga
yoghurt

c (= s)
balanceren
cel
cement
cent
centimeter
centraal
centrum
cijfer
cirkel
citroen
december
feliciteren
hyacint
kapucijner
medicijn
lucifer
narcis
oceaan
officier
percentage
precies
principe
procent
proces
provincie
recept
recent
sollicitant
solliciteren
stencil

c (= k)
accu
acrobaat
actief
advocaat
alcohol
bioscoop
cactus
camera
Canada
carnaval
cassis
cola
collecte
collecteren
collega
commanderen
commentaar
commissaris
commissie
communisme
compleet
compliment
componist
concluderen
conclusie
concreet
conducteur
conflict
congres
contact
contant
contract
controle
controleren
controleur
correspondent
creatief
crisis
Cuba
cultuur
cursus
dictee
direct
directeur
discussie
document
economie
effect
exclusief
excursie
excuus
inclusief
inspecteren
inspecteur
locomotief
macaroni
microfoon
microscoop
musicus
narcose
particulier
politicus
postcode
product
project
reclame
respect
risico
seconde
speculaas
structuur
vacature
verticaal

c (= k,= s)
accent
accepteren
circus
concentreren
concert
directrice
succes

th
apotheek
bibliotheek
discotheek
hypotheek
katholiek
marathon
methode
sympathie
theater
thee
theedoek
theekopje
theelepel
theepot
theeservies
theezakje
thema
theorie
therapie
thermometer
thermosfles
thermoskan
thermostaat
thuis
thuiskomst

Woordenlijst 2 Moeilijke uitgangen

trema's
Albanië
Arabië
Argentinië
Australië
Azië
België
Bosnië
Brazilië
cocaïne
drieën
egoïst
feeën
financiële
financiën
Groot-
Brittannië
heroïne
hygiëne
ideeën
Indonesië
industrieën
Israël
Italië
knieën
kopiëren
Kroatië
neuriën
officiële
oriënteren
patiënt
principiële
reeën
reële
reünie
Roemenië
ruïne
Scandinavië
Servië
skiën
sleeën
Tunesië
tweeën
zeeën

-ieel
financieel
officieel
principieel

-isch
alfabetisch
Arabisch
Atlantisch
automatisch
Belgisch
biologisch
chaotisch
chemisch
communistisch
democratisch
economisch
Egyptisch
elektrisch
fantastisch
gigantisch
grafisch
historisch
Indisch
Indonesisch
Israëlisch
kapitalistisch
komisch
kritisch
logisch
medisch
olympisch
praktisch
romantisch
Russisch
socialistisch
technisch
telefonisch
theoretisch
toeristisch
tropisch
typisch

-iaal
geniaal
liniaal
materiaal
provinciaal
sociaal
speciaal

-eaal
ideaal

-ueel
actueel
eventueel
individueel

ti(e)=(t)sie
administratie
advertentie
arrestatie
attentie
combinatie
concentratie
concurrentie
conferentie
contributie
definitie
democratie
demonstratie
discriminatie
emigratie
emotie
expeditie
expositie
felicitatie
garantie
generatie
inflatie
informatie
initiatief
intelligentie
instantie
interpretatie
isolatie
justitie
motie
motivatie
natie
notitie

-teit
activiteit
actualiteit
autoriteit
brutaliteit
elektriciteit
identiteit
kwaliteit
majesteit
mentaliteit
muzikaliteit
nationaliteit
productiviteit
publiciteit
realiteit
specialiteit
universiteit

-heid

aanwezigheid
aardigheid
afwezigheid
bekendheid
beleefdheid
bereidheid
bescheidenheid
betrouwbaarheid
bijzonderheid
blindheid
boosheid
dankbaarheid
deskundigheid
doofheid
droefheid
duidelijkheid
duizeligheid
eenheid
eenzaamheid
eerlijkheid
gastvrijheid
gehoorzaamheid
geldigheid
gelegenheid
gezelligheid
gezondheid
gierigheid
gladheid
hoeveelheid
kleinigheid
luiheid
meerderheid
mensheid
minderheid
moeilijkheid
mogelijkheid
nauwkeurigheid
nieuwsgierigheid
omstandigheid
onzekerheid
overheid
schoonheid
snelheid
tevredenheid
traagheid
veiligheid
verantwoordelijkheid
verkoudheid
verlegenheid
verliefdheid
vlugheid
volksgezondheid
voorzichtigheid
vriendelijkheid
vrijheid
waarheid
werkelijkheid
werkgelegenheid
werkloosheid
wijsheid
zekerheid
zeldzaamheid
zuinigheid

Woordenlijst 3 Leenwoorden

-eum, -ium

aluminium
aquarium
jubileum
museum
podium

ch=sj

chef
Chili
China
Chinees
chirurg
chocola
lunch
machine
machinist
marcheren
rechercheur

g=zj

asperge
bagage
centrifuge
energie
etage
etalage
garage
giraf
horloge
lekkage
logeren
manege
massage
passagier
rage
ravage
reportage
stage

ou=oe

couveuse
douane
douche
journaal
journalist
retour
route
routine

-air

militair
miljonair
ordinair
populair
revolutionair

-eau

bureau
cadeau
niveau

accent aigu

café
comité
logé
privé
coupé

rest leenwoorden

auteur
baby
barbecue
bouillon
bungalow
cake
camping
caravan
carrière
champignon
chauffeur
cheque
chips
clown
club
computer
conciërge
cowboy
cup
detail
detective
diner
drugs
enquête
enthousiast
etui
flat
goal
grapefruit
hangar/hangaar
ingenieur
interview
jack
jam
jury
jus
keeper
ketchup
make-up
mayonaise
medaille
milieu
nylon
panty
paperclip
paraplu
pizza
planning
plastic
pony
portefeuille
premier
race
record
restaurant
shampoo
shirt
show
souvenir
spaghetti
tank
team
toilet
trainer
tram
trottoir
weekend

Woordenlijst 4 Moeilijke Nederlandse woorden

ch(-g)

belachelijk
giechelen
goochelaar
goochelen
juichen
kachel
kuchen
lachebek
lachen
lichaam

b(-p)

absoluut
ambtenaar
eb
krab
slab
subsidie
web

wr – vooraan

wraak
wrak
wrang
wrat
wreed
wrijf
wrijft
wroet

's – vooraan

's avonds
's middags
's morgens
's nachts
's winters
's zomers